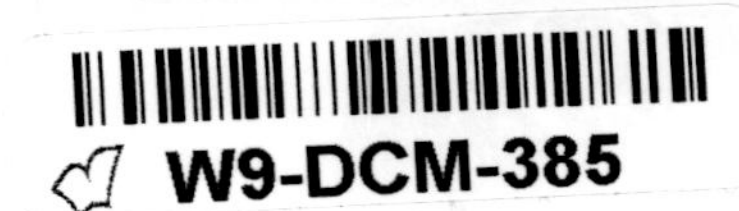

Emma Eberlein O. F. Lima
Samira A. Iunes

FALAR... LER... ESCREVER...

PORTUGUÊS

Um Curso Para Estrangeiros

EDITORA PEDAGÓGICA
E UNIVERSITÁRIA LTDA.

Sobre as autoras:

Emma Eberlein O. F. Lima, Professora de Português para estrangeiros em São Paulo. Co-autora de: Avenida Brasil - Curso básico de Português para estrangeiros (E.P.U.); Português Via Brasil - Curso avançado para estrangeiros (E.P.U.); Falar... Ler... Escrever... Português - Um Curso para Estrangeiros (E.P.U.); Inglês - Telecurso de Segundo Grau (Fundação Roberto Marinho). Diretora da Polyglot - Cursos de Português para estrangeiros em São Paulo.

Samira Abirad Iunes, Doutora em língua e literatura francesa pela Universidade de São Paulo (USP). Professora do Departamento de Letras Modernas da USP - Curso de Francês; Professora do Curso de especialização em tradução francês-português/ português-francês. Co-autora de: Avenida Brasil - Curso básico de Português para estrangeiros (E.P.U.); Português Via Brasil - Curso avançado para estrangeiros (E.P.U.); Falar... Ler... Escrever... Português - Um Curso para Estrangeiros (E.P.U.).

Capa: Virgínia Fernandes Lima de Assis (Absoluta Criação Visual)
Diagramação: Departamento Gráfico E.P.U./ Eliene de Jesus Bizerra
Desenhos: Gilberto de Assis
Pesquisa fotográfica: Lalo de Almeida

Dados Internacionais de Catalogação na Publicação (CIP)
(Câmara Brasileira do Livro, SP, Brasil)

Lima, Emma Eberlein O. F.
Falar... Ler... Escrever... português.
Um curso para estrangeiros / Emma Eberlein O. F.
Lima, Samira A. Iunes. São Paulo: EPU, 1999.

ISBN 85-12-54310-8

1.Português - Estudo e ensino - Estudantes
estrangeiros I. Iunes, Samira A. II. Título.

99-3342 CDD-469.824

Índices para catálogo sistemático:

1.Português para estrangeiros 469.824

2ª. edição revista, 5ª. reimpressão, 2006

ISBN 978-85-12-**54310**-9
ISBN 85-12-**54310**-8

E. P. U. - **Telefone** (0++11) 3168-6077 - **Fax.** (0++11) 3078-5803
E-Mail: vendas@epu.com.br **Site na Internet:** http://www.epu.com.br
R. Joaquim Floriano, 72 - 6º andar - salas 65/68 - 04534-000 São Paulo - SP

Impresso no Brasil Printed in Brazil

ÍNDICE

UNIDADE 5

UNIDADE 6

UNIDADE 7

UNIDADE 8

UNIDADE 9

UNIDADE 10

UNIDADE 11

Créditos

FOTO

pg. 5 Museu de Arte de Pampulha/ Belo Horizonte - MG. Vailton Silva Santos / Folha Imagem. Praia de Ipanema. Marluce Balbino / Acervo RIOTUR. Cristo Redentor. Marluce Balbino. Gal Oppido / Acervo RIOTUR.
pg. 13 Maceió. Carla Aranha / Folha Imagem.
pg. 14/243 Aeronave Airbus da TAM.
pg. 20 Palácio da Alvorada, Brasília, DF. Roberto Jayme / Folha Imagem.
pg. 28 Vista da Praia da Boa Viagem e da cidade de Recife. Cleo Velleda / Folha Imagem.
pg. 37 Foto do cartaz "O Pagador de promessas" cedida pela CINEARTE. Cartaz Morte e Vida Severina. Cedido pela APETESP, SP.
pg. 38 MASP, Parque Trianon, Colégio Dante Alighieri. João Bittar / Folha Imagem.
pg. 45 Vale do Anhangabaú. Greg Salibian / Folha Imagem.
pg. 58 Roupas femininas. Ricardo Meirelles.
pg. 59 Roupas masculinas / Roupa social / Acessórios / Na praia. Ricardo Meirelles.
pg. 63 Bairro do Morumbi, SP. Cleo Velleda / Folha Imagem.
pg. 64 Pantanal, Fazenda Caimã e Bonito. Cesar Itibere, Folha Imagem.
pg. 67 Cientista. Ed Viggiani / Agência Tempo de Fotografia. Loira. Lalo de Almeida. Operário. Ed Viggiani / Agência Tempo de Fotografia.
pg. 79 Esplanada dos Ministérios, Catedral e Congresso Nacional, Brasília, DF. Ricardo Stuckert / Abril Imagens.
pg. 80 1: Ópera de Arame, Curitiba, PR. Edson Franco / Folha Imagem.
2: Olinda. Lalo de Almeida.
3: Prédio da Alfândega em Manaus. Raimundo José Santos Trindade. Acervo da FUMTUR.
4: Porto de Santos, SP. Régis Filho /Abril Imagens.
5: Cataratas de Foz-do-Iguaçu, PR.. Ed Viggiani / Agência Tempo de Fotografia.
6: Gramado, RS. Luciana Cavalini. Folha Imagem.
7: Cidade de Montes Claros, MG. Folha Imagem.
8: Calçadão, RJ. / Rio Tur.
pg. 87 Casas CDHU-Companhia de Desenvolvimento Habitacional e Urbano-Secretaria da Habitação. Zaca Feitosa.
pg. 91 Monumento dos Bandeirantes, São Paulo, SP / Ed Viggiani. Pátio do Colégio, São Paulo, SP. Antônio Feitosa / Ed. Viggiani.
pg. 105 Salvador, Elevador Lacerda e vista da cidade baiana, BA. Icapiú, CE. Ed Viggiani / Agência Tempo de Fotografia. Gaúchos - Vacaria, RS. Ed Viggiani / Agência Tempo de Fotografia.
pg. 125 Cataratas do Iguaçu. Ed Viggiani / Agência Tempo de Fotografia.
pg. 135 Independência ou Morte, óleo de Pedro Américo (1843-1905). (RG.846). Acervo do Museu Paulista da Universidade de São Paulo. Fotógrafo: José Rosael.
pg. 136 Acervo do Museu Imperial. Instituto do Patrimônio Histórico e Artístico Nacional. Ministério da Cultura.
pg. 139 Borá. Carlos de Almeida. Unital Press.
pg. 143 Manual Bandeira/ Folha Imagem.
Colar e anel de ouro, brilhantes e esmeralda. H. Stern/ Divulgação.
pg. 156 Fotos: Casamento religioso e civil.
pg. 162 Pedras semi-preciosas. Antônio Rodrigues / Abril Imagens.
pg. 175 Nascente do Rio Tietê, Salesópolis, SP/ Ed. Viggiani.
Rio Tietê, São Paulo, SP/ Ed. Viggiani.
Rio Tietê, Pereira Barreto, SP desaguando no Rio Paraná / Ed. Viggiani.
pg. 191 Índios Pataxós. Lalo de Almeida / Folha Imagem
Gravação do filme Quarup, Xingú, 88. Ari Lago/ Abril Imagens
pg. 195 Pelé, quando jogador no Santos Futebol Clube. Acervo Última Hora / Folha Imagem.
pg. 196 Cartão Itaucard - Itaú.
pg. 207 Banda do Colégio Progresso, Guarulhos, SP.
pg. 209 Desfile de Carnaval 98. Unidos do Peruche. Eduardo Knapp / Folha Imagem. Sambódromo. Marluce Balbino. Acervo da RIOTUR S.A.
pg. 210 Sambódromo. Marluce Balbino. Acervo da RIOTUR S.A.
pg. 219 Rubem Braga. Alexandre Sassaki / Abril Imagens.
pg. 229 Fazenda Bocaina, Barra Mansa, RJ. Foto cedida por Alain Costilhes.
pg. 247 Seca. Lalo de Almeida / Folha Imagem.
pg. 248 Vinícius de Moraes. Reprodução Folha Imagem.
Tom Jobim. Sérgio Castro / Folha Imagem.
pg. 249 Avenida Paulista. Cedido pelo Fundo de Pesquisas do Museu Paulista. Universidade de São Paulo.
Avenida Paulista nos dias atuais. Adi Leite / Folha Imagem.
pg. 250 Cafezal. Acervo da Cia. Iguaçu de Café Solúvel, Cornélio Procópio, PR.
pg. 263 Luís Fernando Veríssimo. Marisa Canduro / Folha Imagem.
pg. 275 Imigrantes italianos no Rio Grande do Sul. Leonid Streliaev / Abril Imagens.
pg. 17/ 31 / 81 / 137 / 227/ 260 Cleodenir Fernandes.

MÚSICA

pg. 92 São Paulo da garoa (ÊH...SÃO PAULO) de Murilo Alvarenga (Alvarenga) e Dieses dos Anjos Gaia (Ranchinho). Copyright em 10.02.44 by Mangione, Filhos & Cia. Ltda.
pg. 161 Trem das Onze de Adoniran Barbosa. Copyright 1964 Irmãos Vitales S.A. Indústria e Comércio - São Paulo - Rio de Janeiro - Brasil. Todos os direitos reservados para todos os países.
pg. 205 A Banda (Letra e música de Chico Buarque). Copyright by Editora Música Brasileira Moderna Ltda.
pg. 207 A felicidade (Tom Jobim e Vinícius de Moraes). Copyright by Editora Musical Arapuã Ltda.
pg. 247/248 Asa Branca de Luís Gonzaga/Humberto Teixeira. Copyright by Editora e Importadora Musical Fermata do Brasil Ltda.
pg. 248 Garota de Ipanema de Vinícius de Moraes - Antonio Carlos Jobim. Copyright by Jobim Music Ltda.

TEXTO

pg. 143 Irene no céu de Manuel Bandeira extraído do livro Estrela da Vida Inteira. © Antonio Manuel Bandeira R. Cardoso, José Cláudio Bandeira R. Cardoso, Carlos Alberto Bandeira R. Cardoso, Maria Helena C. de Souza Bandeira e Marco Cordeiro de Souza Bandeira. Publicado por Editora Nova Fronteira S.A.
pg. 152 Adaptado de "A Sogra" de Sebastião Nery - Folha de São Paulo - 02.12.79.
pg. 169 A outra noite de Rubem Braga extraído de Ai de ti, Copacabana. 16ª edição, 1997. Roberto Seljan Braga. Distribuidora Record de Serviços de Imprensa.
pg. 200 O gato e a barata de Millôr Fernandes extraído de Fábulas Fabulosas. Editorial Nórdica Ltda.
pg.218/219 Natal de Rubem Braga extraído de A Borboleta Amarela. Roberto Seljan Braga. Distribuidora Record de Serviços de Imprensa, 1980.
pg. 228 Procissão e A Escada de Millôr Fernandes. Editorial Nórdica Ltda.
pg. 255 Um certo capitão Rodrigo de Erico Veríssimo extraído da obra O Tempo e o Vento, Copyright (c) 1987 by Mafalda Volpe Veríssimo, Clarissa Veríssimo Jaffe e Luis Fernando Veríssimo. Editora Globo S.A.
pg. 257 Aventuras da Família Brasil. Luís Fernando Veríssimo.
pg. 263 A segurança de Luís Fernando Veríssimo extraído da Revista Veja de 27.03.85. Editora Abril S.A.

PREFÁCIO

Este livro, com o título de *Falar...Ler... Escrever... Português, Um Curso para Estrangeiros*, é reelaboração da obra *Falando...Lendo... Escrevendo... Português, Um Curso para Estrangeiros*.

Não se trata somente de uma obra revisada e atualizada. Evidentemente, passado tanto tempo após seu lançamento, um trabalho crítico se impunha: substituir textos, quer autênticos, quer de criação que se revelaram fora de interesse ou fora de época, eliminar ou modificar alguns exercícios cujo resultado não foi o esperado, criar outros mais em conformidade com os novos textos e novas situações e acrescentar itens gramaticais que, por alguma razão, não apareceram na 1ª edição. Grandes modificações foram feitas, a fim de atualizar e de completar a obra.

Mas, mesmo diante das modificações, gostaríamos de salientar que mantivemos o objetivo maior e a concepção do trabalho: trata-se de um livro elaborado com a intenção de proporcionar a um público estrangeiro um método ativo, situacional para a aprendizagem da língua portuguesa, visando à compreensão e expressão oral e escrita em nível de linguagem coloquial correta. Ele é destinado a adultos e também a adolescentes a partir de 13 anos aproximadamente, de qualquer nacionalidade.

Sob esse ponto de vista, os textos e os exercícios foram criados ou selecionados de acordo com centros de interesse de ordem familiar, profissional e social para possibilitarem assimilação rápida e precisa das estruturas apresentadas. O vocabulário, essencialmente ativo, apresenta, igualmente, expressões lexicais que permitem manter diálogos ligados aos centros de interesse imediato do aluno. Aspectos culturais históricos e geográficos do Brasil são transmitidos através de textos narrativos.

As noções gramaticais aparecem de maneira concreta, concisa, inseridas no corpo dos textos principais de cada unidade ou sob forma de pequenos diálogos, vivos e rápidos. A progressão é ativa, porque obedece, não só ao nível de dificuldade, mas também à urgência e necessidade do problema gramatical. O verbo e sua regência são desenvolvidos lenta, firme e constantemente.

O livro apresenta o seguinte eixo organizacional:

Unidades de 1 a 10 - *1º diálogo*, introduzindo vocabulário e itens gramaticais; textos rápidos com introdução de novos itens de gramática; *2º diálogo*, com novo vocabulário e novas estruturas gramaticais; *Texto narrativo*, de caráter histórico e civilizacional. Essas dez primeiras unidades giram em torno de centros de interesse específicos.

Unidades de 11 a 18 - *1º diálogo*, introduzindo vocabulário, itens gramaticais; *Contexto*, sempre um texto autêntico, com novo vocabulário e novas estruturas gramaticais; *Intervalo*, agindo como uma pausa, com provérbios, poesias, canções que instruem de forma mais prazerosa, pois estão, aparentemente, menos engajados com a evolução gramatical; *Texto narrativo*, continuando sua função histórica e civilizacional com o fito de compor um quadro de hábitos e costumes brasileiros. As unidades de 11 a 18, embora visem a um vocabulário e a situações de interesse que completem os das primeiras unidades, não possuem, especificamente, centros determinados.

Mantivemos o grande número de exercícios em cada unidade, pois o sucesso da 1ª edição nos mostrou que eles funcionam como apoio à aprendizagem e ao trabalho do professor. Eles têm dois objetivos: fixar as estruturas gramaticais e

desenvolver as expressões oral e escrita de forma dirigida e espontânea. Os diálogos e os textos encontram-se gravados em cassetes e CDs*.
Outro grande enriquecimento desse método foi a criação de um Livro de Exercícios que acompanha, passo a passo, as unidades do Livro-Texto. Para cada uma delas, o livro de Exercícios contém uma unidade elaborada sob dois aspectos, assim denominados: Ouvir e Falar - Ler e Escrever.
Também, para o Livro de Exercícios existem cassetes e CDs* com gravação de todos os textos, além de espaços e lacunas para o trabalho pessoal do aluno.
Assim, entendemos que esse método é completo em si até o nível intermediário. Levando o aluno totalmente principiante a falar, ler e escrever fluentemente Português, capacita-o, também, a dar continuidade a seu aprendizado em nível avançado.

As autoras

** vendido separadamente*

 *Este símbolo indica o texto gravado no CD ou K7.*

UNIDADE 1

Como vai?

— Bom dia!
— Bom dia! Como vai o senhor?
— Bem, obrigado. E o senhor?
— Bem, obrigado. Sente-se, por favor. O senhor é o novo engenheiro?
— Sou, sim.
— Como é seu nome?
— Tomás Lima.
— De onde o senhor é?
— Eu sou de Ouro Preto, mas moro em São Paulo.
— Onde o senhor mora? No centro da cidade?
— Não, moro na Avenida Paulista. Aqui estão meus documentos.
— Ótimo. O senhor começa hoje mesmo. Boa sorte!

Você é de São Paulo?

— Oi!
— Oi!
— Você é a secretária deste departamento?
— Sou.
— Como você se chama?
— Marina.
— Você é de São Paulo?
— Não, não sou. Sou do Rio. E você?

Muito prazer

Diretor:
— Seu Oliveira, este é Tomás Lima, o novo engenheiro.
Sr. Oliveira:
— Muito prazer.
Tomás Lima:
— Muito prazer.

O senhor é engenheiro?
Sou, sim. / Não, não sou.

1. O senhor é diretor?
Sou, ________

2. O senhor é médico?
Sou, ________

3. O senhor é professor?
Não, ________

4. A senhora é professora?
Sou, ________

5. A senhora é diretora?
Não, ________

6. A senhora é brasileira?
Não, ________

7. Você é estudante?
Sou, ________

8. Você é secretária?
Não, ________

9. Você é engenheiro?
Não, ________

10. Você é italiana?
Sim, ________

em		
em +	o =	no
em +	a =	na
em +	os=	nos
em +	as=	nas

de		
de +	o =	do
de +	a =	da
de +	os=	dos
de +	as=	das

PAÍSES	CIDADES	RUAS, AVENIDAS ...
o Brasil	São Paulo	**a** avenida do Ouro
a China	Pequim	**a** rua da Consolação
o Japão	Tóquio	
a França	Paris	
a Alemanha	Berlim	
Exceção: Portugal	**Exceção:** o Rio de Janeiro	

A. Onde o senhor mora?

Moro **no** Brasil.
Moro **em** São Paulo.
Moro **na** avenida São João.

1. Onde o senhor mora? (Brasília) ....
2. Onde o senhor mora? (São Paulo) ....
3. Onde o senhor mora? (Itália) ....
4. Onde a senhora mora? (Alemanha) ....
5. Onde a senhora mora? (Boston) ....
6. Onde você mora? (Peru) ....
7. Onde você mora? (rua da Luz) ....
8. Onde você mora? (avenida Brasil) ....
9. Onde a senhora mora? (avenida Tiradentes) ....
10. Onde o senhor mora? (Rio de Janeiro) ....
11. Onde você mora? (Portugal) ....

B. De onde o senhor é?

Sou **de** São Paulo.
Sou **do** Japão.
Sou **da** Argentina.

1. De onde o senhor é? (Paris)

   ....

2. De onde o senhor é? (Londres)

   ....

3. De onde o senhor é? (Nova York)

   ....

4. De onde a senhora é? (Berlim)

   ....

5. De onde a senhora é? (Tóquio)

   ....

6. De onde você é? (Espanha)

   ....

7. De onde o senhor é? (México)

   ....

8. De onde a senhora é? (França)

   ....

9. De onde você é? (Canadá)

   ....

10. De onde o senhor é? (Roma)

    ....

11. De onde você é? (Portugal)

    ....

12. De onde a senhora é? (Rio de Janeiro)

    ....

Onde?

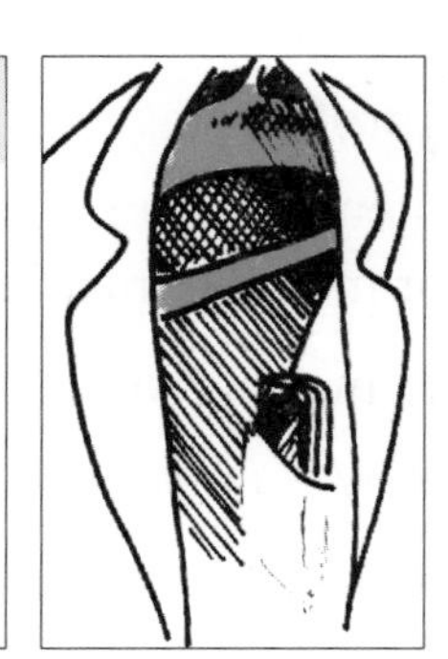

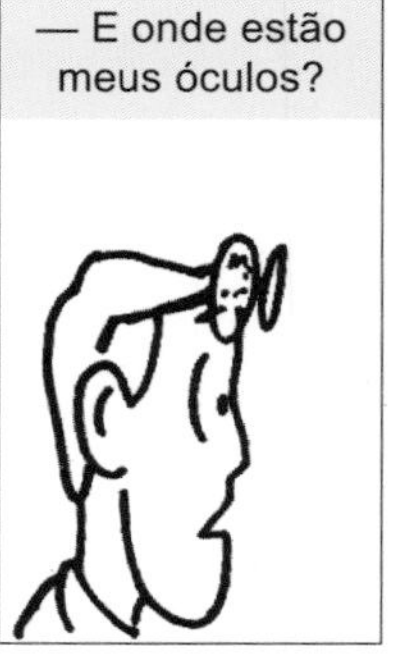

os, dos, nos.
as, das, nas.

Os planos **dos** engenheiros estão **nas** gavetas.

As chaves **das** portas estão **nas** gavetas.

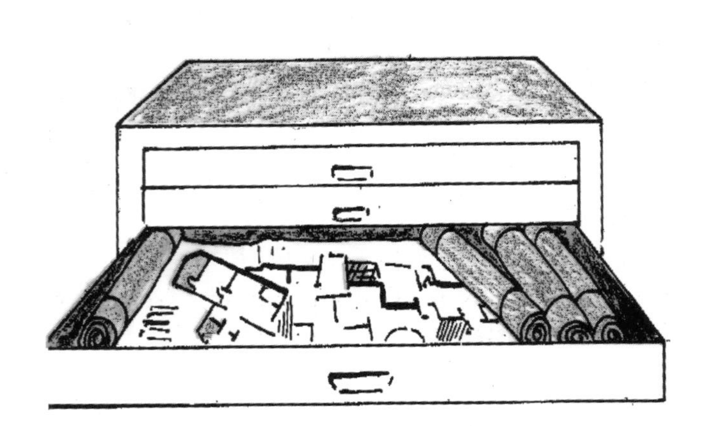

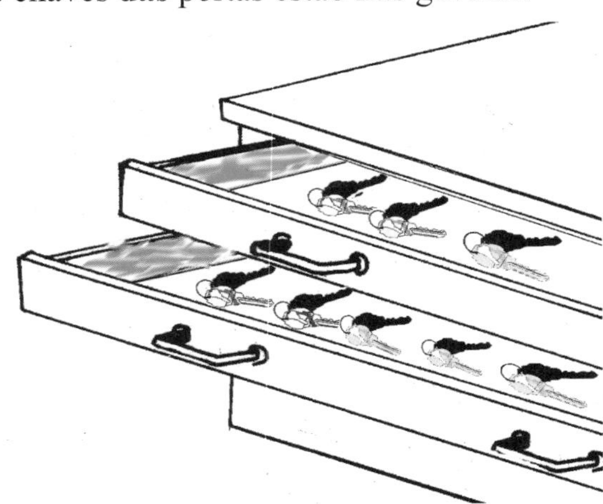

Onde estão **os** livros **dos** professores? Estão **no** armário **da** sala.

1. (a secretária) — Onde está a secretária?
   (a sala/o presidente) — Está na sala do presidente.
2. (os livros) .... ?
   (os armários/os estudantes) ....
3. (o professor) .... ?
   (a sala/o diretor) ....
4. (as chaves/as portas) .... ?
   (as gavetas/as secretárias) ....
5. (o dinheiro/a firma) .... ?
   (o cofre/o banco) ....
6. (os carros/as professoras) .... ?
   (o estacionamento/a escola) ....
7. (o cliente) .... ?
   (o consultório/o médico) ....
8. (os documentos/os engenheiros) .... ?
   (as gavetas/as mesas) ....
9. (o paletó/o médico) .... ?
   (o armário/o consultório) ....
10. (as chaves/o carro) .... ?
    (o armário/a sala) ....
11. (os planos/a nova fábrica) .... ?
    (a gaveta/o engenheiro) ....
12. (os óculos/o professor) .... ?
    (o bolso/o paletó) ....

SER — Presente simples			
Eu	sou	Nós	somos
Você Ele Ela	é	Vocês Eles Elas	são

MORAR — Presente simples			
Eu	moro	Nós	moramos
Você Ele Ela	mora	Vocês Eles Elas	moram

ESTAR — Presente simples			
Eu	estou	Nós	estamos
Você Ele Ela	está	Vocês Eles Elas	estão

Vocês moram aqui no Rio?

— Vocês moram aqui no Rio?
— Não. Somos mineiros e moramos em Belo Horizonte. Estamos aqui em férias.

Foto: Museu de Arte de Pampulha, Belo Horizonte/ MG.

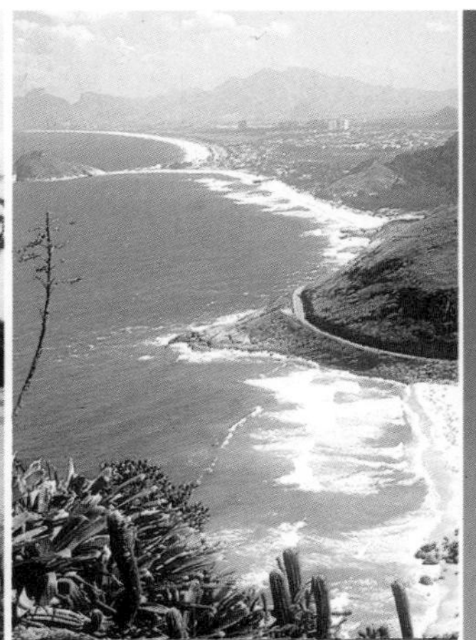

Foto: Praia de Ipanema/ RJ.

Foto: Estátua do Cristo Redentor/ RJ.

A. **Vocês** são mineiros?
Somos, sim. Mas nossos amigos **são** paulistas.

é — sou — são — somos

1. Nossos amigos _________ americanos.
2. Ela ___é___ muito bonita.
3. Ele ________ o diretor da firma? _______, sim.
4. Ele não ________ nosso amigo.
5. Esta firma ________ brasileira.
6. Vocês _______ as novas secretárias? __________, sim.
7. Carlos e José _________ amigos.
8. Eu ________ brasileira e ele _________ francês.
9. O Rio de Janeiro ________ uma cidade muito bonita.
10. Estes engenheiros ________ franceses.

B. **Você mora em São Paulo? Moro**, sim.

1. (começar) Você ________________ o curso amanhã. Eu ______________ hoje.
2. (morar) A senhora ______________ aqui? ________________, sim.
3. (morar) Eu não ________________ em apartamento. E você?
4. (morar) Nossos amigos _____________ na Espanha.
5. (falar) Ele _____________ inglês e alemão e ela __________ espanhol.
6. (morar) Vocês não ____________ no Brasil? ______________, sim.
7. (falar) O senhor __________ francês, mas eu não ______________.
8. (entrar) Nós _____________ no escritório do engenheiro.
9. (entrar) A secretária _____________ na sala do engenheiro.
10. (começar) Ele _____________ o curso hoje mesmo? Não, não ______________
11. (entrar/falar) O engenheiro _____________ no escritório e _____________ com o diretor.
12. (morar/falar) Nós ____________ no Brasil e ________________ português.
13. (perguntar) O diretor ____________ o nome do novo engenheiro.
14. (morar/falar) Meus filhos ___________ em Londres e _____________ inglês.

C. **Onde você está?** Eu **estou** aqui.

1. Eu __________ no aeroporto.
2. Luís ________ em São Paulo? _______, sim.
3. Os engenheiros __________ no escritório? Não, não __________.
4. O médico _____________ no hospital? Não, não __________.
5. O dinheiro _____________ no cofre.
6. Vocês __________ na fábrica?
7. O livro ______ no armário? Não, não _____.
8. Você ___________ no consultório?
9. Nós __________ na praia e eles __________ na montanha.
10. Helena _________ em Nova York, mas Teresa e Ana __________ em Paris.
11. Eu _________ aqui.
12. Os planos __________ na firma.
13. Nós __________ em São Paulo, no hotel.
14. A chave _______ na porta? ________, sim.

D. **Onde está o diretor?** Está na fábrica.

1. .... ? Está no banco.
2. .... ? Está na praia.
3. .... ? Estou aqui.
4. .... ? Estamos aqui na sala.
5. .... ? Está no consultório.

E. **O dinheiro está no banco?** Não, não está. Está na firma.

1. .... ? Não, não está. Está no Japão.
2. .... ? Não, não estamos. Estamos na fábrica.
3. .... ? Não, não está. Está no consultório.
4. .... ? Não, não estão. Estão no escritório.
5. .... ? Não, não está. Está na gaveta da mesa.

Texto narrativo

No aeroporto

Estamos no Aeroporto do Rio de Janeiro.

Gostamos muito desta cidade.
O Rio de Janeiro é uma cidade bonita, com muitas praias e montanhas.

Nossos amigos, Paulo e Luísa, são cariocas e moram aqui. Ele é engenheiro e ela é secretária de uma firma de importação e exportação.

Nós somos paulistas e moramos em São Paulo,

uma cidade industrial.

A. A cada imagem corresponde uma frase. Qual é?

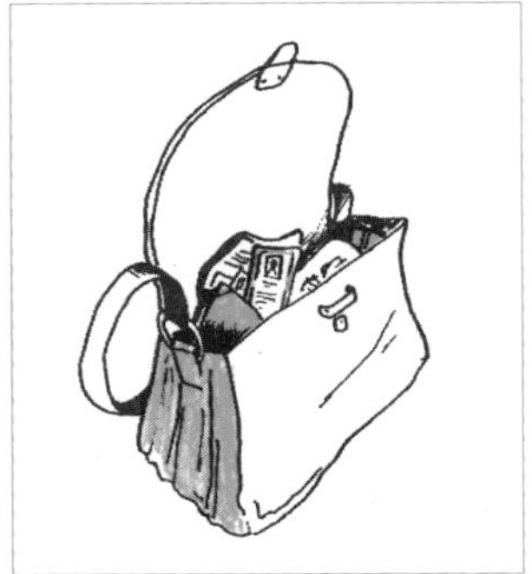

Os documentos estão na bolsa.

Nós estamos na sala de televisão.

Ela entra no escritório às 8 horas.

Adivinhe!

Eles moram na praia.

O filme começa às 8 horas.

B. Complete o diálogo. Use **você**.

Tomás: ....

Luís: Bom dia!

Tomás: ....

Luís: Bem, obrigado. E você?

Tomás: ....

Luís: De onde você é?

Tomás: ....

Luís: Sou de Porto Alegre.

Tomás: ....

Luís: Moro na rua Augusta. E você?

Tomás: ....

Luís: Eu gosto muito dessa rua.

Tomás: ....

Luís: Não, não sou. Sou médico. E você?

Tomás: ....

Luís: O novo engenheiro da firma?

Tomás: ....

Luís: Boa sorte!

UNIDADE 2

A cidade

Paulo: — Venha comigo. Vou mostrar a cidade para você.
João: — Para onde vamos primeiro?
Paulo: — Vamos para o centro, de ônibus. Há um ponto de ônibus ali na esquina.
João: — De ônibus não. Temos tempo. Vamos a pé. Gosto de andar. E você?
Paulo: — Eu também gosto.

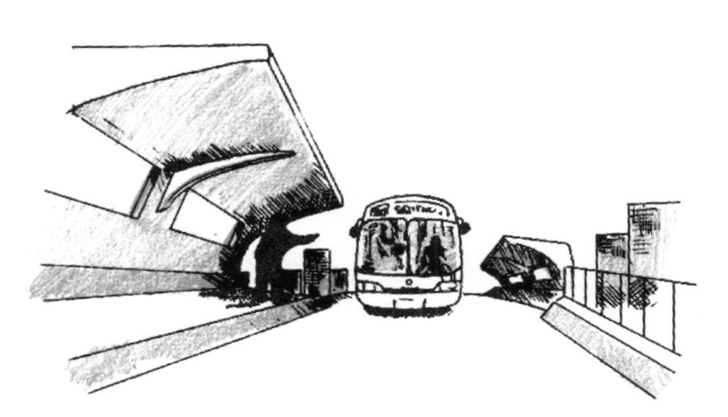

Paulo: — Veja! Esta é a parte velha da cidade. Aqui nesta calçada, é o Correio. Naquela calçada ali é a Prefeitura. Lá, naquela esquina, é o cinema.
João: — Estes prédios são antigos. Gosto deles. E você? Você também gosta?
Paulo: — Gosto, sim. Há uma estação rodoviária nova no subúrbio. Ela tem quatro andares e é moderna.
João: — O aeroporto desta cidade também é moderno?
Paulo: — É, sim. Tem cinco anos.

Pedindo uma informação

— Uma informação, por favor.
— Pois não.
— Há um ponto de ônibus nesta esquina?
— Não. Nesta esquina não. O ponto de ônibus é ali, naquela calçada.
— Obrigado.

Há **um** cofre e **uma** mesa nesta sala.
Um engenheiro. Uma secretária.

1. Há __________ chave e __________ documento na gaveta.
2. Temos __________ amigo em Tóquio. Ele tem __________ fábrica.
3. Nesta avenida há __________ hotel e __________ cinema.
4. Meu médico tem __________ consultório moderno.
5. Neste escritório há __________ armário e __________ mesa.

PARE 2-2

Modo indicativo — Presente simples

IR — Presente simples			
Eu	**vou**	**Nós**	**vamos**
Você **Ele** **Ela**	**vai**	**Vocês** **Eles** **Elas**	**vão**

A. Para onde vamos?
Vamos para o centro.

1. (Brasília) Para onde vamos? ....
2. (aeroporto) Para onde vamos? ....
3. (Estação Rodoviária) Para onde ele vai? ....
4. (ponto do ônibus) Para onde você vai? ....
5. (França) Para onde Antônio vai? ....
6. (Paris) Para onde a senhora vai? ....
7. (fábrica) Para onde eles vão? ....
8. (Belo Horizonte) Para onde você vai? ....
9. (Canadá) Para onde vamos? ....
10. (av. das Bandeiras) Para onde vocês vão? ....
11. (consultório) Para onde os médicos vão? ....
12. (São Paulo) Para onde Paulo e Luísa vão? ....
13. (hotel) Para onde Luísa vai? ....
14. (correio) Para onde vocês vão? ....
15. (rua 7 de setembro) Para onde o senhor vai? ....

B. Complete com **ir**.

João, meu marido, __________ para o escritório e eu __________ para o banco. Meus filhos __________ para a escola. Ao meio-dia nós __________ para casa. Hoje, João não __________ para o escritório. Ele e eu __________ para o Rio de Janeiro.

Fundo: Plano piloto da construção de Brasília/DF.

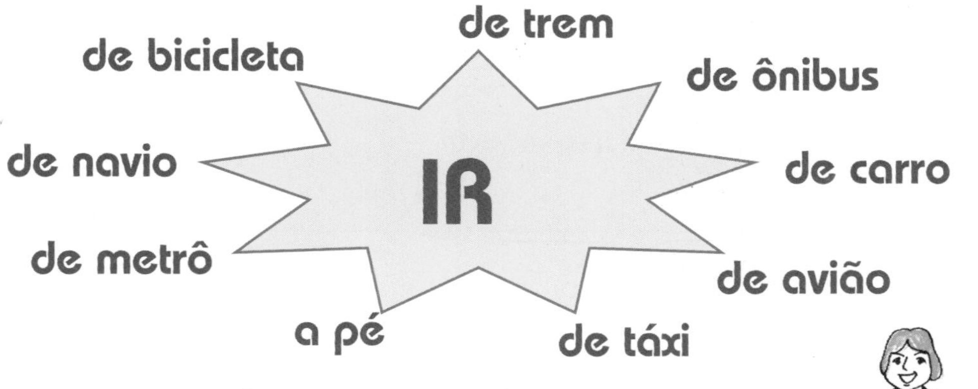

A. Eu **vou de ônibus** para a cidade.

1. (táxi) Eu vou _de táxi_ para o centro.
2. (carro) Nós ______________________ para a fábrica.
3. (avião) Eu ______________________ para o Canadá.
4. (avião) Paulo e Luísa ___________________ para o Rio.
5. (navio) Vocês não ___________________ para os Estados Unidos.
6. (metrô) Os funcionários ______________________ para o escritório.
7. (a pé) Nós ___________________ para a escola.
8. (ônibus) Você ___________________ para o escritório.
9. (trem) Luís não ______________________ para casa.
10. (bicicleta) Os meninos ______________________ para a escola.

B. **Como vamos para o centro?**
Vamos de ônibus.

1. ____ ? Vamos de avião.
2. ____ ? Ele vai a pé.
3. ____ ? Vou de metrô.
4. ____ ? Vou de trem.
5. ____ ? Ele vai de navio.
6. ____ ? Vamos de táxi.
7. ____ ? Eles vão de táxi.
8. ____ ? Eles vão de carro.
9. ____ ? Ela vai a pé.
10. ____ ? Elas vão de ônibus.

Este aqui, esse aí, aquele ali, lá.

este livro esta chave estes livros estas chaves	**aqui**	esse livro essa chave esses livros essas chaves	aí **(com você)**	aquele livro aquela chave aqueles livros aquelas chaves	**ali, lá**

Estes carros **aqui** são modernos. **Esses** documentos **aí** são importantes? **Aquelas** praias **lá** são bonitas.

1. ______________ escritórios ali no prédio têm muita atividade.
2. ______________ banco é muito antigo aqui na cidade.
3. ______________ ponto de ônibus ali na esquina é novo.
4. ______________ óculos aí são de Laura?
5. ______________ casa lá na esquina é bonita.
6. ______________ salas aqui têm muitas mesas.
7. ______________ chaves aí na mesa são de Lúcia?
8. ______________ cofres ali têm muito dinheiro.
9. ______________ fábrica lá no subúrbio é muito grande.
10. ______________ informação aqui no livro é importante.

Neste(s), nesta(s)
Naquele(s), naquela(s)

em	+	**este**	=	**neste**
em	+	**estes**	=	**nestes**
em	+	**esta**	=	**nesta**
em	+	**estas**	=	**nestas**

em	+	**aquele**	=	**naquele**
em	+	**aqueles**	=	**naqueles**
em	+	**aquela**	=	**naquela**
em	+	**aquelas**	=	**naquelas**

Há uma secretária **neste** escritório.
Há muitos engenheiros **nestes** prédios aqui.
Há uma chave **nesta** gaveta aqui.
Há muitas casas **nestas** praias.

Há documentos importantes **naquele** cofre ali.
Há muitos prédios antigos lá **naquela** rua.

A. (ponto de ônibus/esquina) Há um ponto de ônibus nesta esquina aqui.

1. (médico/consultório) ....
2. (aeroporto/cidade) ....
3. (posto de gasolina/esquina) ....
4. (muitos livros/armários) ....

B. (consultórios/prédios/ali) Há consultórios naqueles prédios ali.

1. (quinze dólares/gaveta/lá) ....
2. (farmácia/calçada/ali) ....
3. (muitos turistas/montanhas/lá) ....
4. (dentistas/consultórios/ali) ....

gostar de	Eu gosto **de** andar. Meu carro é muito bom. Gosto **dele.** Eu gosto **do** Hotel Brasília. Eu gosto **desta** cidade. Eu não gosto **daquela** professora.

A. Estes prédios são antigos. **Gosto deles.**
Esta casa é moderna. **Gosto dela.**

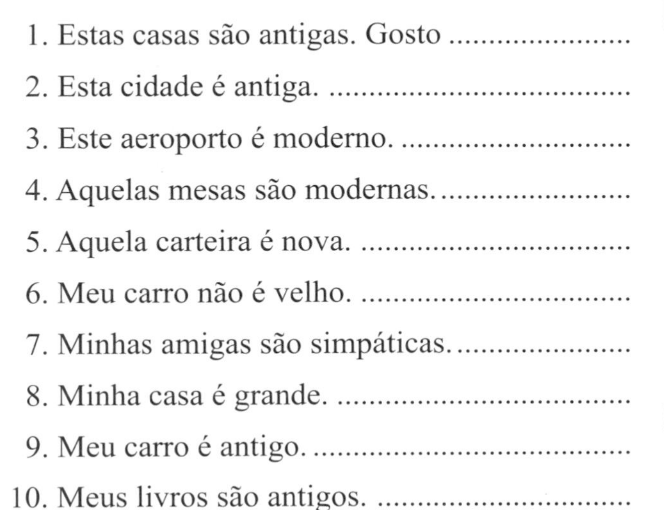

1. Estas casas são antigas. Gosto ....
2. Esta cidade é antiga. ....
3. Este aeroporto é moderno. ....
4. Aquelas mesas são modernas.........................
5. Aquela carteira é nova. ....
6. Meu carro não é velho. ....
7. Minhas amigas são simpáticas.......................
8. Minha casa é grande. ....
9. Meu carro é antigo...
10. Meus livros são antigos. ....

Vocês gostam das praias brasileiras? Escreva sobre elas.

....

....

....

....

....

....

....

Foto: Maceió/ BA.

Meu carro é antigo.

Meu carro é velho.

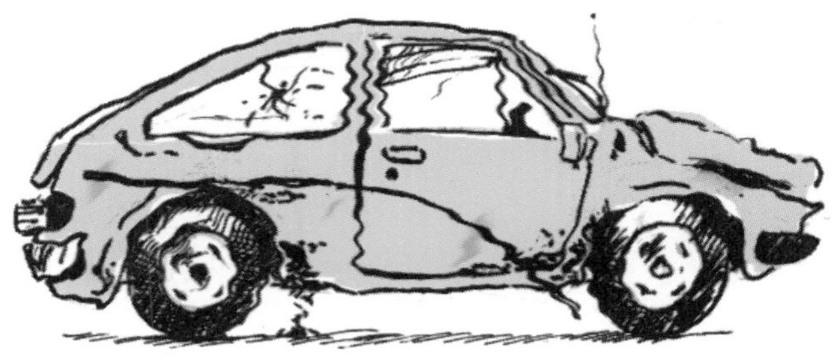

B. Vamos a pé. **Gosto de** andar.

1. Ele gosta __________ morar no centro.
2. Ela gosta __________ morar em São Paulo.
3. Nós gostamos __________ ir a pé.
4. Vocês não __________________ falar inglês.
5. Você _______________ falar.
6. Eu não ______________ morar na praia.
7. Meus amigos __________________ morar em Belo Horizonte.
8. Minha filha ____________ visitar museus.
9. Meu marido ______________ mostrar a cidade para os amigos.
10. Você ________________ cerveja?
11. Eu ________________ livros antigos.
12. Nós ________________ casas antigas.
13. Eles ________________ cidades grandes.
14. Ela ________________ casas modernas.
15. Meus filhos _______________ prédios modernos.

C. Gosto **do** aeroporto de Paris. Gosto **da** parte velha da cidade.

Ela gosta de...

Ele não gosta de...

1. Eu ________________ muito _________ amigos _________ meu filho.
2. Meus amigos ______________ muito _________ casa nova.
3. Você gosta __________ planos __________ novo diretor?
4. Nós gostamos _________ prédio _________ Correio.
5. Este diretor não gosta __________ secretária.
6. Eles gostam ________ filmes franceses.
7. Gostamos _________ casa da praia.
8. Ela gosta ________casa da Mônica.
9. Ela não _____________ aeroporto novo.
10. Eu gosto __________ livro de português.
11. Vocês gostam __________ praias brasileiras?
12. Estes engenheiros não _______________ meus planos.
13. Nós não __________________ prédio _________ Prefeitura.
14. Meu amigo ____________ muito __________ praias do Rio.
15. Os paulistas _______________ muito __________ metrô. Ele é muito rápido.

D. O aeroporto **desta** cidade é antigo.

1. Eles gostam __________ prédio ali.
2. Eu gosto do diretor __________ firma.
3. Minha amiga gosta _________ livro ali.
4. As praias __________ região são famosas.
5. As calçadas __________ cidade são velhas.
6. As portas __________ salas ali estão abertas.
7. A chave __________ gaveta aqui está na mesa.
8. Os clientes __________ firma são americanos.
9. Os documentos __________ engenheiro estão na gaveta.
10. Gostamos da secretária __________ engenheiro aqui.

Modo indicativo — Presente simples

TER — Presente simples			
Eu	tenho	Nós	temos
Você Ele Ela	tem	Vocês Eles Elas	têm

A. Eu **tenho** dinheiro no banco.

1. Luís e Teresa __________ quatro filhos.
2. Você __________ tempo?
3. Não, eu não __________ tempo.
4. O Brasil _________ muitas cidades antigas.
5. Esta cidade ______ muitos prédios modernos.
6. Aquele prédio ali __________ oito andares.
7. Estas montanhas ______ muitas casas bonitas.
8. O senhor __________ sorte.
9. Nós __________ um amigo em Recife.
10. Vocês __________ livros novos no armário.
11. O Rio de Janeiro ________ muitos turistas.
12. A senhora __________ dinheiro?
13. Não, eu não ______ dinheiro. _____ cheque.
14. Nós __________ amigos em Porto Alegre.
15. Meu filho __________ quatro anos.

B. Você tem dinheiro? Não, não **tenho** dinheiro. **Tenho** cartão de crédito.

1. Ele tem uma casa? (apartamento) ....
2. Eles têm sorte? (azar) ....
3. Nós temos dinheiro no banco? (dinheiro na firma) ....
4. Vocês têm a chave do carro? (chave da casa) ....
5. O médico tem casa na montanha? (casa na praia) ....
6. Os armários têm documentos? (livros) ....
7. Brasília tem prédios antigos? (prédios modernos) ....
8. A Estação Rodoviária tem trens? (ônibus) ....

C. A cada imagem corresponde uma frase. Qual é?

1

1. Eu tenho azar.
2. Ele tem muita sorte.
3. Ele não tem dinheiro.
4. Nós temos muitos filhos.
5. Vocês não têm tempo hoje.
6. Ela tem 15 anos.

eu		nós	
meu	amigo	nosso	carro
minha	amiga	nossa	casa
meus	amigos	nossos	filhos
minhas	amigas	nossas	filhas

Que azar!

(nós) **Nossa** casa não é grande.

1. (nós) _________ filhos não estão aqui.
2. (eu) _________ mulher gosta de andar.
3. (nós) ________ trabalho é interessante.
4. (eu) _________ apartamento é grande.
5. (nós) ________ amigos têm problemas.
6. (eu) _________ amigos moram em Salvador.
7. (eu) ________ marido e ________ filha vão para casa a pé.
8. (nós) _________ secretárias trabalham bem.
9. (eu) _________ filhas vão de ônibus para a escola.
10. (nós) _________ cidade é pequena, mas tem muitos parques. ___________ parques são bonitos.

Ao telefone

— Alô!
— De onde fala?
— Companhia Brasileira de Papéis.
— O senhor Teixeira está?
— Não, não está. Hoje ele está trabalhando no escritório de São Paulo.
— E o doutor Nunes está?
— Está, sim. Mas está atendendo um cliente agora.
— Agora de manhã?
— É. Ele sempre atende os clientes de manhã.
— Está bem. Telefono mais tarde. Até logo.
— Até logo.

Modo indicativo — Presente simples

VENDER — Presente simples			
Eu	vendo	Nós	vendemos
Você Ele Ela	vende	Vocês Eles Elas	vendem

A. (atender) Eu **atendo** meus clientes de manhã.

1. (atender) A secretária __________ o telefone.
2. (atender) Nós sempre ______________ o diretor.
3. (escrever) Ele _____________ pouco.
4. (atender) Ela__________ a porta.
5. (comer) Tomás __________ muito.
6. (comer) Tomás e Antônio __________ muito.
7. (vender) Minha firma __________ prédios.
8. (aprender) Você __________ inglês na escola?
9. (beber) Nós não ___________ cerveja de manhã.
10. (aprender) Vocês não _______________ japonês na escola?
11. (vender) Eu não _______ minha casa. Gosto muito dela.
12. (aprender) Eu _____________ Português na escola.
13. (responder) Eles não ________________ minhas perguntas.
14. (receber) Paulo __________ cartas de seus amigos.

Eu atendo meus clientes de manhã.

Ela atende a porta.

Eu aprendo português na escola.

B. (comprar/vender) Nós **compramos** e **vendemos** casas e apartamentos.

1. (morar/trabalhar) João ______________ em São Paulo, mas ______________ em Santos.
2. (morar/trabalhar) Nós ______________ no centro, mas _____________ no subúrbio.
3. (morar/trabalhar)Eles ______________ neste prédio e ______________ naquela fábrica.
4. (morar/trabalhar)Eu _______________ aqui e _______________ lá.
5. (comer/beber) Luís ______________ pizza e ____________ cerveja.
6. (comer/beber) Nós ______________ pizza e ____________ vinho.
7. (comer/beber) O senhor _______________ pizza e ____________ água?
8. (comprar/vender) Nós _______________ e ________________ carros antigos.
9. (atender/mostrar) As secretárias ________________ o telefone e ______________ o escritório para os clientes.
10. (andar/comer)Eu ______________ muito e ___________ pouco.
11. (andar/comer) Você ____________ muito e ____________ pouco.
12. (trabalhar/andar) Os médicos ______________ muito e ______________ pouco.
13. (andar/mostrar) Nós ____________ e ______________ a cidade para os turistas.
14. (comprar/vender) A senhora _______________ e ________________ livros antigos.
15. (beber/comer/andar) Meu amigo __________ muito, __________ muito e __________ pouco.

Modo indicativo — Presente contínuo

Morar — Eu estou morando **Atender** — Eu estou atendendo

A. Ele **está atendendo** um cliente agora.

1. (trabalhar) Agora o médico não ______________________ naquele hospital.
2. (comer/beber) Agora nós ______________ pizza e ______________ cerveja.
3. (mostrar) Hoje ele ______________________ a cidade para os amigos.
4. (atender) Eu ______________________ o telefone agora.
5. (atender) Ela ______________________ a porta agora.
6. (aprender) Você ______________________ português agora.
7. (trabalhar) Eles não ______________________ muito agora.
8. (escrever) Vocês não ______________________ agora.
9. (atender) Nós não ______________________ estes clientes hoje.
10. (aprender) Eu não ______________________ alemão agora.

Na praça

B. O que eles estão fazendo agora? Use os verbos beber, escrever, andar, trabalhar, comprar, vender, conversar e correr.

O operário ....

....

O guarda ....

....

Paulo e João ....

....

O pipoqueiro ....

....

Dona Maria ....

....

Laura ....

....

Fábio ....

....

O cachorro ....

....

Texto narrativo — Uma cidade pequena

Estamos visitando uma pequena cidade brasileira. Ela fica no interior de Minas Gerais. O centro da cidade é a praça da igreja. Nesta praça há lojas, uma farmácia, um cinema, um ou dois bancos, um bar e uma padaria. À noite, os moços e as moças vão à praça para encontrar os amigos e conversar com eles.
As casas são antigas. Há casas modernas na parte nova da cidade.
A vida aqui é muito calma.

A. Complete com o vocabulário do texto.

1. Ouro Preto fica no ____________________ de Minas Gerais.
2. A ____________________ da igreja é o ____________________ da cidade.
3. Há dois ____________________ nesta cidade.
4. Os moços e as ____________________ vão à praça para ____________________ os amigos.
5. À ____________________, os moços vão ao bar para ____________________ com os amigos.
6. Na ____________________ da cidade as casas são ____________________.
7. Gosto ____________________ vida ____________________ desta cidade.

B. Descreva uma pequena cidade de seu país. Considere a cidade e os hábitos da população.

C. Coloque em ordem.

— É ali na esquina, naquela calçada.
— Vamos de ônibus para o centro?
— Há, sim. Mas também há prédios novos. Você tem dinheiro?
— Não, vamos a pé. Gosto de andar.
— Não, não tenho. Onde é o banco?
— Eu também. Há muitos prédios antigos no centro?

D. A cada imagem correspondem duas frases. Quais são?

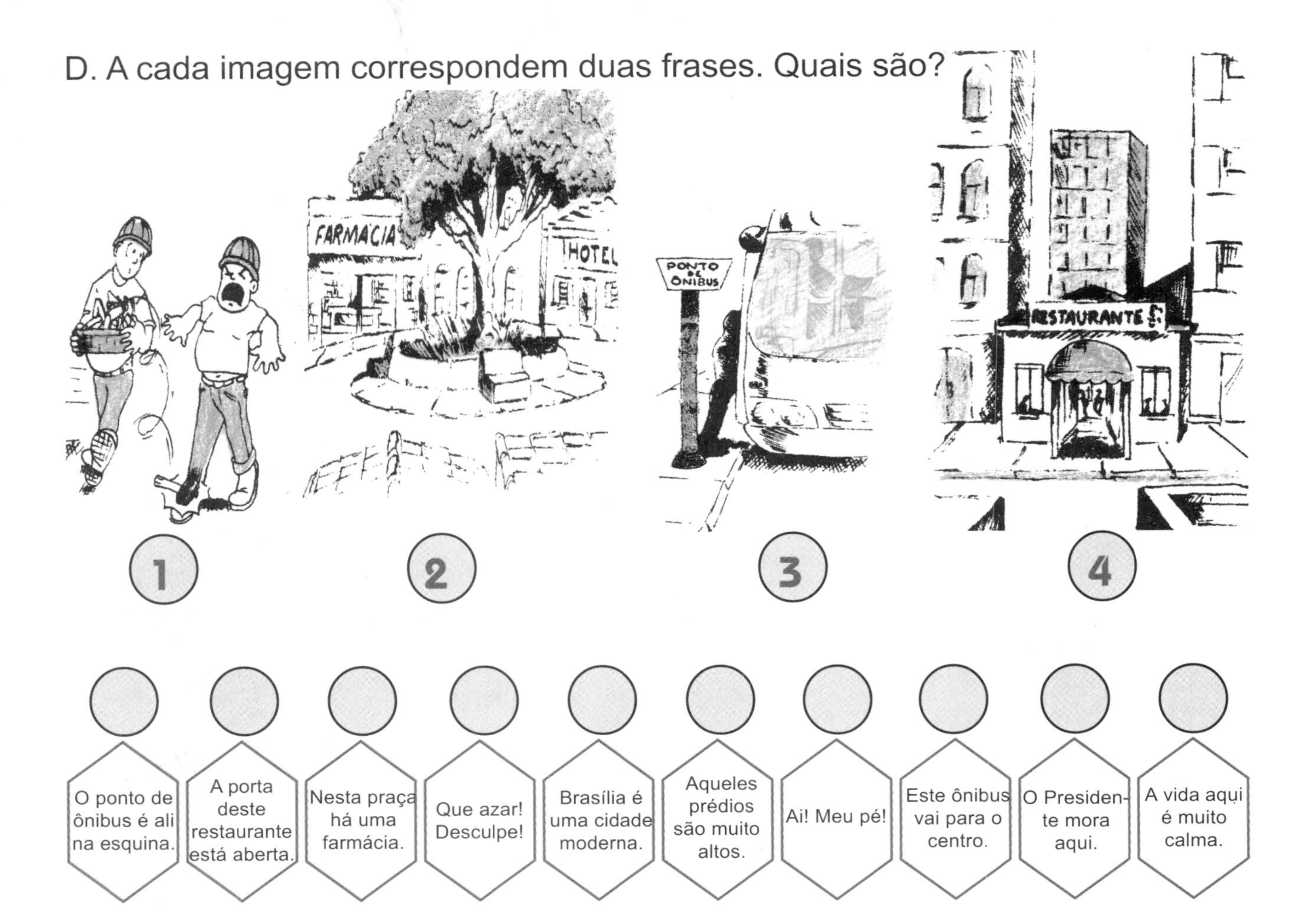

- O ponto de ônibus é ali na esquina.
- A porta deste restaurante está aberta.
- Nesta praça há uma farmácia.
- Que azar! Desculpe!
- Brasília é uma cidade moderna.
- Aqueles prédios são muito altos.
- Ai! Meu pé!
- Este ônibus vai para o centro.
- O Presidente mora aqui.
- A vida aqui é muito calma.

Foto: Palácio da Alvorada - Brasília/ DF.

UNIDADE 3

No restaurante

José: — Você está com pressa?
Luís: — Não. Por quê?
José: — Porque quero almoçar agora.
Estou com fome.
Luís: — Eu também
José: — Há um bom restaurante aqui perto.
Luís: — Boa idéia! Como vamos até lá?
José: — A pé, é claro!
Luís: — Quanta gente! Onde vamos sentar?
José: — Há uma mesa livre ali no canto.
José: — O que você vai pedir?
Luís: — Talvez uma salada de legumes e depois carne com batatas. E você?
José: — A mesma coisa. Vou tomar também uma cerveja. Estou com sede.
Luís: — Já podemos pedir a sobremesa. Que tal um sorvete? Hoje está quente.
José: — Agora o cafezinho.
Luís: — Garçon, a conta, por favor. Este restaurante não é caro.
Garçon: — Desculpe, senhor, mas a gorjeta não está incluída.
Luís: — Ah, é mesmo.
José: — O troco está certo? Então podemos ir.

Numa lanchonete

— Estou muito cansado.
Vamos entrar naquela lanchonete.
Vou pedir um suco. E você?

— Eu estou com fome e com sede.
Vou tomar um refrigerante e comer um bauru.

Responda

1. Por que José e Luís querem almoçar agora? ....

2. Eles têm tempo? ....

3. Por que eles vão a pé ao restaurante? ....

4. Há muita gente no restaurante, mas ainda há uma mesa livre. Onde? ....

5. O que eles vão pedir? Descreva o almoço todo. ....

....

6. José vai tomar uma cerveja. Por quê? ....

7. Por que eles vão pedir sorvete como sobremesa? ....

Modo indicativo — Presente simples

PODER — Presente simples			
Eu	posso	Nós	podemos
Você / Ele / Ela	pode	Vocês / Eles / Elas	podem

A. Complete com **poder**.

Está chovendo. Vamos ficar em casa.
O que podemos fazer?

1. Nós __________________ assistir à televisão.
2. Eles ____________________ ler o jornal.
3. Eu _______________________ escrever para meus amigos.
4. O Felipe _____________________ telefonar para os amigos.
5. A Luísa ____________________ estudar para o teste de amanhã.
6. Você ____________________ ouvir seu CD novo.
7. As crianças ______________________ jogar cartas.
8. Eu ____________________________________.
9. Nós ____________________________________.
10. Vocês ____________________________________.

Você não pode chegar atrasado!

B. Responda.

No trabalho: Você pode conversar? — **Posso**.
No trabalho: Você pode dormir? — **Não, não posso**.

Seu chefe pode chegar atrasado.

1. Você pode chegar mais tarde? ....
2. Você pode tomar cerveja? ....
3. Vocês podem fumar? ....
4. Seu chefe pode sair mais cedo? ....
5. Vocês podem discutir com o chefe? ....
6. As secretárias podem ir para casa na hora do almoço? ....
7. Seus colegas podem usar sua mesa? ....

Modo indicativo — Futuro imediato

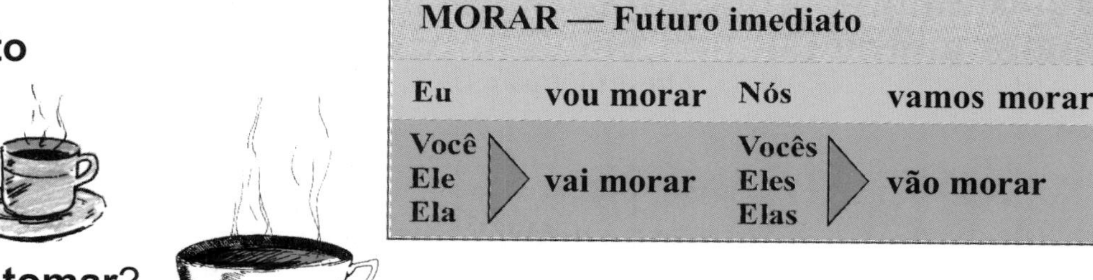

MORAR — Futuro imediato			
Eu	vou morar	Nós	vamos morar
Você Ele Ela	vai morar	Vocês Eles Elas	vão morar

A. O que você **vai tomar**?
Vou tomar uma cerveja.

1. O que você vai comer? ....
2. O que vocês vão tomar? ....
3. O que ele vai pedir ao garçon? ....
4. O que vamos fazer depois do almoço? ....
5. Como sobremesa, o que ela vai oferecer? ....
6. O que vamos tomar? ....

B. **Você vai tomar café?** Não, vou tomar chá.

1. .... ? Vamos, sim. Vamos falar com a secretária.
2. .... ? Não, vou jantar às 7 horas.
3. .... ? Vou, sim. Vou tomar cerveja.
4. .... ? Não, vamos comprar uma casa.
5. .... ? Não, ele vai ficar em casa.
6. .... ? Não, eles vão tomar sopa.

C. Relacione.

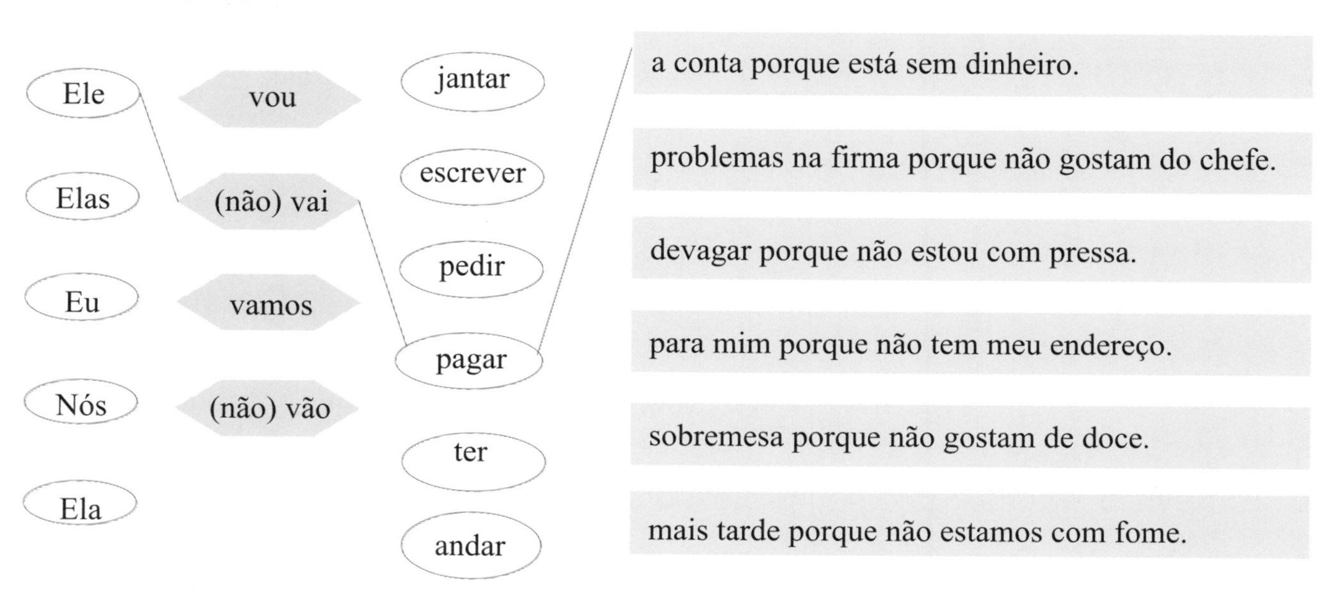

Palavras Interrogativas

Como? Por que? Quanto/a/os/as? Quem? Qual ?/ Quais? Quando? O que? Onde?

A. Complete.

1. ______________________ é ele? — Ele é Roberto, meu amigo.
2. ______________________ ele mora? — Em São Paulo.
3. ______________________ ele está aqui no Rio? — Porque ele está em férias.
4. ______________________ ele vai fazer hoje? — Ele vai visitar o Corcovado.
5. ______________________ ele vai ao Corcovado? — De carro.
6. ______________________ custa a visita ao Corcovado? — Nada. É grátis.
7. ______________________ amigos ele tem no Rio? — Muitos. Ele tem muitos amigos aqui.
8. ______________________ ele vai voltar para São Paulo? — No domingo.
9. ______________________ é a profissão dele? — Ele é advogado.

B. Entrevistando um artista. Faça as perguntas.

Não há, ó gente, ó não, luar como este do sertão...

1. ______________________ ? Meu nome é Betinho Estrela.
2. ______________________ ? Eu canto música caipira.
3. ______________________ ? Eu estou aqui em São Paulo porque vou fazer um show.
4. ______________________ ? No Teatro Tupiniquim.
5. ______________________ ? No sábado que vem.
6. ______________________ ? Muitas. Muitas pessoas vão ver meu show. Eu sou muito popular aqui.
7. ______________________ ? Eu vou ganhar 2.000 dólares.
8. ______________________ ? Meu show vai ser muito bonito. Luzes, efeitos especiais ...
9. ______________________ ? Tininha Maravilha vai cantar comigo. Nós sempre trabalhamos juntos.
10. ______________________ ? Vou cantar as músicas do meu último disco.

C. Entreviste seu colega e seu professor.

Ser —— **qualidade permanente**	**Estar** —— **qualidade temporária**
Ela é bonita.	**Ela está bonita hoje.**
O Saara é quente.	**Hoje está quente.**

Complete com **ser** ou **estar**.

1. Hoje _________ quente.
2. Ele_______ inteligente.
3. Ele ______ americano.
4. Nós __________ contentes agora.
5. Nossos amigos ________ na sala.
6. Nós __________ brasileiros.
7. A Suíça ______ um país bonito.
8. Eu __________ aqui agora.
9. Os copos ___________ na mesa e _________ de cristal.
10. Onde ________ seu carro? Na garagem?
11. O Brasil ________ um país muito grande.
12. Ele ___________ médico e ________ no hospital agora.
13. O Alasca ___________ frio. A Sibéria também ________.
14. Ele ________ cozinheiro e ________ no restaurante agora.
15. Eles ________ estrangeiros. Eles ________ no Brasil para trabalhar.

Usos especiais de **Ser**

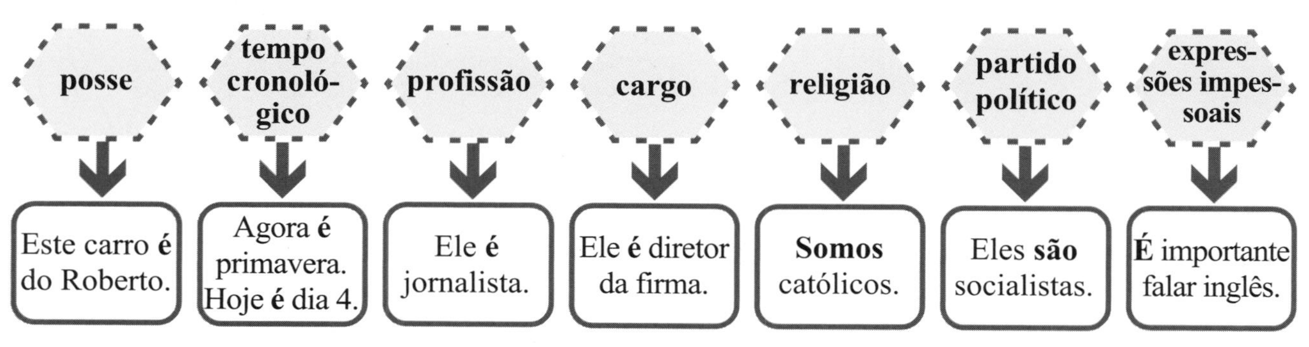

A. Complete.

Ronaldo ______ na praia porque ______ verão.

Ronaldo ______ especialista em informática.

Ronaldo ______ feliz hoje.

Ronaldo ______ meu irmão.

Ronaldo ______ muito prático.

Ronaldo ______ protestante.

é

está

Ronaldo ______ aqui.

Ronaldo ______ de Curitiba.

Ronaldo ______ meu chefe.

Ronaldo, este livro não ______ meu! ______ seu?

Ronaldo ______ com fome porque já ______ 2 horas.

Ronaldo ______ com os amigos no bar.

B. Complete a pergunta e a resposta com **ser** ou **estar**.

1. Você _____ professor ? Não, eu ______ aluno.
2. Você_____ garçon? Não, eu ________ cozinheiro.
3. Elas ________ com fome? Não, elas não _________ com fome.
4. Os copos _________ na mesa? Sim, eles __________ na mesa.
5. Mariana, você _______ com sono? Sim, _________ com sono.
6. Ele ______ garçon? ______, e agora _________ no restaurante.
7. Vocês _________ estrangeiros? ________, e ____________ aqui para trabalhar.
8. O Sr. Fagundes ________comerciante? Não, ele _______ professor.
9. Luís e José, vocês ________ americanos? Não, nós _________ ingleses.
10. O carro _________ na garagem? Não, não __________ .

As taças estão na mesa.

C. **Onde está Mariana?** Ela está em casa.

Quem? Por que? Onde? O que? Quando? Como?

1. ______________________________ ? Eles são fotógrafos.
2. ______________________________ ? Eles estão no clube.
3. ______________________________ ? Nós somos brasileiros.
4. ______________________________ ? Eu estou em casa à noite.
5. ______________________________ ? Porque estamos com sede.
6. ______________________________ ? Ela é a secretária do presidente.

7. ______________________________ ? Eu estou nervoso porque tenho muitos problemas.

8. ______________________________ ? Ele está no dentista.

9. ______________________________ ? Eu vou bem.

Expressões

PARE 3-6

Eu estou com fome.

Eu estou com frio.

Eu estou com sede.

Ele está com fome. **O que ele vai fazer? Ele vai almoçar.**

1. Ele está com sede. ______________ ? ______________ .
2. Ele está com fome. ______________ ? ______________ .
3. Eles estão com calor. ______________ ? ______________ .
4. Eles estão com frio. ______________ ? ______________ .
5. Ela está com sono. ______________ ? ______________ .
6. Vocês estão com pressa. ______________ ? ______________ .
7. Ele está com dor de cabeça. ______________ ? ______________ .

Um rapaz cabeludo

— Que horror! Quando você vai cortar o cabelo?

— Depois do jantar.

— Depois do jantar? Depois do jantar o barbeiro está fechado.

— Ah! É mesmo! Então vou antes do jantar.

antes de (do, da, dos, das)
Eu vou sair antes do almoço.
Eles vão pensar antes de falar.

depois de (do, da, dos, das)
Ele vai sair do restaurante depois de pagar a conta.
Eles vão chegar depois das cinco horas.

A. Responda. Use: **depois de, do(s), da(s).**

(o almoço) Quando você toma cafezinho? **Depois do almoço**.

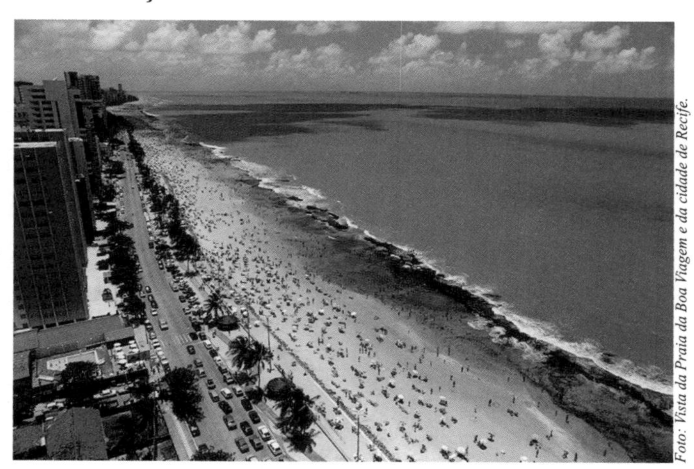
Foto: Vista da Praia da Boa Viagem e da cidade de Recife.

1. (o café da manhã) Quando você vai ao escritório? ....
2. (o jantar) Quando vamos ao cinema? ....
3. (a aula de Português) Quando você vai voltar para casa? ....
4. (acabar meu trabalho) Quando você vai sair do escritório? ....
5. (os feriados) Quando você vai falar com seu chefe? ....
6. (conhecer São Paulo) Quando ele vai a Recife? ....

B. Responda. Use: **antes de, do(s), da(s).**

(o almoço) Quando você toma aperitivo? **Antes do almoço**.

1. (o meio-dia) Quando você vai ao banco? ....
2. (o café da manhã) Quando ele vai viajar? ....
3. (três horas) Quando vai acabar a reunião? ....
4. (ir ao barbeiro) Quando você vai ao Correio? ....
5. (sair do escritório) Quando eu posso falar com você? ....
6. (chegar ao escritório) Quando você compra o jornal? ....

Um baile a fantasia

— Nossa! Olhe ali no canto! Quanta gente esquisita!
— É mesmo. Olhe! Há um chinês, dois japoneses, dois espanhóis e três alemães.
— O chinês é meu irmão.
— Não gosto das mulheres. Estão muito feias.
— Os homens estão engraçados.
— E o cabeludo? É homem ou mulher?
— É meu marido.

Vogal — a	a	cas**a**	as cas**as**
Vogal — e	o	pent**e**	os pent**es**
Vogal — i	o	táx**i**	os táx**is**
Vogal — o	o	marid**o**	**os** marid**os**
Vogal — u	o	urub**u**	**os** urub**us**
— ão	o	irm**ão**	**os** irm**ãos**
	a	esta**ção**	**as** esta**ções**
		alem**ão**	alem**ães**
		Consoantes	
— l	o	anima**l**	**os** anima**is**
	o	pape**l**	**os** pap**éis**
		espanho**l**	espanh**óis**

		azu**l**	azu**is**
— il		fác**il**	fác**eis**
		difíc**il**	difíc**eis**
		gent**il**	gent**is**
		infant**il**	infant**is**
— m	o	home**m**	**os** home**ns**
— r	a	co**r**	**as** co**res**
— s	o	lápi**s**	**os** lápis
	o	ônibus	**os** ônibus
		inglês	ingl**eses**
	o	mês	os m**eses**
— z	o	rapa**z**	**os** rapa**zes**

A. Dê o plural.

a casa — as ______

o táxi e o trem — os ______

o ônibus inglês — ______

o mês mais curto — ______

a faca — ______

o garfo — ______

a colher — ______

o rapaz feliz — ______

a lição fácil — ______

a mulher gentil — ______

o dia útil — ______

o atlas francês — ______

o papel azul — ______

o pão — ______

o cão — ______

a organização — ______

a mão — ______

o irmão e a irmã — ______

a estação — ______

o avião — ______

o pão alemão — ______

a expressão — ______

o jardim e a garagem — ______

B. Passe para o plural.

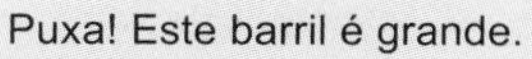

1. Este barril é grande. ....
2. Meu amigo é inglês. ....
3. A sopa está fria. ....
4. O dia está quente. ....
5. Minha mão está fria. ....
6. Este apartamento é bom, mas a garagem é pequena. ....
....
7. Aquele hotel é confortável. ....
8. Nosso professor é espanhol. ....
9. O canal de televisão tem propaganda comercial. ....
10. Nosso diretor é japonês. ....

Texto narrativo — Um almoço bem brasileiro

Hoje o Sr. e a Sra. Clayton vão almoçar na casa da família Andrade. Mariana Andrade vai preparar um cardápio bem brasileiro para seus convidados.
Como aperitivo, vai oferecer a tradicional "caipirinha" e, como entrada, uma sopa de milho verde. O prato principal vai ser frango assado com farofa. Como sobremesa, os convidados vão comer doces e frutas.
Tudo já está preparado. A campainha está tocando. Luís Andrade vai receber seus amigos.

A. Responda.

1. O que o Sr. e a Sra. Clayton vão fazer hoje?

....

2. Por que Mariana vai oferecer "caipirinha" para seus convidados ?

....

3. Você conhece "caipirinha"? Você gosta de "caipirinha"?

....

4. Descreva o cardápio de Mariana.

....

....

5. A campainha está tocando. O que Luís Andrade vai fazer?

....

B. Com os elementos na página ao lado, prepare dois cardápios típicos do Brasil.

Cardápio 1

Aperitivo:

....

Entrada:

....

Prato principal:

....

Bebida:

....

Sobremesa:

....

E, finalmente :

....

arroz

feijão

batata frita

canja

ovo frito

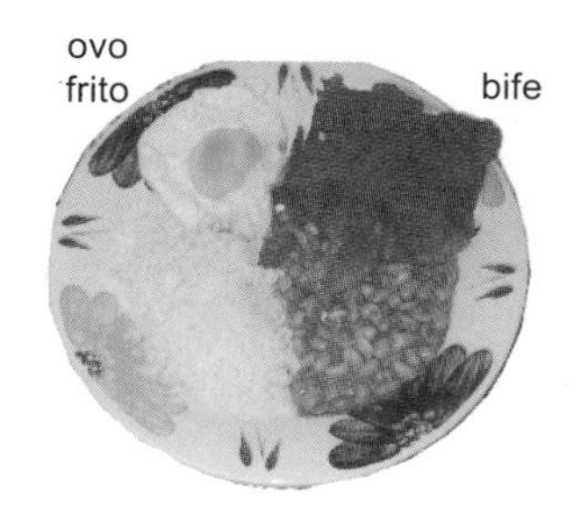
bife

Cardápio 2

Aperitivo: ______________________________

____

Entrada: ______________________________

____

Prato principal: ______________________________

____

____

Bebida: ______________________________

____

Sobremesa: ______________________________

____

E, finalmente : ______________________________

____

salada de tomate

cafezinho

queijo com goiabada

guaraná

couve

feijoada

farofa

molho de feijoada

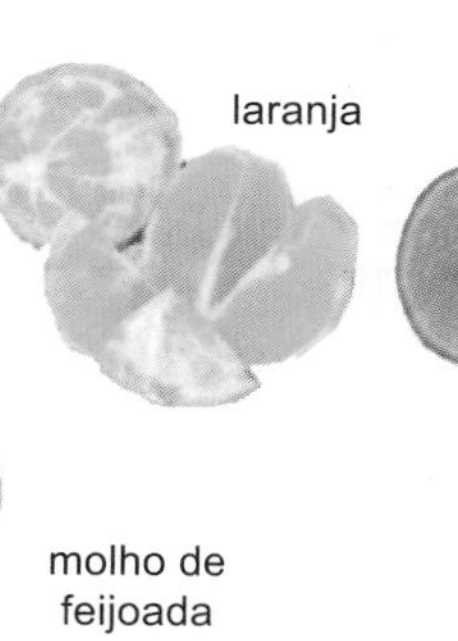
laranja

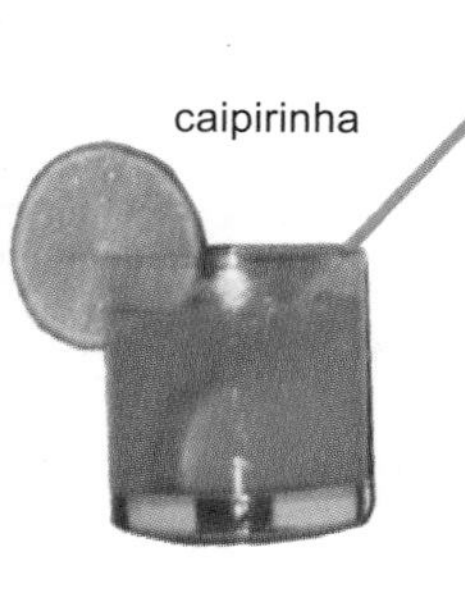
caipirinha

cerveja

C. Prepare um cardápio típico de seu país. Convide seu amigo e explique como vai ser o jantar.

Cardápio

Aperitivo: ....

....

Entrada: ....

....

Prato principal: ....

....

Sobremesa: ....

Bebida: ....

....

E, finalmente : ....

....

D. Risque o que é diferente. Explique por quê.

1.	**almoçar**	**jantar**	**oferecer**	**tomar**	**comer**
2.	**baile**	**navio**	**avião**	**carro**	**trem**
3.	**o aperitivo**	**a cerveja**	**a água**	**o médico**	**a caipirinha**
4.	**porta**	**quente**	**janela**	**sala**	**canto**
5.	**o bife**	**a comida**	**os legumes**	**a gorjeta**	**os pães**
6.	**talvez**	**banco**	**restaurante**	**escritório**	**aeroporto**
7.	**a pé**	**à noite**	**de táxi**	**de ônibus**	**de trem**
8.	**antes de**	**sempre**	**de manhã**	**grande**	**mais tarde**
9.	**interior**	**cabeludo**	**feio**	**bonito**	**alto**
10.	**com frio**	**com amigos**	**com sono**	**com sede**	**com pressa**

UNIDADE 4

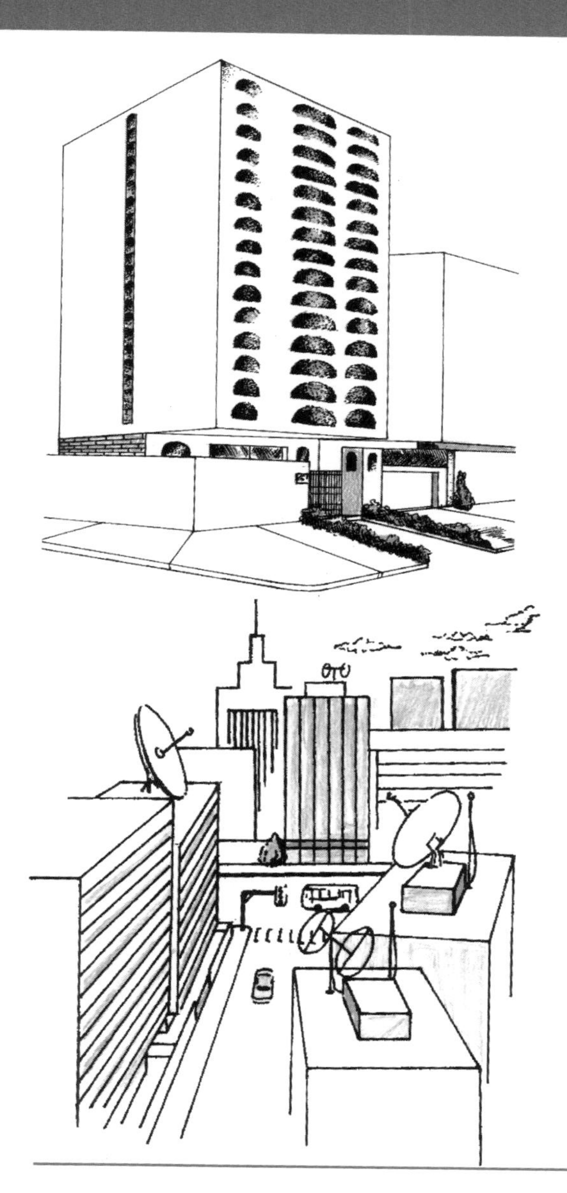

Procurando um apartamento

André: — Estou procurando um apartamento perto do centro.

Jorge: — Para alugar?

André: — Não. Para comprar. Ontem vendi minha casa. Quero um apartamento com três quartos, uma boa sala, cozinha, dois banheiros, área de serviço e duas garagens.

Jorge: — Não é fácil encontrar apartamento grande no centro.

André: — É verdade. Ontem comprei um jornal, li os anúncios, mas não achei nada interessante.

Jorge: — Nada?

André: — Nada. Todos os apartamentos grandes que estão à venda ficam longe do centro.

Jorge: — Você prefere mesmo morar no centro?

André: — Prefiro. É mais prático.

Um negócio da China

— Vamos comprar um terreno em Ubatuba.

— É grande?

— É. Tem 1.000 m² e fica bem perto da praia.

— Puxa! É caro, não é?

— Que nada! O preço é ótimo.

A gente vai fazer um negócio da China!

— É! Às vezes a gente tem sorte.

PARE 4-1

Modo indicativo — Pretérito perfeito

MORAR — Pretérito perfeito			
Eu	morei	Nós	moramos
Você Ele Ela	morou	Vocês Eles Elas	moraram

VENDER — Pretérito perfeito			
Eu	vendi	Nós	vendemos
Você Ele Ela	vendeu	Vocês Eles Elas	venderam

A. Ontem eu **comprei** um jornal.

1. (comprar) Você ________________ o jornal ontem?
2. (comprar) Ontem nós ________________ um carro.
3. (comprar) Ontem eu ________________ um livro para você.
4. (mostrar) A senhora já ________________ a cidade para eles?
5. (gostar) O senhor ________________ do filme? É bom, não é?
6. (comprar) No mês passado, eles ________________ uma casa bonita.
7. (achar-gostar) Vocês ______________ o show interessante? Vocês ______________?
8. (acabar-ajudar) Eu não ______________ o trabalho porque ela não ______________.
9. (tomar) No domingo passado, ele ________________ aperitivo com os amigos.
10. (andar) Ontem eu ______________ sete quilômetros, mas elas ______________ doze.

B. Ontem eu **vendi** minha casa.

1. (responder) Você já ______________ a carta?
2. (escrever) Eles já ________________ para você?
3. (aprender) Onde vocês ________________ inglês?
4. (vender) Eu ________________ meu carro ontem.
5. (vender) Nós ________________ nossos móveis.
6. (vender) A senhora já ________________ o apartamento?
7. (vender) O jornaleiro já ________________ todos os jornais.
8. (comer- beber) Eu ________________ pizza e ________________ vinho.
9. (escrever-responder) Ela ________________ para mim, mas eu não ______________.
10. (entender-responder) Você ________________ a pergunta, mas não ______________ . Por quê?

C. Ontem eu **escrevi** uma carta.

1. (receber) Ontem eu ____________ meu salário. E você? Você também ____________?
2. (escrever) Ontem nós ____________ para eles. E vocês? Vocês também ____________?
3. (responder) Eu ____________ a carta. Por que você não ____________?
4. (beber) Na festa, ela ____________ champanhe. E ele? O que ele ____________?
5. (comer) Eles ____________ tudo. E elas? Por que elas não ____________?
6. (beber) Na festa de ontem, eu ____________, mas você não____________. Você nunca bebe.
7. (encontrar-conversar) Ontem Luís ____________ Carlos e ____________ com ele.
8. (perguntar-responder) Eu ____________ . Por que você não ____________?
9. (almoçar) Ontem nós ____________ no restaurante do clube.
   E vocês? Onde vocês ____________?
10. (conversar-beber) Na festa, eu ____________ muito e ____________ pouco.

A gente	=	**nós**
A gente vai fazer um negócio da China!	=	**Nós vamos fazer um negócio da China!**

Substitua **a gente** por **nós**.

1. A gente aqui em casa gosta muito de você. E você? Você gosta da gente?

....

2. Nosso chefe é muito difícil. A gente não gosta de trabalhar com ele.

....

3. No ano que vem, a gente vai comprar um apartamento. A gente prefere morar perto do centro.

....

4. A gente precisa aprender Português para viver bem no Brasil.

....

Modo indicativo

— Presente simples

LER — Presente simples			
Eu	**leio**	**Nós**	**lemos**
Você / Ele / Ela	**lê**	**Vocês / Eles / Elas**	**lêem**

— Pretérito perfeito

LER — Pretérito perfeito			
Eu	**li**	**Nós**	**lemos**
Você / Ele / Ela	**leu**	**Vocês / Eles / Elas**	**leram**

A. Eu nunca **leio** o jornal. E você. Você **lê**?

1. Eu sempre__________ à noite. E você? Você __________?
2. Eles________________ a Veja. Eu também ____________ .
3. Só ele__________ a seção de esportes. Ela não__________ .
4. Nós nunca________ o jornal de manhã.

Elas também não__________. Ninguém tem tempo.

5. No domingo, a gente___________ o jornal inteiro.

Eu não sei se elas também ___________.

B. Eu **li** a reportagem. Todo mundo **leu**.

1. Eu não ___________ o artigo. Você ____________?
2. Ela _______________, mas não entendeu.
3. A gente _____________ no jornal que vai chover amanhã.
4. Eles _____________ muito nas férias. Choveu o tempo todo.
5. Vocês ______________ o contrato?

Não, nós não _____________ .

Modo indicativo — Presente simples

Ele quer abrir o guarda-chuva.

QUERER — Presente simples			
Eu	**quero**	**Nós**	**queremos**
Você **Ele** **Ela**	**quer**	**Vocês** **Eles** **Elas**	**querem**

O que você **quer**?
Casa ou apartamento?
O que vocês **querem**?

Nós ______________ morar num lugar diferente.

Eu ______________ comprar um apartamento perto do centro porque é mais prático, mas minha mulher ______________ morar numa casa. As crianças ______________ uma casa com piscina, o que vai ser impossível. Helena ________________ morar longe do centro por causa da poluição. A gente não sabe o que a gente ________________!

oswaldo massaini
anselmo duarte
O PAGADOR de PROMESSAS
leonardo vilar
gloria menezes
dionizio azevedo
geraldo del rey
norma bengell

PARE
4-5

Modo indicativo —Presente simples

PREFERIR — Presente simples			
Eu	prefiro	Nós	preferimos
Você Ele Ela	prefere	Vocês Eles Elas	preferem

A. O que você **prefere**?

— O que você prefere? Chá ou café?

— Eu ______________ ______________.

— E ela? O que ela ______________?

— Ela ______________ ______________.

— E eles? Você sabe o que eles ______________?

— Eles ______________ ______________.

— O que vocês preferem? Cinema ou teatro?

— Nós ______________ ______________.

— E elas? O que elas preferem?

— Elas ______________ ______________. E você?

— Eu? Eu ______________ ______________.

REALCE PRODUÇÕES ARTÍSTICAS
Apresenta:
MORTE E VIDA
SEVERINA
Poema Musical de João Cabral de Melo Neto
Direção: Cícero Ferreira
LOCAL : ______________
DATA : ____/____/____ HORA:____
Reservas pelo telefone:
(011) 878-1183 / BIP 866-4666 - Cód. 1107300

B. Ele **quer** ficar em casa, mas eu **prefiro** sair.

1. (querer-preferir) Ela ______________ comprar um carro grande, mas ele ______________ um carro pequeno.
2. (querer-preferir) Meus amigos ______________ viajar, mas eu ______________ ficar em casa.
3. (preferir-querer) Ele ______________ ir a pé, mas eu ______________ ir de ônibus.
4. (querer-preferir) No verão, eles ______________ ir à praia, mas nós ______________ ir às montanhas.
5. (preferir-querer) Quando está chovendo, eu ______________ ficar em casa, mas ele sempre ______________ ir ao cinema.

Um lugar agradável

André: — Ontem comprei um apartamento.
Jorge: — No centro?
André: — Não. Num bairro residencial, não muito longe do centro.
Jorge: — Você mudou de idéia?
André: — Mudei. E estou contente.
Jorge: — Onde fica seu apartamento?
André: — No Jardim Paulista, perto de um grande parque.
Jorge: — Perto de um grande parque?
André: — É. Em frente do parque há um museu famoso.
Jorge. — E atrás?
André: — Atrás do parque há um grande colégio.
Jorge: — Que bom! E quanto custou o apartamento?
André: — Um absurdo! Mas valeu a pena. Vou mudar amanhã.

Foto: MASP, Avenida Paulista, Parque Trianon, Colégio Dante Alighieri/ SP..

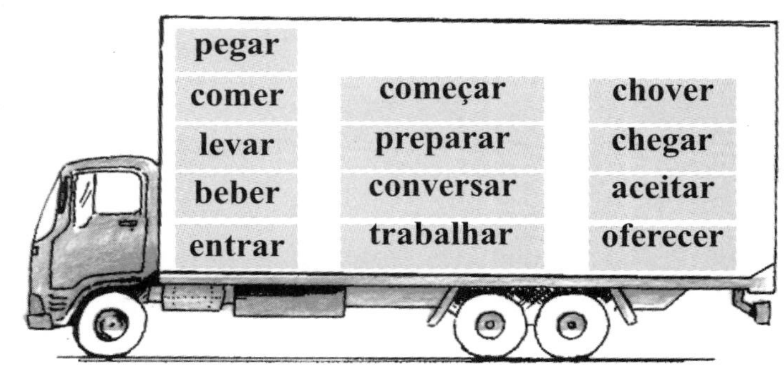

Complete com o Pretérito perfeito.

O dia da mudança

No dia da mudança, não _______________. O caminhão ______________ às 8 horas da manhã. Os homens ________________ em nossa casa, _______________ os móveis um a um e_______________ tudo para o caminhão: mesas, cadeiras, sofás, poltronas, camas, armários ... Eles ________________ muito. Ao meio-dia, eu ___________________ um lanche para eles.

Eles ______________. Teresa, minha mulher, ______________ sanduíches e suco. Todo mundo ______________ , ________________ e ________________. À uma hora, o trabalho _________________ outra vez.

Preposições de lugar

perto de	longe de	ao lado de
na frente de	atrás de	em volta de
dentro de	fora de	entre
em cima de	embaixo de	

A. Observe o desenho e faça a frase.

1. ______________________

2. ______________________

3. ______________________

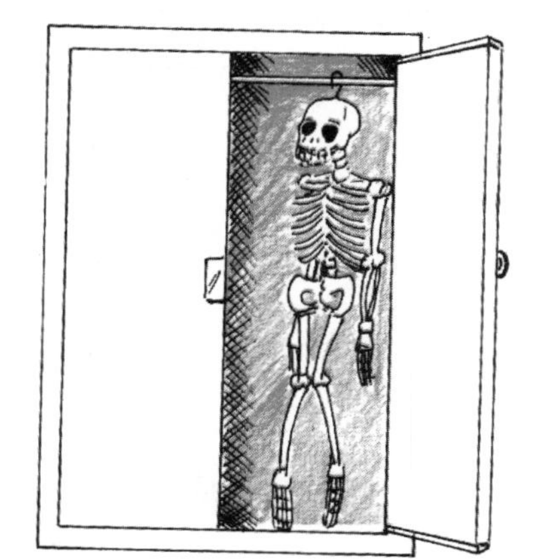

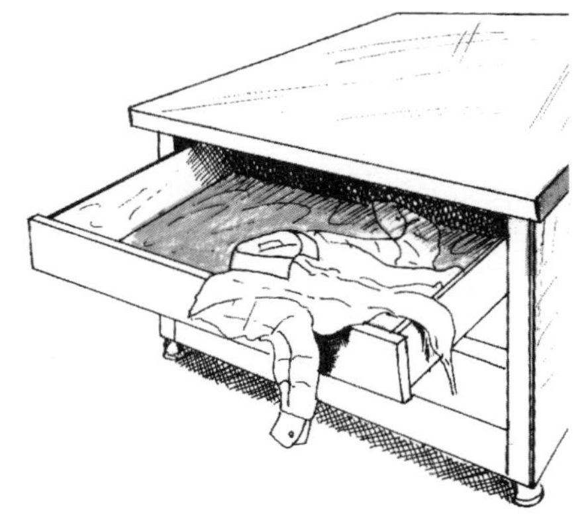

4. ______________________

5. ______________________

6. ______________________

B. Responda.

1. Quais são os móveis da sala de estar?

....

2. Onde está o sofá?

....

3. Onde está a mesinha?

....

4. Onde está a televisão?

....

5. Onde está a estante?

....

6. Quais são os móveis da sala de jantar?

....

7. Onde estão as cadeiras?

....

8. Onde está o tapete?

....

9. Onde está o vaso?

....

10. Onde estão as flores?

....

11. E o quadro? Onde está o quadro?

....

C. Desenhe a planta de um quarto. Distribua nela os móveis abaixo e depois explique a posição deles.

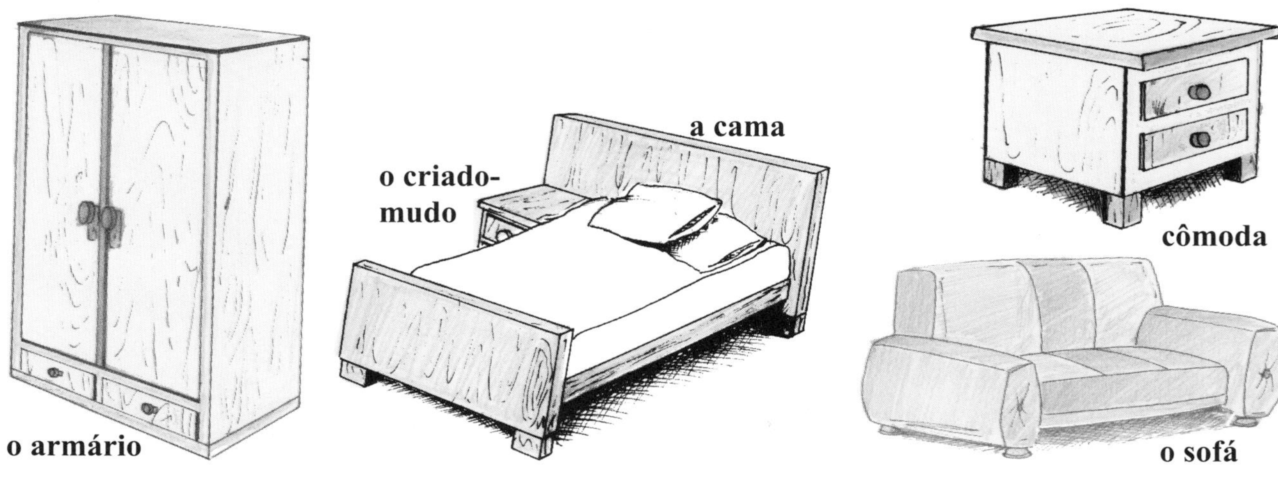

Num bairro residencial

PARE 4-7

Num bairro residencial, não muito longe do centro.
num bairro = **em um** bairro

Substitua

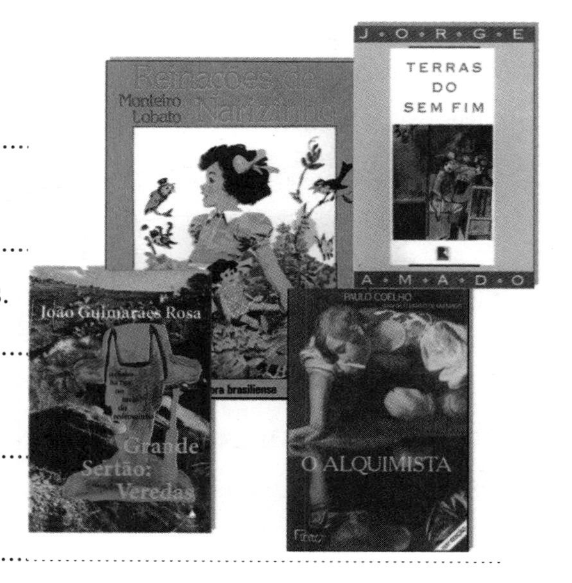

1. Ele mora **em uma** casa antiga.

....

2. Eu encontrei a informação **em um** livro de escola.

....

3. A polícia achou os documentos **em umas** caixas velhas.

....

4. Ele guardou o dinheiro **em uns** bancos estrangeiros.

....

5. Comprei o sofá **em uma** loja perto daqui

....

Onde estão eles?

— Roberto, onde está seu irmão?

— Está na praça com os amigos dele.

— E sua irmã?

— Está na lanchonete com os amigos dela. Por quê?

— Preciso falar com eles.

Possessivos

eu	**meu, minha, meus, minhas**	**nós**	**nosso, nossa, nossos, nossas**
você	**seu, sua, seus, suas**	**vocês**	**seu, sua, seus, suas**
ele	**(seu, sua, seus, suas) dele**	**eles**	**(seu, sua, seus, suas) deles**
ela	**(seu, sua, seus, suas) dela**	**elas**	**(seu, sua, seus, suas) delas**

A. Complete com **meu(s), minha(s), nosso(s), nossa(s)**.

1. Quero conversar com __________ professor de português.
2. Queremos conversar com __________ professor de inglês.
3. Vamos sair com __________ filhos.
4. Gostamos de sair com __________ amigos.
5. Ontem, falamos com __________ filha por telefone.
6. Moro neste bairro com __________ família. Gosto do __________ bairro.
7. Estou falando com __________ mulher.
8. Vou guardar __________ documentos no cofre.
9. Venha comigo! Quero mostrar __________ apartamento para você.
10. __________ amigas querem falar comigo.

André, ela é sua irmã?

B. Complete com **seu(s), sua(s)**.

1. Maria, onde está __________ irmão?
2. Helena, onde fica __________ casa?
3. Você vai sair com __________ marido?
4. Onde você comprou __________ livro?
5. Onde você comprou __________ livros?
6. André, quero conhecer __________ irmã.
7. André, quero conhecer __________ irmãs.
8. Maria e André, onde está __________ carro?
9. Vocês mostraram __________ documentos?

N · O · V · O
DICIONÁRIO
AURÉLIO
da Língua Portuguesa
NOVA EDIÇÃO
REVISTA E AMPLIADA
Editora Nova Fronteira

C. Complete com **dele(s), dela(s)**.

1. (ela) Onde estão os óculos __________?
2. (ela) O apartamento __________ é confortável.
3. (ele) Não gosto da cidade __________.
4. (ele) Você conhece os irmãos __________?
5. (elas) O pai __________ é alemão.
6. (ele/ela) A família __________ é grande. A família __________ também é.
7. (eles/ela) A mãe __________ não está aqui. Ela está na Europa com a amiga __________
8. (eles/elas) O escritório __________ é no centro. O escritório __________ é no subúrbio.
9. (ela/ele) Os irmãos __________ trabalham aqui. Os irmãos __________ também.
10. (ela/ele) Você quer o livro __________ ou o livro __________?

D. Leia a mão de seu (sua) colega. Diga a ele (ela) o que vai acontecer no futuro. Comece assim:

Seu futuro vai ser ótimo. Seu chefe vai ...

(chefe - namorado/a - marido/esposa - filhos - casa - férias ...)

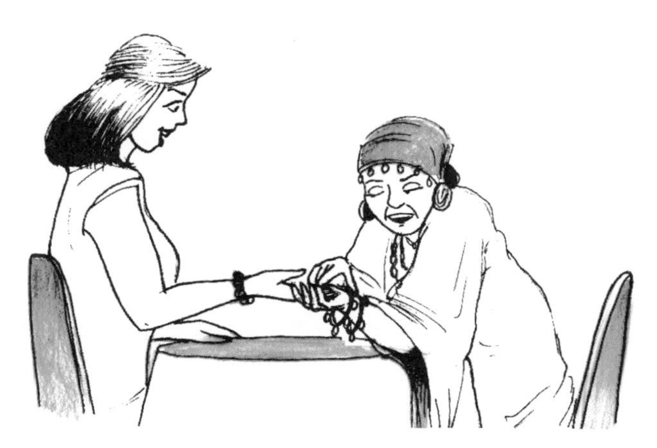

E. Trabalhe com fotos de parentes ou amigos. Fale sobre as pessoas.

Esta é minha amiga ... Ela mora em ...

A casa dela ... A família dela ...

(o trabalho, os planos, os problemas ...)

F. O armário tem mais de 100 anos. As portas **do armário** são muito grandes.
O armário tem mais de 100 anos. As portas **dele** são muito grandes.

1. Vou comprar a casa. O preço **da casa** é bom.

....

2. Vou preparar um jantar especial. Quero mostrar o cardápio **do jantar**.

....

3. Não quero estas cadeiras. A qualidade **das cadeiras** não é boa.

....

4. Meus irmãos moram na Europa. A vida de **meus irmãos** é muito diferente da minha.

....

5. Estes quartos são muito claros. As janelas **dos quartos** são grandes.

....

G. João, onde está **seu** irmão? **Meu** irmão está em casa.

1. Luísa, onde trabalha ________ irmã? ________ irmã trabalha no banco.
2. (ele) Onde está a filha ________? A filha ________ está aqui.
3. (nós) Gostamos de ________ amigos.
4. (eles) Mariana e Luís vão para a Europa. Os filhos ________ vão ficar no Brasil.
5. (ele/ela) Não quero as chaves ________. Quero as chaves ________.
6. André, você vendeu ________ casa? Não, não vendi _______ casa. Vendi _______ apartamento.
7. Cristina, você quer ________ bolsa e ________ óculos agora?
8. (ele) Ele está conversando com o pai ___________.
9. (ela) Ele está conversando com a mãe ___________.
10. (ela) Você conhece a casa ___________?
11. (ele, nós) Ele vendeu a bicicleta ______________ e comprou ____________ carro.
12. (ela/ele) Teresa quer visitar as amigas _______, mas Tomás prefere visitar os amigos _______.
13. (eles) Ana e Paulo venderam a fábrica ____________.
14. (ela) Os produtos desta fábrica são ótimos. As máquinas __________ são muito modernas.
15. (ele) O bairro é muito bom. As ruas __________ são muito limpas.

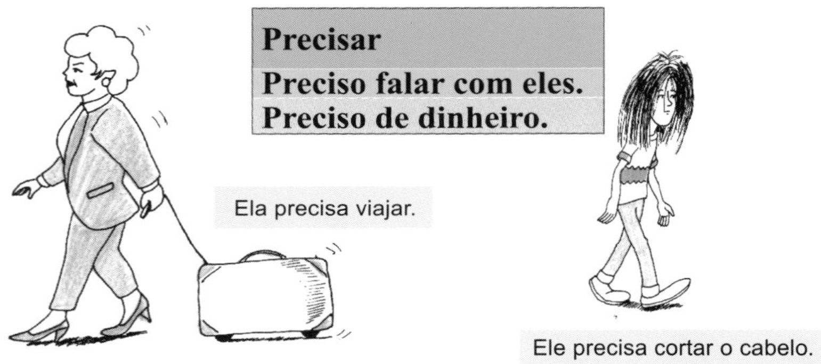

Ela precisa viajar.

Ele precisa cortar o cabelo.

O senhor precisa de gasolina.

Complete.

1. Vou ao banco porque preciso ....
2. Ela vai ao supermercado porque precisa ....
3. Vamos à padaria porque precisamos ....
4. Vou ao posto de gasolina porque ....
5. Ele vai ao barbeiro porque ....
6. Ela vai à Estação Rodoviária porque ....
7. Vou telefonar para ele porque ....
8. Vamos escrever para ela porque ....
9. Vou vender minha casa ....
10. Eles vão de avião porque ....

Texto narrativo

Onde morar?

Foto: Vale do Anhangabaú/ SP.

Viver no centro de São Paulo está ficando cada vez mais difícil, quase impossível. A vida é muito agitada e os apartamentos estão cada vez mais caros.

Se você quer viver com conforto, numa boa casa ou num apartamento grande e com muita luz, você precisa morar num bairro.

Depois de vários anos de desenvolvimento industrial, São Paulo é hoje uma grande cidade. Os antigos bairros residenciais perto do centro são agora bairros comerciais. Por isso, a família que prefere morar numa casa confortável, num lugar tranqüilo, precisa procurar novos bairros, cada vez mais distantes. Isto sempre acontece nas grandes cidades.

A. Responda.

1. Por que é difícil morar no centro de São Paulo?
2. Onde podemos viver com mais conforto?
3. O que aconteceu com os bairros residenciais perto do centro?
4. Você prefere morar no centro ou num bairro residencial mais distante? Por quê?

B. Reescreva os anúncios por extenso.

PINHEIROS
ALUGO
PART. Apto , 2 qts. 1 c/ suite, gar., 8º andar. T.8829-3533.

CEILÂNDIA
ALG. CASA 3qts., sl., coz., banh., laje, grade, c/ fone, próx. Centro. Cel. F.: 56-3782

BARRA DA TIJUCA
ALG. CASA 4 qts., sl., coz., banh., telefone, piscina, vista para o mar. T. 70-7070

ALUGA-SE
PINHEIROS
2 dorms. c/ gar. e tel., Face norte, ensolarado., Rua tranqüila. Ótimo liv., s/ jant., 2 gdes. dorms. c/arms. embutidos, 2 banhs., lav., copa-coz., área serv. e gar., Ch. c/ o zelador.,

ÁGUAS LINDAS
VENDO
Bela casa 2 pav., QI-25 salão, lavabo, 3 suítes (hidro/closet), 3 qts., arms., qto. p/ babá, copa, coz., belo jar. inverno, sauna, pisc., churrasqueira, excelente. Plantão hoje 94-9055

LUZIÂNIA
VENDE
PARTICULAR
Apto , 3 qts. c/ suite, reform., gar., 1º andar., s/ fiador. T.7906-9696.

C. Observe a planta deste apartamento.

Agora responda.

1. Quais são as dependências da área social, área de serviço, área íntima?
2. Este apartamento é bom para que tipo de família? Explique.
Para que tipo de família ele não é muito bom? Explique.
3. Você gosta deste apartamento? Por quê?
4. Faça uma lista do que você considera vantagens e desvantagens de morar em uma casa ou em um apartamento.

CASA		APARTAMENTO	
VANTAGENS	*DESVANTAGENS*	*VANTAGENS*	*DESVANTAGENS*

5. Você gosta de morar numa casa ou prefere morar num apartamento? Explique por quê.

UNIDADE 5

No jornaleiro

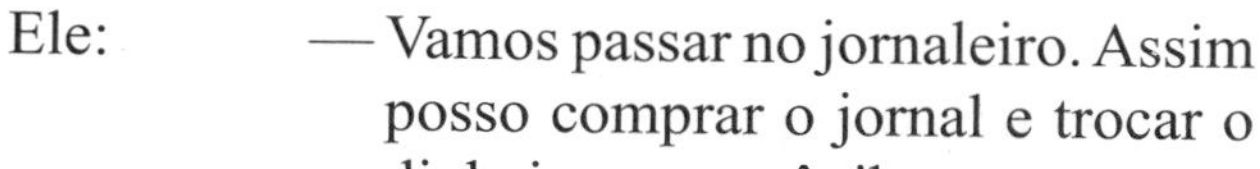

Ele: — Vamos passar no jornaleiro. Assim posso comprar o jornal e trocar o dinheiro para o ônibus.

— O Estado, por favor.

Jornaleiro: — Já acabou. Eu abri a banca há meia hora, mas já vendi quase tudo. O senhor não quer A Folha? Ainda tenho um pouco.

Ele: — A Folha? Está bem. Por favor, o ônibus Estações, número 69, passa por aqui?

Jornaleiro: — Por aqui não. Passa pela rua ao lado.

Ele: — Obrigado.

Mais tarde, em casa:

Ele: — Susana, na página 15 há um artigo muito interessante sobre o Chico Mota.

Susana: — Eu já li. Ele esteve aqui há 15 dias. Foi um sucesso. No sábado, ele cantou para 50.000 pessoas no Estádio do Pacaembu.

Ele : — Eu não sabia. Que pena! Perdemos a chance de ver o Chico.

Susana: — Não se preocupe. Ele vai voltar em abril.

Assim não dá!

— Há dez anos estou tentando ver a Marina Moreno. Agora é a minha chance! Por favor, duas entradas para o show da Marina Moreno no sábado.

— Sinto muito, não tenho mais.

— Como assim?

— As entradas para o show de sábado já acabaram.

— Nossa! Então para o show de 6ª feira.

— Também já vendi todas. Tenho algumas entradas para 5ª feira. Poucas.

— Mas que absurdo! Assim não dá!

— Pois é.

Modo indicativo — Presente simples

ABRIR — Presente simples			
Eu	abro	Nós	abrimos
Você / Ele / Ela	abre	Vocês / Eles / Elas	abrem

Pretérito perfeito

ABRIR — Pretérito perfeito			
Eu	abri	Nós	abrimos
Você / Ele / Ela	abriu	Vocês / Eles / Elas	abriram

A. Eu **abro** a porta.

1. (abrir) Esta loja abre sempre às 9 horas.
2. (abrir) O diretor abre o cofre do banco.
3. (abrir) Os bancos abrem às 10 horas.
4. (partir) Meu trem parte desta estação.
5. (discutir) Nós sempre discutimos com ele.
6. (assistir) Eu assisto à televisão toda noite.
7. (decidir) Os diretores decidem tudo na reunião.
8. (partir) Os ônibus para o Rio não partem desta estação.
9. (assistir) Ele sempre assiste a filmes pela televisão.
10. (dividir) Ele divide o aluguel da casa com seu irmão.

O banco só abre às 10.

B. Eu **abri** a banca há meia hora.

1. (abrir) Eu não abri esta janela ontem.
2. (partir) O avião partiu há 15 minutos.
3. (assistir) Você assistiu à televisão ontem?
4. (decidir) Vocês já decidiu o que vão fazer?
5. (abrir) Nós abrimos o cofre na semana passada.
6. (partir) Eles partem para a Europa no ano passado.
7. (assistir) Há 15 dias eu assisti a um filme sobre a Bahia.
8. (abrir) Nossa firma abriu uma loja nova no mês passado.

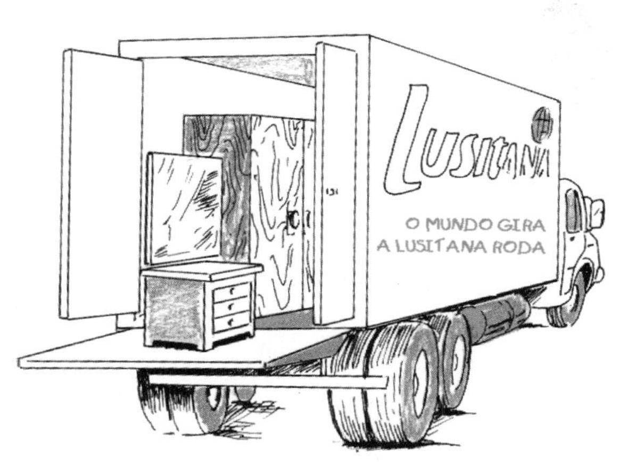

C. Complete.

1.(discutir) Ontem nós ________ sobre a Bahia.

2. (discutir) Estamos sempre ________ sobre dinheiro.

3. (dividir) Vou ________ o dinheiro com meus sócios.

4. (desistir) Nossos amigos não vão ________ ________ de seus planos.

5. (preferir) Você ________ chá ou café?

6. (preferir) Ele sempre ________ viajar de avião.

7. (telefonar) No mês passado, ele ________ ________ de Londres.

8. (esquecer) Eu sempre ________ o número do telefone dele.

9. (mudar) Amanhã vamos ________ de casa.

10. (receber) Este artista nunca ________ os jornalistas.

D. Complete com o Presente contínuo.

1. (partir) Que pena! Nosso trem .... !

2. (assistir) Silêncio! Eu .... ao filme.

3. (aprendar) Agora eu .... português.

4. (desistir) Olhe! Ele................ ! Que pena!

5. (insistir) Nós .... em ficar.

6. (discutir) João e Antônio .... os novos planos.

7. (mostrar) Venha! Ele................ .... a casa para os amigos.

8. (fazer) Meu irmão mais velho .... um curso de inglês em Londres.

9. (trocar) Venha ajudar! Eles .... o pneu do carro.

10. (abrir) Olhe! Eles .... a porta do cofre!

por

por	**+**	**o**	**=**	**pelo**	**por**	**+**	**os**	**=**	**pelos**
por	**+**	**a**	**=**	**pela**	**por**	**+**	**as**	**=**	**pelas**

O marido chegou mais cedo...

A. O ônibus passa por aqui?

1. O ônibus para o Rio passa pela Aparecida?
2. Este ônibus passa pelo centro?
3. Vamos para o centro pelo ponte nova! É mais rápido.
4. Ele não saiu pela porta da frente. Ele saiu pela uma janela.
5. Este ônibus vai para a minha cidade pelas praias, mas o trem vai pelas montanhas. pelas praias é mais bonito.
6. Recebi seu presente pelo correio.
7. A notícia chegou pela jornais.
8. Você vai passar pela lá? Posso ir com você?

B. Observe a ilustração.

Você está no táxi e quer ir ao shopping center, mas o motorista não conhece o caminho. Explique a ele como ir. Comece assim:

— O senhor precisa passar pelo Banco do Brasil, depois pelo ...

____

____

____

Banco do Brasil
Viaduto
Escola Estrela Dalva
Lojas Glória
Posto de gasolina
Banca de Flores
Shopping Center

BANCO DO BRASIL
Escola Estrela Dalva
Lojas Glória
Posto de gasolina
BR
TAXI
SHOPPING CE

Números

0 — zero
1 — um, uma
2 — dois, duas
3 — três
4 — quatro
5 — cinco
6 — seis
7 — sete
8 — oito
9 — nove
10 — dez
11 — onze
12 — doze
13 — treze
14 — quatorze ou catorze

15 — quinze
16 — dezesseis
17 — dezessete
18 — dezoito
19 — dezenove
20 — vinte
21 — vinte e um (uma)
22 — vinte e dois (duas)
23 — vinte e três
24 — vinte e quatro
. . . .
30 — trinta
31 — trinta e um (uma)
. . . .
40 — quarenta
50 — cinqüenta

60 — sessenta
70 — setenta
80 — oitenta
90 — noventa
100 — cem
101 — cento e um
200 — duzentos (duzentas)
300 — trezentos (trezentas)
400 — quatrocentos (quatrocentas)
500 — quinhentos (quinhentas)
600 — seiscentos (seiscentas)

700 — setecentos (setecentas)
800 — oitocentos (oitocentas)
900 — novecentos (novecentas)
1.000 — mil
2.000 — dois mil, duas mil (duas mil pessoas)
1.000.000 — um milhão
2.000.000 — dois milhões (dois milhões de pessoas)

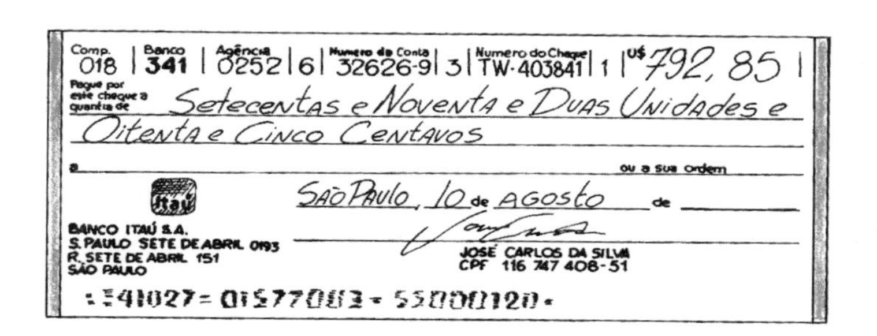
Comp. 018 | Banco 341 | Agência 0252 | 6 | Número da Conta 32626-9 | 3 | Número do Cheque TW-403841 | 1 | U$ 792, 85

Pague por este cheque a quantia de Setecentas e Noventa e Duas Unidades e Oitenta e Cinco Centavos

a ______ ou a sua ordem

São Paulo, 10 de Agosto de ______

BANCO ITAÚ S.A.
S. PAULO SETE DE ABRIL 0193
R. SETE DE ABRIL 151
SÃO PAULO

JOSÉ CARLOS DA SILVA
CPF 116 747 408-51

:341027= 01577083= 55000120=

Um, dois,
Feijão com arroz.
Três, quatro,
Feijão no prato.
Cinco, seis,
Bolo inglês.
Sete, oito,
Comeu biscoito.
Nove, dez,
Comeu pastéis.

A. Escreva por extenso.

2 - ______
8 - ______
12 - ______
15 - ______
16 - ______
17 - ______
18 - ______
27 - ______
56 - ______
67 - ______
76 - ______
85 - ______

100 - ______
113 - ______
555 - ______
614 - ______
792 - ______
811 - ______
919 - ______

1030 - ______
1979 - ______
2210 - ______
15346 - ______
1.000.000 - ______
2.000.010 - ______

B. Observe: 2 casas = duas casas.

Leia:

22 amigas	**232 vezes**	**800 portas**	**2.000 palavras**
41 livros	**471 carros**	**1001 dias**	**2.000 problemas**
82 casas	**522 páginas**	**1001 noites**	**1.351.000 pessoas**

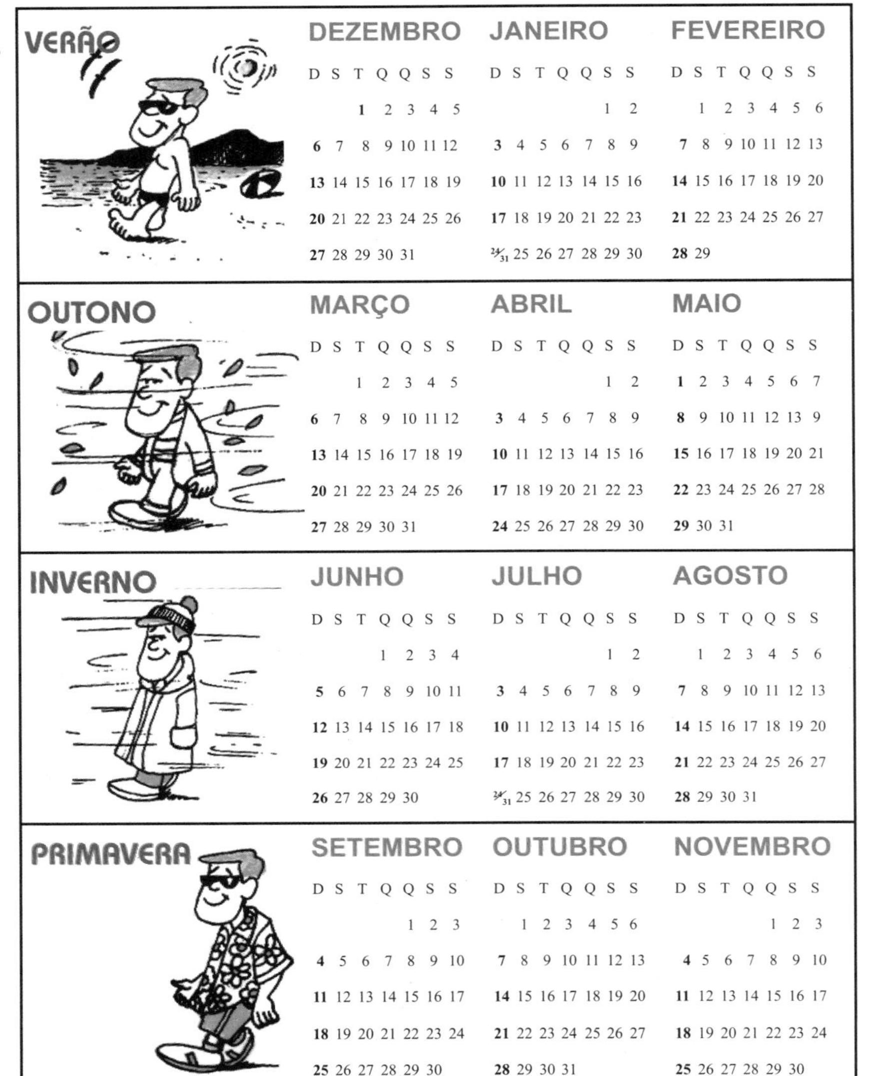

VERÃO

DEZEMBRO

D	S	T	Q	Q	S	S
		1	2	3	4	5
6	7	8	9	10	11	12
13	14	15	16	17	18	19
20	21	22	23	24	25	26
27	28	29	30	31		

JANEIRO

D	S	T	Q	Q	S	S
					1	2
3	4	5	6	7	8	9
10	11	12	13	14	15	16
17	18	19	20	21	22	23
24/31	25	26	27	28	29	30

FEVEREIRO

D	S	T	Q	Q	S	S
	1	2	3	4	5	6
7	8	9	10	11	12	13
14	15	16	17	18	19	20
21	22	23	24	25	26	27
28	29					

OUTONO

MARÇO

D	S	T	Q	Q	S	S
		1	2	3	4	5
6	7	8	9	10	11	12
13	14	15	16	17	18	19
20	21	22	23	24	25	26
27	28	29	30	31		

ABRIL

D	S	T	Q	Q	S	S
					1	2
3	4	5	6	7	8	9
10	11	12	13	14	15	16
17	18	19	20	21	22	23
24	25	26	27	28	29	30

MAIO

D	S	T	Q	Q	S	S
1	2	3	4	5	6	7
8	9	10	11	12	13	9
15	16	17	18	19	20	21
22	23	24	25	26	27	28
29	30	31				

INVERNO

JUNHO

D	S	T	Q	Q	S	S
			1	2	3	4
5	6	7	8	9	10	11
12	13	14	15	16	17	18
19	20	21	22	23	24	25
26	27	28	29	30		

JULHO

D	S	T	Q	Q	S	S
					1	2
3	4	5	6	7	8	9
10	11	12	13	14	15	16
17	18	19	20	21	22	23
24/31	25	26	27	28	29	30

AGOSTO

D	S	T	Q	Q	S	S
	1	2	3	4	5	6
7	8	9	10	11	12	13
14	15	16	17	18	19	20
21	22	23	24	25	26	27
28	29	30	31			

PRIMAVERA

SETEMBRO

D	S	T	Q	Q	S	S
				1	2	3
4	5	6	7	8	9	10
11	12	13	14	15	16	17
18	19	20	21	22	23	24
25	26	27	28	29	30	

OUTUBRO

D	S	T	Q	Q	S	S
	1	2	3	4	5	6
7	8	9	10	11	12	13
14	15	16	17	18	19	20
21	22	23	24	25	26	27
28	29	30	31			

NOVEMBRO

D	S	T	Q	Q	S	S
				1	2	3
4	5	6	7	8	9	10
11	12	13	14	15	16	17
18	19	20	21	22	23	24
25	26	27	28	29	30	

Meses do ano

1. JANEIRO
2. FEVEREIRO
3. MARÇO
4. ABRIL
5. MAIO
6. JUNHO
7. JULHO
8. AGOSTO
9. SETEMBRO
10. OUTUBRO
11. NOVEMBRO
12. DEZEMBRO

Dias da semana

domingo, segunda-feira, terça-feira, quarta-feira, quinta-feira, sexta-feira, sábado.

Estações do ano

primavera, verão, outono, inverno.

Dia 25 anteontem	Dia 26 ontem	Dia 27 hoje	Dia 28 amanhã	Dia 29 depois-de-amanhã

A. Responda.

1. — Que dia é hoje? — Hoje é........................., dia.......................de....................de....................
Agora é .... (dia da semana /dia do mês/mês/ano/estação do ano)
2. — Em que dia você nasceu? — Eu nasci no dia ....
3. Quando é o Natal? ....
4. Quando vamos ter um feriado? ....
5. Qual é o maior feriado do seu país? ....
6. Quando vão começar suas férias? ....

B. Observe a data e responda.

— Que dia é hoje?

6ª f., 3 de novembro ... *Hoje é sexta-feira, dia três de novembro.*

2ª f., 15 de janeiro ...

Sábado, 1º de abril ...

4ª f., 2 de julho ...

3ª f., 19 de junho ...

5ª f., 23 de novembro ...

Sábado, 1º de março ...

5ª f., 30 de outubro ...

6ª f., 14 de maio ...

Domingo, 25 de fevereiro ...

3ª f., 27 de agosto ...

C. Esta é sua agenda de trabalho. Responda.

1. O que você vai fazer amanhã de manhã?

...

...

2. Onde você esteve ontem de tarde? Por quê?

...

...

3. Quando você encontrou o arquiteto que está fazendo a nova decoração do escritório? ...

...

...

4. O que você vai fazer amanhã de tarde?

...

...

5. O que você vai fazer hoje à tarde? E à noite?

...

...

	ANTEONTEM	ONTEM	HOJE	AMANHÃ	DEPOIS DE AMANHÃ
DE MANHÃ	CHEGADA DO PRESIDENTE DA COMPANHIA AEROPORTO 7:30 REUNIÃO COM OS NOVOS FUNCIONÁRIOS NA SEÇÃO DE MARKETING	REUNIÃO COM O DIRETOR DE RECURSOS HUMANOS. REUNIÃO COM ARQUITETO (NOVA DECORAÇÃO)	ENTREVISTA JORNAL DO BRASIL		
DE TARDE		VISITA A CLIENTE (FORD) DENTISTA	REUNIÃO GERAL: AVALIAÇÃO DOS OBJETIVOS DO ANO		
DE NOITE	AULA DE PORTUGUÊS (CANCELADA) COQUETEL PARA O PRESIDENTE	ANIVERSÁRIO DE BEATRIZ (RESTAURANTE CANTAGALO)	AULA DE PORTUGUÊS		

D. Organize sua agenda desta semana e descreva suas atividades.

PARE 5-5

Modo indicativo — Pretérito perfeito

SER — Pretérito perfeito			
Eu	fui	Nós	fomos
Você / Ele / Ela	foi	Vocês / Eles / Elas	foram

ESTAR — Pretérito perfeito			
Eu	estive	Nós	estivemos
Você / Ele / Ela	esteve	Vocês / Eles / Elas	estiveram

TER — Pretérito perfeito			
Eu	tive	Nós	tivemos
Você / Ele / Ela	teve	Vocês / Eles / Elas	tiveram

IR * — Pretérito perfeito			
Eu	fui	Nós	fomos
Você / Ele / Ela	foi	Vocês / Eles / Elas	foram

*** Observe que a forma é a mesma do verbo ser.**

A. Complete com **ser** no Pretérito perfeito.

1. O filme de ontem ________ interessante.
2. Eu ________ presidente do clube no ano passado.
3. Nós ________ bons amigos.
4. Elas ________ amigas de escola.
5. Você ________ amigo dele?

B. Complete com **estar** no Pretérito perfeito.

1. Eu ________ no Canadá em 1998.
2. Os franceses ________ no Rio em 1555.
3. Os holandeses ________ em Pernambuco em 1630.
4. A rainha da Inglaterra ________ no Brasil em 1968.
5. — Vocês já ________ na China?
   — Já. Nós ________ lá em 1998.

C. Complete com **ter** no Pretérito perfeito.

1. Nós ________ muito trabalho na semana passada.
2. Carlos ________ problemas no escritório.
3. Eu não ________ aula ontem.
4. Vocês ________ tempo para acabar o trabalho?
5. Eles ________ uma reunião hoje de manhã.

D. Complete com **ir** no Pretérito perfeito.

1. Nós ________ para a Europa com eles.
2. Meus irmãos não ________ para a escola ontem.
3. — Paula, você já ________ à Bahia?
4. — Não, eu nunca ________. E você?
5. Ele ________ ao cinema com amigos.

E. Complete com o Pretérito perfeito de **ser — ter — ir — estar.**

Janeiro_________ um mês bom para mim. Nós_____________ um feriado longo. Eu ____________ para o Rio com amigos. Nós ____________no Pão de Açúcar e em outros lugares bonitos. Quero voltar para lá nas férias de julho.

Na estação

— A que horas parte o trem para o subúrbio?

— Às quinze para as oito.

— Que horas são agora, por favor?

— Agora são 5 para as oito.

— Que pena! O trem já partiu.

Que horas são?

PARE 5-6

São oito horas.

8:00

São oito horas em ponto.

8:05 São oito e cinco.

8:15 São oito e quinze.

8:30 São oito e meia.

8:40 São vinte para as nove.

8:45 São quinze para as nove.

12:00 É meio-dia.

24:00 É meia-noite.

01:00 É uma hora.

01:10 É uma e dez.

Que horas são?

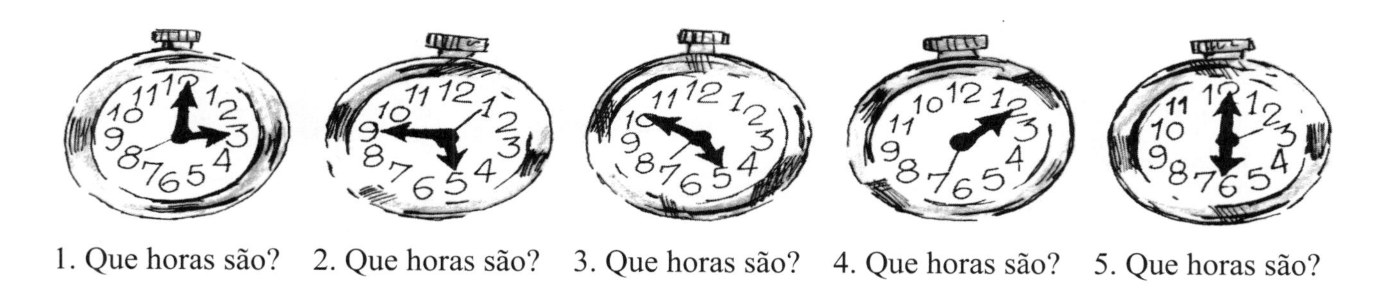

1. Que horas são? ____________
2. Que horas são? ____________
3. Que horas são? ____________
4. Que horas são? ____________
5. Que horas são? ____________

6. Que horas são? ____________
7. Que horas são? ____________
8. Que horas são? ____________
9. Que horas são? ____________
10. Que horas são? ____________

PARE 5-7

A que horas?

à 1 hora
às duas horas
ao meio-dia
à meia-noite

A que horas você janta?
Janto às sete horas.

1. (19:00) A que horas você janta? *Janto às sete horas.*
2. (19:45) A que horas você vai ao cinema? ....
3. (14:15) A que horas ele vai à escola? ....
4. (19:30) A que horas eles vão encontrar os amigos? ....
5. (14:50) A que horas ele abre o consultório? ....
6. (17:35) A que horas o avião vai partir? ....
7. (23:30) A que horas vai chegar o trem? ....
8. (1:45) A que horas ele foi para casa? ....
9. (16:15) A que horas você encontrou José? ....
10. (13:00) A que horas vocês almoçam? ....

PARE 5-8

Às seis da manhã.

— A que horas ele vai telefonar?
— Às seis.
— Às seis da manhã?!
— Não. Às seis da tarde.

O acidente foi às cinco horas da manhã.

A. A que horas você chegou? **Às três da manhã.**

1. — A que horas foi o acidente? (5:00) — ....
2. — A que horas ele saiu? (14:00) — ....
3. — A que horas a festa acabou? (2:00) — ....
4. — A que horas parte o avião? (10:00) — ....
5. — A que horas ele vai telefonar? (22:30) — ....
6. — A que horas vocês chegaram? (17:30) — ....

B. **A que horas ele chegou?** Ele chegou às 7 horas.

1. .... ? — Ele partiu às 7:20.
2. .... ? Ele prefere partir às 5:25.
3. .... ? A reunião começou às 2:40.
4. .... ? Nós chegamos à meia-noite.
5. .... ? Eu prefiro partir às 5 da manhã.
6. .... ? A reunião acabou às 10 da noite.
7. .... ? A festa vai começar às 9:30 em ponto.
8. .... ? Vamos chegar a Viena às 6:45 da manhã.
9. .... ? Meus amigos chegaram às 6 horas da tarde.
10. .... ? Você vai chegar a Londres ao meio-dia em ponto.

Das 8 às 10.

PARE 5-9

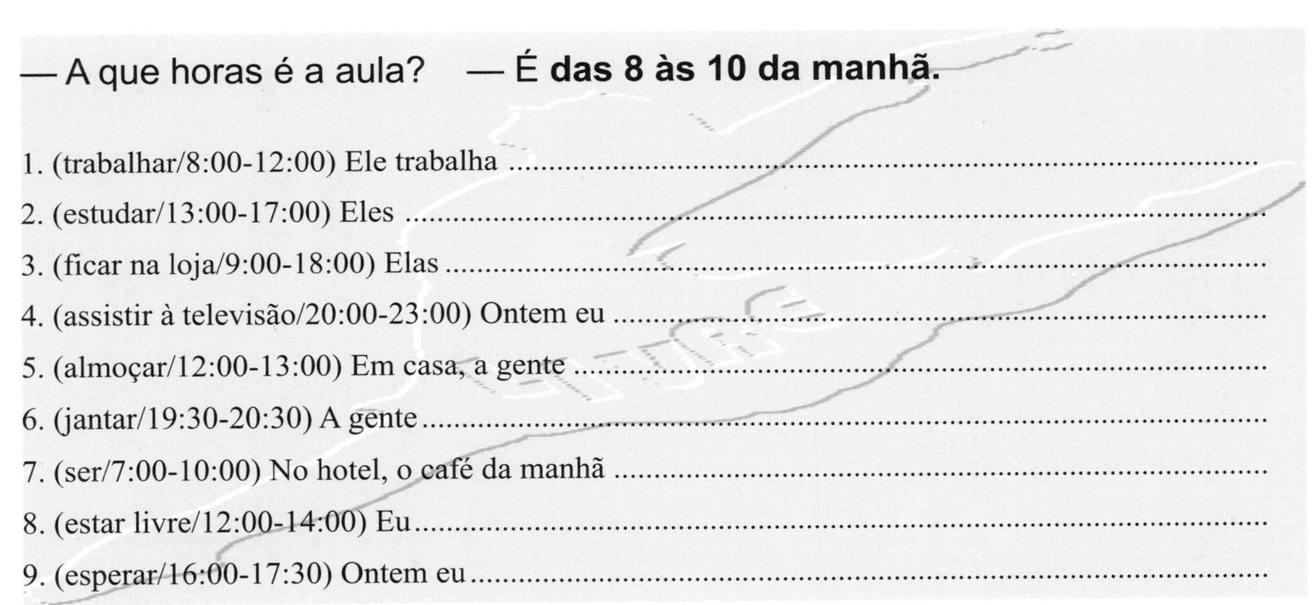

— A que horas é a aula? — É **das 8 às 10 da manhã.**

1. (trabalhar/8:00-12:00) Ele trabalha ....
2. (estudar/13:00-17:00) Eles ....
3. (ficar na loja/9:00-18:00) Elas ....
4. (assistir à televisão/20:00-23:00) Ontem eu ....
5. (almoçar/12:00-13:00) Em casa, a gente ....
6. (jantar/19:30-20:30) A gente ....
7. (ser/7:00-10:00) No hotel, o café da manhã ....
8. (estar livre/12:00-14:00) Eu..
9. (esperar/16:00-17:30) Ontem eu ....

Fazendo compras

— Vamos depressa! Quero comprar um vestido para a festa de hoje à noite e as lojas vão fechar daqui a meia hora.

— Esta loja é nova. Veja! O vestido amarelo é muito elegante.

— Vou pedir à vendedora para me mostrar aquela blusa branca. Ela combina com a minha saia preta.

Roupas femininas

PARE 5-10

Roupas masculinas

Roupa social

Acessórios

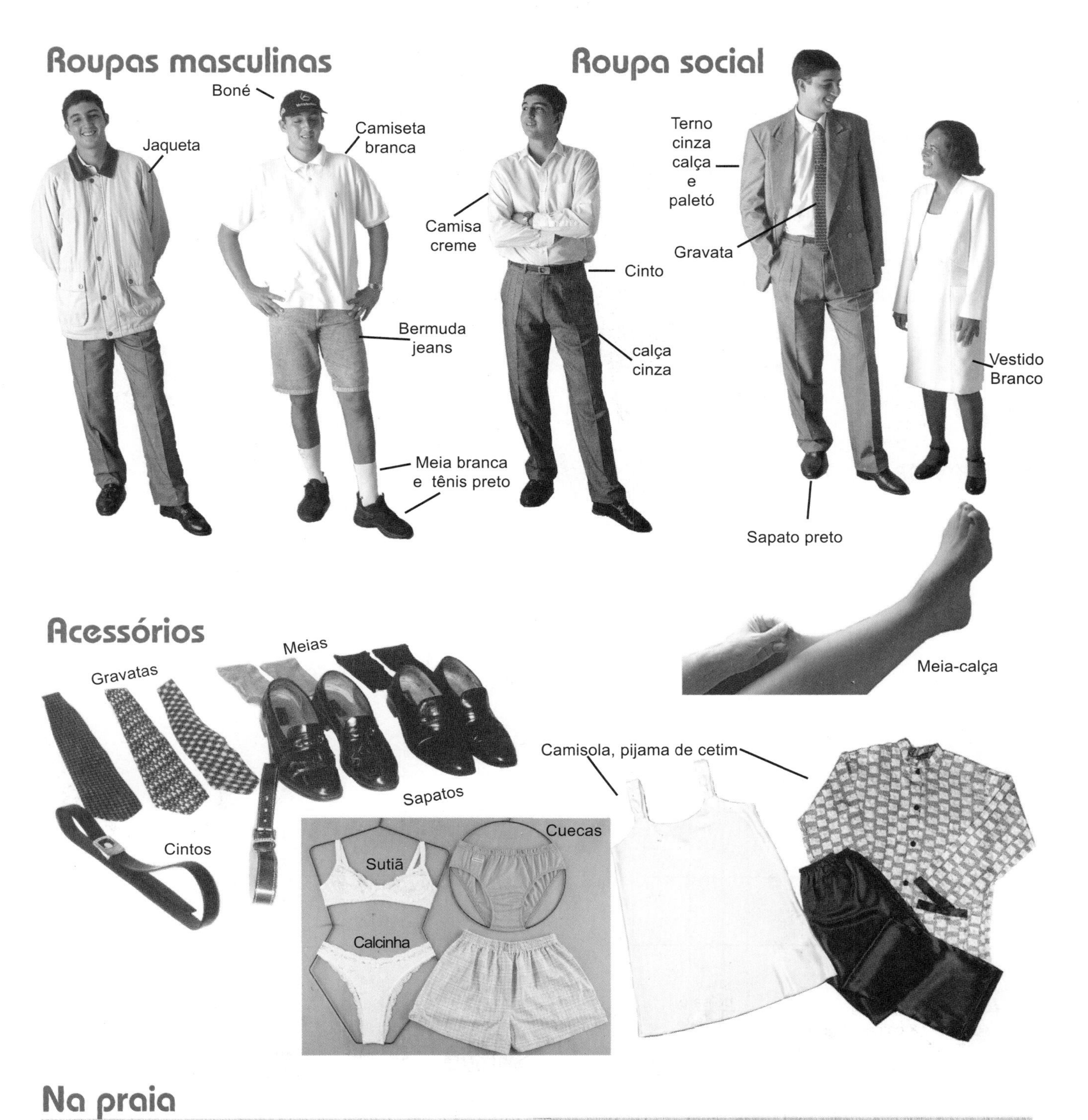

Na praia

A. Responda.

1. O que você usa quando vai trabalhar?
2. O que você usa quando fica em casa no domingo?
3. O que você usa quando vai a uma festa muito chique?
4. O que você está usando agora?
5. Você acha que há diferença entre o modo de vestir dos brasileiros e o das pessoas de seu país? Explique.

B. Palavras cruzadas.

Há — daqui a

Ele <u>chegou</u> ao Brasil *há* 3 semanas.
Ele <u>está</u> em São Paulo *há* 10 dias.
Ele <u>vai partir</u> para o Rio *daqui a* 3 dias.

Complete.

1. (50 minutos) Ele está esperando lá fora há cinqüenta minutos.
2. (10 minutos) Ele vai abrir a loja ....
3. (uma hora) Ele abriu a loja ....
4. (três dias) Eu estive no Rio ....
5. (quinze anos) Ele trabalha no banco ....
6. (muitos anos) Ele entrou na firma ....
7. (uma semana) Vocês estão aqui ....
8. (20 minutos) O avião vai chegar aqui ....
9. (6 meses) Eles vão falar Português muito bem ....
10. (40 minutos) Eu pedi a sobremesa ....
11. (um ano) Ele estuda Português ....
12. (meia hora) Nós vamos jantar ....

Masculino e Feminino

o amig**o**	—	**a** amig**a**	**o** artista famoso	—	**a** artista famosa
o professor inglês	—	**a** professora inglesa	**o** homem comum	—	**a** mulher comum
o aluno inteligente	—	**a** aluna inteligente	**o** botão simples	—	**a** solução simples
o banco alemão	—	**a** indústria alemã	**o** amigo espanhol	—	**a** amiga espanhola
o bairro industrial	—	**a** carta comercial	**um** apartamento bom	—	**uma** casa boa
o trabalho difícil	—	**a** lição difícil	**um** plano mau	—	**uma** idéia má
o moço feliz	—	**a** moça feliz			

Sempre feminino: a vi**agem**, a pais**agem**, a report**agem**, a ci**dade**, a i**dade**
Sempre masculino: o cin**ema**, o sist**ema**, o po**ema**, o idi**oma**, o sint**oma**, o tele**grama**, o pro**grama**, o sof**á**, o crach**á**, o guaran**á**.
***Atenção*:** um dia bonito, um mapa novo, o clima frio

PARE 5-13

Cores

branco branca	preto preta	amarelo amarela	vermelho vermelha	azul azul
verde verde	cor-de-rosa cor-de-rosa	laranja laranja	marrom marrom	cinza cinza

A. Passe para o feminino.

1. Meu irmão é um professor antigo. ....
2. (cidade) Meu país é muito grande. ....
3. (casa) O apartamento do meu vizinho é simples e confortável. ....
4. (revista/fotografias) Este jornal tem artigos muito interessantes. ....
5. Meu dentista é competente. ....
6. (folhas) Os papéis verdes estão na mesa. ....
7. Meu pai é um homem calmo. ....
8. (novela) Este filme foi bom. ....
9. Este cantor é um homem bom e amável. ....
10. (blusa-bolsa) Ela comprou um vestido cor-de-rosa e um casaco cinza. ....
11. (casa) Eles preferem um apartamento pequeno, num bairro comum. ....
12. Este senhor é elegante e conservador. ....
13. Meu amigo é muito otimista. ....
14. (música) O filme é triste. ....
15. O marido de minha filha é um homem difícil. ....
16. (revista) O livro azul está no escritório do doutor. ....
17. O senhor já falou com o diretor comercial? ....
18. (a entrevista) O livro deste escritor francês é longo, mas interessante. ....
19. (estrada) Este rio é longo, estreito e escuro. ....
20. (língua) O idioma alemão não é fácil. ....

B. Complete.

1. (caro) Copos de cristal são ______________.
2. (pequeno/confortável) Minha casa é ________________, mas __________________.
3. (famoso) As praias do Rio são ______________________.
4. (antigo/moderno) Este hotel é __________________. Prefiro hotéis _________________.
5. (alemão/moderno) Muitas cidades __________ são ____________.
6. (mau) Esta idéia não é ___________!
7. (espanhol/francês/americano) Gosto de música ____________, vestidos ___________ e carros _________________.
8. (simples/simples) Maria é uma mulher __________ e mora num apartamento ______________.
9. (branco/azul/amarelo/cinza) Comprei duas blusas _________, um vestido ____________, duas saias ______________ e um chapéu ________________.
10. (verde/bom) Estas bananas estão _________, mas as laranjas estão _____________.
11. (azul/marrom) Hoje quero comprar duas saias ___________ e uma blusa ____________.

12. (residencial/tranqüilo) Valeu a pena comprar o apartamento num bairro _______________. A vida aqui é muito _______________.

Foto: Bairro do Morumbi/SP

13. (industrial/japonês) Esta firma __________ __________ tem uma diretora _____________.

14. (comum/feliz) Você acha que a mulher _______________ é _______________?

15. (bom/bom/grande) Este apartamento é _____________, mas esta casa não é ____________, porque é muito ______________ para nós.

16. (longo/interessante/bom) Ele escreveu uma carta _______________ e _______________, com notícias muito _______________.

17. (antigo/moderno/industrial/bonito) Salvador é uma cidade _______________, Brasília é uma cidade ____________, São Paulo é uma cidade _____________ e o Rio é uma cidade __________.

18. (frio/quente) Não gosto de sopas _______________ e sobremesas _______________.

19. (difícil/interessante) Meu trabalho é _______________, mas _______________.

20. (velho/novo) Minhas bolsas estão _______________. Preciso comprar uma bolsa __________.

C. **uma** viagem **longa**

1. ____________ telefonema
2. ____________ chefe
3. ____________ diretora
4. ____________ sofá
5. ____________ dentista

confortável
jovem
nervoso
caro
longo

D. **este** artista **espanhol**

1. ____________ dia
2. ____________ oportunidade
3. ____________ idéia
4. ____________ mapa
5. ____________ limão
6. ____________ opinião

ANTIGO
CONTRÁRIO
BRILHANTE
AZEDO
ÚNICO
FEIO

Texto narrativo — Rios do Brasil

Durante esta semana, às 11 horas da noite, o canal 9 está passando documentários sobre os rios do Brasil. Anteontem tivemos um filme sobre o rio Amazonas. Foi muito interessante. O filme mostrou a famosa "pororoca", o encontro das águas deste rio com as águas do mar.
O filme de ontem foi sobre a construção da usina hidrelétrica de Itaipu, no rio Paraná, na fronteira do Brasil com o Paraguai.
O filme de amanhã vai ser sobre o rio São Francisco, um grande rio, inteiramente brasileiro.

Responda.

1. Você gosta de assistir a documentários na televisão? Por quê?
2. No seu país, a televisão é exclusivamente comercial ou também educativa?
3. A televisão apresenta programas diferentes: música, entrevistas, filmes, documentários, jornal, novelas, etc. Que programa você prefere? Por quê?
4. O que você sabe sobre o rio Amazonas?
5. O que é a "pororoca"?
6. O Brasil pode construir muitas usinas hidrelétricas. Por quê?
7. O rio São Francisco é chamado "rio da unidade nacional". Por quê?
8. Fale sobre os rios do seu país.
9. Com que países o Brasil tem fronteiras?
10. E o seu país?

Foto: *Pantanal - Fazenda Caima e Bonito*

UNIDADE 6

Retrato Falado

1º Policial:

Alô! Alô! Todos os carros! Assaltaram a casa de jóias Leão de Ouro.
O suspeito é um homem branco, de mais ou menos 30 anos, alto e gordo, com cabelo e olhos castanhos.
Cuidado! Ele está armado e é perigoso!

Mais tarde, na Delegacia de Polícia.

2º Policial: A senhora pode descrever o ladrão?
Testemunha: Posso. Eu o vi de perto. Ele não é loiro. É moreno. O rosto dele é redondo e a testa ...
2º Policial: Um momento. Vamos fazer o retrato.
Testemunha: A testa é alta. Os olhos são grandes. Eu pude vê-los muito bem quando ele me empurrou. E as sobrancelhas são bem grossas.
2º Policial: E o nariz. É assim?
Testemunha: É comprido e fino. Tenho certeza.
2º Policial: E o queixo?
Testemunha: Acho que é quadrado.
2º Policial: Assim?
Testemunha: Assim mesmo.
2º Policial: E as orelhas? São assim?
Testemunha: Não sei. Não me lembro, mas o cabelo é crespo.
2º Policial: Assim?
Testemunha: Assim mesmo.
Agora, deixe-me ver o retrato. Meu Deus! É este o homem. É ele mesmo, sem tirar nem pôr.

Meu tipo ideal

— Gostaria de conhecer um homem de 25 anos, alto, de cabelos pretos e lisos e de olhos azuis.

— Tipo esportista ou intelectual?

— Esportista, claro.

— Ah! Eu, ao contrário, sempre quis conhecer um rapaz de tipo intelectual, magro e de voz suave. Sonho com ele todas as noites.

O corpo humano

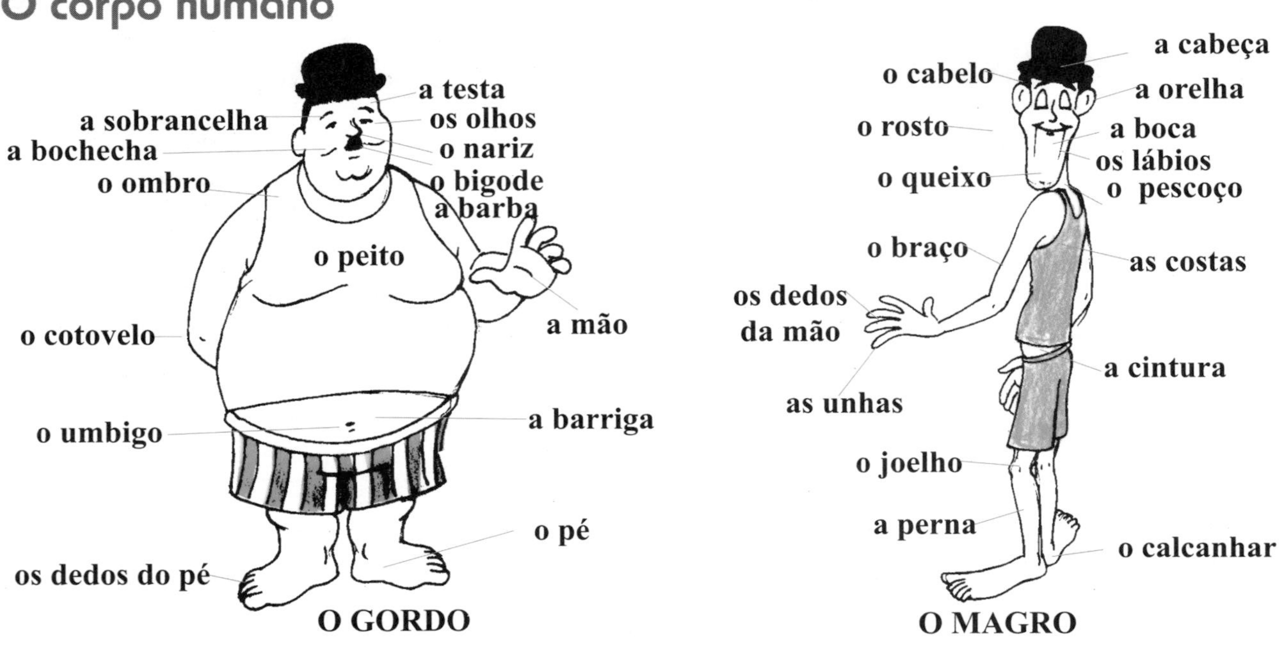

A. Descreva o Magro. Estas palavras vão ajudar você.

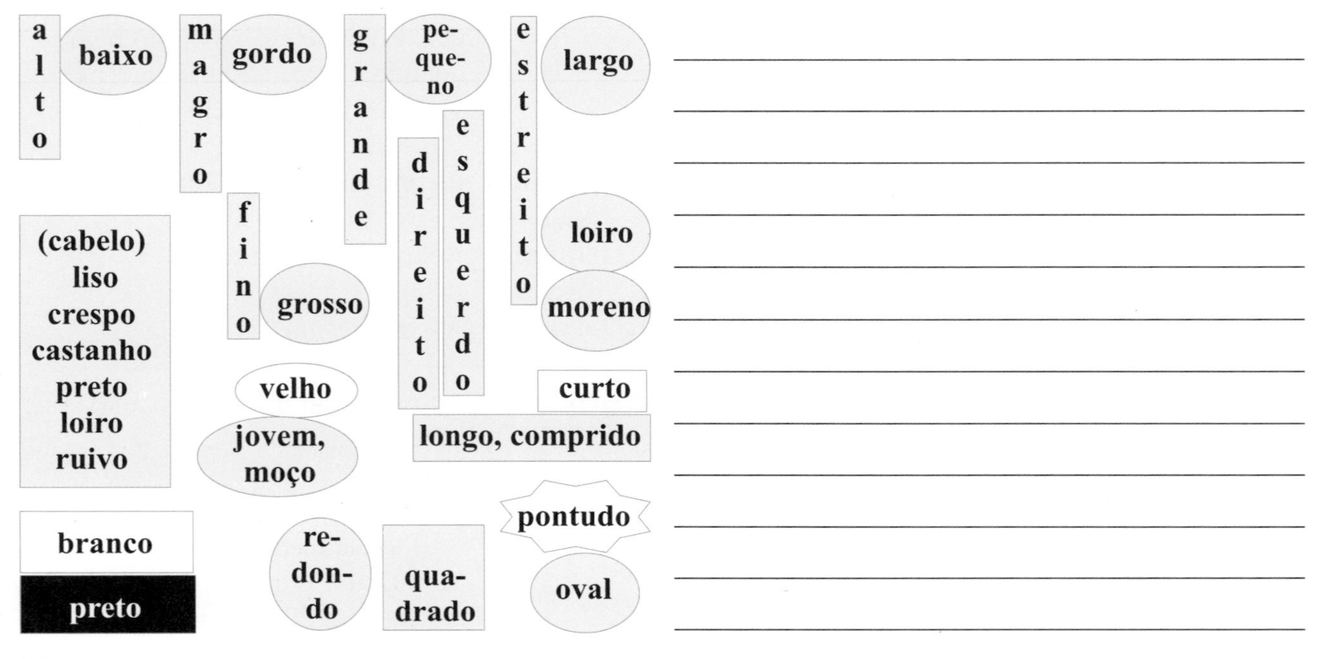

B. Descreva estas pessoas.

1) Ele é cientista, é ...

2) Ela é loira e tem ...

3) Ele é operário, é ...

Olhe as figuras novamente. Como você acha que essas pessoas são?
Estas palavras vão ajudar você.

1) 2) 3)		1) 2) 3)		1) 2) 3)		1) 2) 3)		1) 2) 3)	
	simpático		bem-humorado		desembaraçado		otimista		esperto
	antipático		mal humorado		tímido		pessimista		ingênuo
	inteligente		comunicativo		moderno		desonesto		fácil
	bobo		aberto		antiquado		honesto		difícil
	esportivo		reservado		ativo		interessante		risonho
	intelectual		fechado		preguiçoso		chato		sério

C. Descreva seu vizinho, seu melhor amigo, seu chefe ...

____

____

____

____

____

____

____

PARE 6-1

Modo indicativo

VER — Presente			
Eu	**vejo**	**Nós**	**vemos**
Você / Ele / Ela	**vê**	**Vocês / Eles / Elas**	**vêem**

QUERER — Perfeito			
Eu	**quis**	**Nós**	**quisemos**
Você / Ele / Ela	**quis**	**Vocês / Eles / Elas**	**quiseram**

VER — Perfeito			
Eu	**vi**	**Nós**	**vimos**
Você / Ele / Ela	**viu**	**Vocês / Eles / Elas**	**viram**

PODER — Perfeito			
Eu	**pude**	**Nós**	**pudemos**
Você / Ele / Ela	**pôde**	**Vocês / Eles / Elas**	**puderam**

A. Eu sempre **vejo** meu amigo no escritório.

1. Ele sempre ___vê___ Mariana na praia.
2. Eles nunca ___vêem___ Luís.
3. Aos domingos nós ___vemos___ nossos amigos.
4. Vocês ___vêem___ o diretor aos sábados?
5. Luísa ___ve___ Ana todos os dias na escola.
6. Eu nunca ___vejo___ Teresa cantando.
7. Você sempre ___ve___ Lúcia no banco.
8. Eu sempre ___vejo___ Eduardo, mas ele nunca me ___ve___.

B. Eu nunca **vi** neve.

1. Vocês já ___viu___ neve?
— Não, nunca ___vimos___
2. Você ___viu___ o acidente na avenida?
— ___vi___, sim. Foi horrível.
3. Eu nunca ___vi___ João cantando.
4. Ontem, eles me ___viram___ na loja, mas eu não os ___vi___.
5. Anteontem, ela ___viu___ o diretor da firma jantando no clube.
6. — Você ___viu___ o ladrão correndo?
— ___vi___, sim.

C. Eu **vejo** Amélia todos os sábados. Ontem eu **vi** Amélia.

1. Ontem nós ______ sua irmã na cidade.
2. Aos sábados eles ______ um filme no cinema e aos domingos ______ televisão.
3. Na semana que vem eles ______ os amigos.
4. Não gosto de ______ acidentes.
5. Você quer ______ este filme inglês? Não, prefiro ______ o filme francês.
6. Anteontem, eles ______ o ladrão correndo.
7. Ela ______ a família amanhã.
8. O que é que você ______ agora? ______ uma mulher. Ela está abrindo a bolsa.
9. Eu sempre ______ guardas andando pela cidade.
10. Você já ______ um elefante? Já ______, sim. No circo.

D. Ele sempre **quis** conhecer o Japão.

1. Meus amigos ______ me ajudar.
2. O ladrão ______ assaltar esta mulher.
3. Nós ______ ver este filme ontem.
4. Por que você ______ entrar neste restaurante?
5. Sábado passado eles ______ falar comigo.
6. Eu ______ ir lá porque é mais tranqüilo.
7. Nós ______ ficar em casa para ver o jogo.
8. Eu sempre ______ conhecer a Europa.
9. Meu vizinho ______ dar uma festa para a filha dele.
10. Francisco, por que seu irmão não ______ ficar com você?

E. Todos **puderam** ver o jogo pela televisão.

A empregada quis ir ao supermercado bem cedo.

SUPER MERCADO

1. Os jogadores não ______ viajar.
2. Por que ela não ______ assistir ao filme?
3. Nós ______ ver o filme até o fim.
4. Ela ______ ver muito bem o rosto do ladrão.
5. A empregada não ______ ir ao supermercado bem cedo.
6. Ontem, o diretor não ______ atender os clientes.
7. Na terça-feira passada ele não ______ chegar cedo.
8. Eu não ______ reconhecer o ladrão pelas fotografias.
9. Francisco, por que você não ______ falar com o diretor ontem?
10. Ontem, eu ______ ver o filme de Carlitos. Foi ótimo!

F. Ontem, eu **quis** ir ao cinema, mas não **pude**. Meu dinheiro acabou.

1. Na semana passada, nós quisemos falar com ele, mas não quis porque ele saiu mais cedo.
2. Os turistas quiseram conhecer esta igreja antiga, mas não puderam entrar. A igreja fechou às 5 horas.
3. Ontem, os alunos quiseram sair mais cedo, mas não puderam. O diretor não permitiu.
4. Ontem, nós não quisemos sair de casa. Ficamos para ver o jogo pela televisão.
5. Ontem, eles quiseram ver o jogo, mas não puderam porque não encontraram mais entradas.

Pronomes pessoais (1)

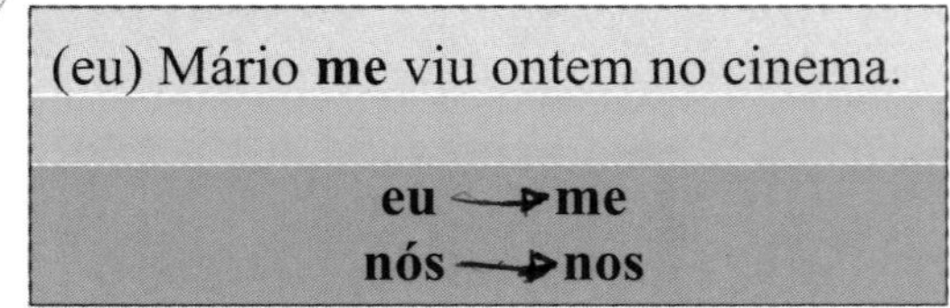
(eu) Mário **me** viu ontem no cinema.

eu → me
nós → nos

(nós) Ele não **nos** viu na rua.

1. (nós) Ele nunca nos viu aqui.
2. (eu) Vocês nunca podem me ajudar.
3. (eu) Meus vizinhos sempre me visitam.
4. (eu) Estou muito cansada. Você pode me ajudar?
5. (eu) Preciso sair agora. Pedro está me esperando.
6. (eu) Francisco, você me esperou muito tempo?
7. (nós) Nossos amigos nos convidaram para uma festa.
8. (eu) Meus amigos me convidaram para uma festa.
9. (nós) Nós convidamos sempre nossos vizinhos para jantar. Eles não nos convidam nunca.
10. (nós) Por que vocês não nos avisaram?

PARE 6-3

Pronomes pessoais (2)

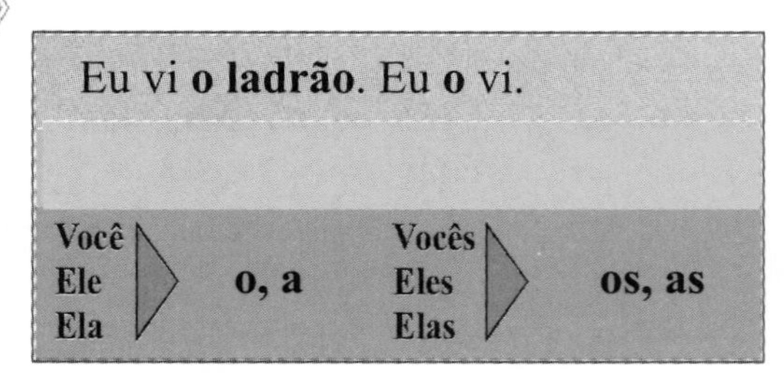
Eu vi **o ladrão**. Eu **o** vi.

Você **Ele** **Ela**	**o, a**	**Vocês** **Eles** **Elas**	**os, as**

A. Eu vi **os rapazes**. Eu **os** vi.

1. Mário não fechou **as janelas**.
Maria os viu
2. Ela prepara **o jantar** em 10 minutos.
ela o preparou
3. Lúcia ajudou **Carmem** no trabalho?
Lúcia a ajudou

4. Eu vejo **Cláudia e Anita** mais tarde.

eu os vejo

5. Ana viu **o filme**.

ana o viu

Teresa, eu sempre **a** vejo na biblioteca.

6. Vocês viram **os rapazes**?

voce os viram

7. Nós vimos **os animais** no circo.

nos os vimos

8. Ele comprou **a casa** ontem.

ele a comprou

9. Ele vende **livros** nesta loja.

ele os vendeu

B. (você) Teresa, eu sempre **a** vejo na biblioteca.

1. (Lúcia) Mário __a__ viu na estação de metrô.
2. (Lúcia e José) Ele __os__ conheceu em Campos do Jordão.
3. (cartas) Ele __as__ recebeu antes do almoço.
4. (você) Felipe, não __o__ vejo mais no restaurante.
5. (você) Marina, nós __o__ atendemos depois.
6. (vocês) Adriana e Rafael, nós __os__ esperamos amanhã para o jantar.

C. Completar.

— Ontem, meu marido e eu fomos ao teatro. Na sala de espera vimos nossos colegas de escritório mas eles não ______________ viram. Comprei o programa e li os nomes dos atores. Meu marido também ____________ leu.

Pronomes pessoais (3)

Você **Ele** **Ela**	**o, a -lo, -la**	**Vocês** **Eles** **Elas**	**os, as- los, - las**

Eu pude ver o ladrão.
Eu pude vê-lo.
Eu pude ver a fotografia.
Eu pude vê-la.
Eu pude ver os ladrões.
Eu pude vê-los.
Eu pude ver as fotografias.
Eu pude vê-las.

Quero fazer o trabalho. **Quero fazê-lo.**

1. Quero ver **o diretor**. Quero ver-lo
2. Quero conhecer a **nova diretora.** Quero conhecer-la
3. Amanhã vamos visitar **nossos amigos**. visitar-los
4. Que bom! Vamos comprar **esta bela casa**. comprar-la
5. O diretor não quis atender **o cliente**. atender-lo
6. Vou preparar **o aperitivo**. preparar-lo
7. Amanhã vamos atravessar o **rio Amazonas**. atravessar-lo
8. Quero aprender **esta música**. aprender-la
9. Vou encontrar **meus amigos** no restaurante. encontrar-los
10. Não posso abrir **a porta**. abrir-la
11. (vender) Esta **casa** é muito grande para nós. Queremos vender-la
12. (comer) Que belas **laranjas**! Vamos comer-las
13. (comprar) Gostei deste **relógio.** Vou Comprar-lo
14. (esperar) Meus **amigos** chegam hoje. Vamos esperar-los
15. (conhecer) Brasília é uma **cidade** moderna. Quero conhecer-la

Pronomes pessoais (4)

Eles viram o ladrão. Eles viram-no.			
Eles viram a fotografia. Eles viram-na.			
Eles viram os ladrões. Eles viram-nos.			
Eles viram as fotografias. Eles viram-nas.			
Você		**Vocês**	
Ele	**-no, -na**	**Eles**	**-nos, - nas**
Ela		**Elas**	

O vinho, beberam-no todo?!

As secretárias escrevem as cartas. As secretárias escrevem-nas.

1. Vocês ajudam **as crianças**. ....
2. Os vizinhos viram **os ladrões**. ....
3. As crianças comeram **os doces**. ....
4. Os vizinhos chamaram **a polícia**. ....
5. Os alunos abrem **o livro**. ....
6. Meus filhos compraram **os livros**. ....
7. Os convidados tomaram **o vinho** todo. ....
8. Meus irmãos compraram **as entradas**. ....
9. Os diretores aprovaram **o plano**. ....
10. Os rapazes acompanharam **as moças** até em casa. ....

PARE 6-6

Pronomes pessoais (5)

Eu vi o ladrão. Eu o vi.

Eu	**me**	**Nós**	**nos**
Você **Ele** **Ela**	**o, a** **(-lo, la)** **(-no, -na)**	**Vocês** **Eles** **Elas**	**os, as** **(-los, -las)** **(-nos, nas)**

Você está doente?

— Nossa, seu rosto está vermelho! Você está doente?
— Não sei! Não estou me sentindo bem. Estou com dor de cabeça, dor de garganta e dor nas costas. Não posso falar, nem andar.
— Acho que você está com febre.
— Vou à farmácia comprar um remédio para gripe.
— Acho melhor você ir ao médico.

estar com dor de cabeça
estar com dor de ouvido
estar com dor de dente
estar com dor de garganta
estar com dor de estômago
estar com dor de barriga
estar com dor nas pernas
estar com dor nas costas
estar com tosse
estar com gripe
estar com febre
estar com enjôo
estar resfriado, resfriada

A. Hoje vou ao dentista porque estou com dor de dente.

1. Sua testa está muito quente. Você ....
2. Desculpe, mas hoje não posso falar. Estou ....
3. Tomei chuva ontem e hoje .... Atchim!
4. Nossa! A reunião foi longa e difícil. Estou ....
5. .... porque comi demais.
6. Não posso ouvir bem o cantor porque João, ao meu lado ....
7. Não quero comer nada. Por favor, não posso nem pensar em comida. Eu ....
8. Você falou demais e agora ....
9. Esta cama não é boa. Estou sempre ....
10. Você está resfriada e com febre também. Acho que você ....

B. Simulando.

1. Você trabalha muito, está cansado e quer ter alguns dias de folga. Explique a seu chefe como você se sente.

Seu Osório, eu ... .

....

2. Você está no consultório de seu médico. Explique a ele como você se sente.
(Você trabalha muitas horas por dia, não faz exercício físico, fuma demais, não come direito e passa muito tempo com seus amigos no bar).

Doutor, eu estou sempre com ... .

....

Mostre!

— A senhora viu o ladrão. Agora **veja** estes retratos. Qual destes homens é o ladrão? **Mostre**!

— Não sei, não.

— Não **tenha** medo. Nós vamos protegê-la.

Modo imperativo

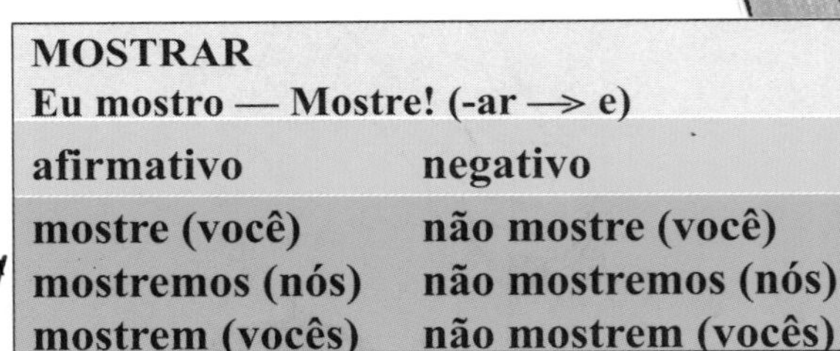

MOSTRAR **Eu mostro — Mostre! (-ar —> e)**	
afirmativo	**negativo**
mostre (você)	**não mostre (você)**
mostremos (nós)	**não mostremos (nós)**
mostrem (vocês)	**não mostrem (vocês)**

VENDER **Eu vendo — Venda! (-er —> a)**	
afirmativo	**negativo**
venda (você)	**não venda (você)**
vendamos (nós)	**não vendamos (nós)**
vendam (vocês)	**não vendam (vocês)**

TER **Eu tenho — Tenha!**	
afirmativo	**negativo**
tenha (você)	**não tenha (você)**
tenhamos (nós)	**não tenhamos (nós)**
tenham (vocês)	**não tenham (vocês)**

ABRIR **Eu abro — Abra! (-ir —> a)**	
afirmativo	**negativo**
abra (você)	**não abra (você)**
abramos (nós)	**não abramos (nós)**
abram (vocês)	**não abram (vocês)**

VER **Eu vejo — Veja!**	
afirmativo	**negativo**
veja (você)	**não veja (você)**
vejamos (nós)	**não vejamos (nós)**
vejam (vocês)	**não vejam (vocês)**

Algumas formas irregulares de Imperativo

SER (Seja!)	
afirmativo	**negativo**
seja (você)	não seja (você)
sejamos (nós)	não sejamos (nós)
sejam (vocês)	não sejam (vocês)

ESTAR (Esteja!)	
afirmativo	**negativo**
esteja (você)	não esteja (você)
estejamos (nós)	não estejamos (nós)
estejam (vocês)	não estejam (vocês)

IR (Vá!)	
afirmativo	**negativo**
vá (você)	não vá (você)
vamos (nós)	não vamos (nós)
vão (vocês)	não vão (vocês)

A. Seu problema e a solução.

PARE **6-8**

Você está com dor de barriga? Coma menos!

Você está com dor de dente? limpia os dentes

Você está com dor nas costas? (Back) não levantas coisas grande

Dor de garganta? Você está com dor de garganta? ....

Dor de cabeça? Você está com dor de cabeça? ....

Você está com dor nos pés? ....

Você está com gripe? ....

Você está com tosse? ....

Você está com enjôo? Coitado! ....

Você está resfriado? ....

B. Na aula de ginástica.
Meninos e meninas, **mantenham** sua forma fisica!

(abrir-fechar) abra e fecha as mãos com movimentos firmes!

(abaixar) abaixa os braços!

(levantar) levanta os braços acima da cabeça!

(fazer) faça novamente o movimento com as mãos!

(abrir-fechar) abra e fecha os braços!

Mais depressa! Vamos! Mais um pouco!

(dobrar) Agora dobra o joelho direito!

(levantar) levanta os braços até a altura dos ombros!

(esticar) Agora estiquem a perna!

(dobrar-esticar) Agora, rápido, dobra e estica a perna. Vamos!

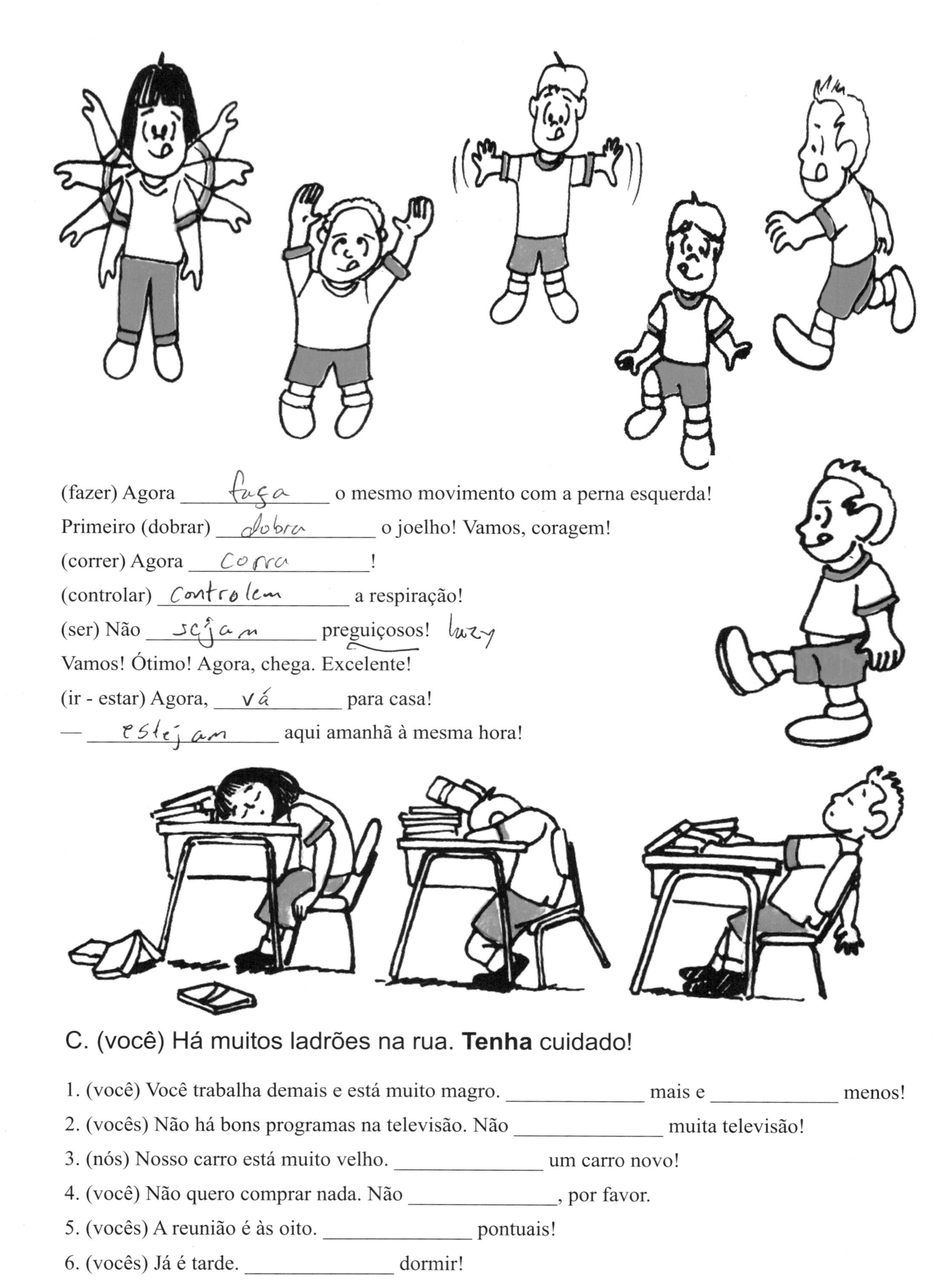

(fazer) Agora faça o mesmo movimento com a perna esquerda!
Primeiro (dobrar) dobra o joelho! Vamos, coragem!
(correr) Agora corra!
(controlar) controlem a respiração!
(ser) Não sejam preguiçosos! lazy
Vamos! Ótimo! Agora, chega. Excelente!
(ir - estar) Agora, vá para casa!
— estejam aqui amanhã à mesma hora!

C. (você) Há muitos ladrões na rua. **Tenha** cuidado!

1. (você) Você trabalha demais e está muito magro. ______________ mais e ______________ menos!
2. (vocês) Não há bons programas na televisão. Não ______________ muita televisão!
3. (nós) Nosso carro está muito velho. ______________ um carro novo!
4. (você) Não quero comprar nada. Não ______________, por favor.
5. (vocês) A reunião é às oito. ______________ pontuais!
6. (vocês) Já é tarde. ______________ dormir!

Crase

PARE 6-9

Vou ao médico.	**a + o = ao**
Vou à farmácia.	**a + a = à**
Ela escreve aos amigos.	**a + os = aos**
Ela escreve às amigas.	**a + as = às**

Vamos ao médico e à farmácia.

1. Primeiro vamos ______ banco e, depois, ______ prefeitura e ______ biblioteca.
2. Mostrei meus planos ______ diretor e ______ secretária.
3. Ontem à noite ofereci um coquetel ______ colegas de meu marido e ______ esposas.
4. Vamos ao aeroporto receber nossos amigos. Eles estão voltando de uma longa viagem. Eles foram ______ México, ______ Estados Unidos, ______ Bermudas, ______ Espanha, ______ França, ______ Alemanha, ______ Grécia e ______ Japão.
5. No ano que vem, vamos ______ Europa. Queremos ir ______ Suíça, ______ Zurique. Depois vamos ______ Itália, ______ Roma. Queremos ir também ______ Áustria, ______ Viena e, se possível, ______ Bruxelas, na Bélgica.

Não... (nem) ... nem

PARE 6-10

Hoje eu vou tocar piano e cantar.

Hoje eu **não** vou tocar piano **nem** cantar.

Hoje eu **não** vou **nem** tocar piano **nem** cantar.

Gosto de cinema e de teatro.

Não gosto **nem** de cinema **nem** de teatro. ou **Não** gosto de cinema **nem** de teatro.

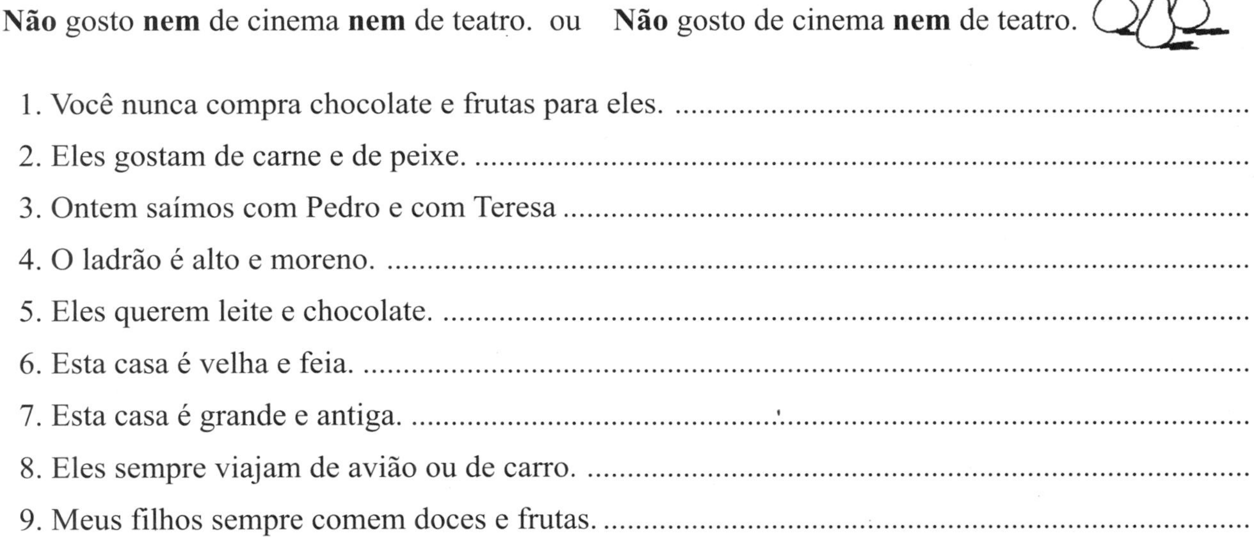

1. Você nunca compra chocolate e frutas para eles. ....
2. Eles gostam de carne e de peixe. ....
3. Ontem saímos com Pedro e com Teresa ....
4. O ladrão é alto e moreno. ....
5. Eles querem leite e chocolate. ....
6. Esta casa é velha e feia. ....
7. Esta casa é grande e antiga. ....
8. Eles sempre viajam de avião ou de carro. ....
9. Meus filhos sempre comem doces e frutas. ....
10. Ontem assisti ao jogo e ao filme ....

A gravata

Linguagem popular

— Chico, tem muita gravata bonita nesta loja. Você não qué comprá pra usá lá no escritório? Não tá caro, não.
— Vou comprá, Zé, mas é pra mostrá pros amigo no baile do sábado.
— Você vai no baile?
— Claro, Zé! Você também não vai?

Linguagem correta

— Francisco, há muitas gravatas bonitas nesta loja. Você não quer comprar uma para usá-la no escritório? Não está caro, não.
— Vou comprá-la, José, mas é para mostrá-la para os amigos no baile do sábado.
— Você vai ao baile?
— Claro, José! Você também não vai?

Passe para a linguagem correta.

Ontem eu fui no consultório do Dr. Fagundes. No consultório dele tem sempre um monte de gente. Ele disse que eu tou bem. Só minhas costa não tão em ordem. Depois de falá com o doutor, eu fui na farmácia, comprei o remédio, voltei pra casa e tomei bem depressa. Uh! Que negócio horrível!

Texto narrativo

Brasília

Brasília é a capital do Brasil desde 1960. Construída em menos de 5 anos, ela está situada no coração do Brasil, país enorme, para tornar a sede do governo federal mais acessível a todos os brasileiros.
A mudança do governo federal do Rio de Janeiro, a antiga capital brasileira, para Brasília não foi fácil. Ninguém queria deixar a bela cidade do Pão de Açúcar e do Corcovado para ir viver no Planalto Central, numa cidade nova, isolada, sem mar, sem praia. Nem os funcionários públicos, nem os políticos...
No entanto, Brasília é agora, sem dúvida, o centro das decisões políticas do país.
Brasília é uma cidade diferente. Sua construção obedeceu a um plano-piloto. A base deste plano são dois eixos que se cruzam: o Eixo Rodoviário, no sentido norte-sul e o Eixo Monumental, no sentido leste-oeste. À noite, com suas luzes acesas, a cidade, vista do alto, parece um grande avião.
Os edifícios principais de Brasília têm linhas de grande beleza e são sempre uma surpresa para o turista. A Praça dos Três Poderes é o cartão postal da cidade. Nela, estão os edifícios do Congresso Nacional, do Supremo Tribunal Federal e o Palácio da Alvorada, o local onde reside e trabalha o Presidente da República. Há muitos outros edifícios de rara beleza em Brasília, como a catedral que, de longe, parece duas mãos postas em oração e o Palácio dos Arcos, sede do Ministério das Relações Exteriores — lindo, com seu jardim aquático.
Brasília é o resultado do trabalho combinado de três grandes artistas brasileiros: o urbanista Lúcio Costa, o arquiteto Oscar Niemeyer e o paisagista Burle Marx.
Nada se compara a Brasília e ela, por sua vez, não se integra a mais nada. É uma cidade única, diferente de todas as outras cidades do mundo. De todas. Realmente, Brasília é Brasília.

Foto: Brasília/DF.

A. Responda.

1. Por que a capital do Brasil mudou do Rio de Janeiro para Brasília?
2. Compare a situação geográfica de Brasília com a do Rio de Janeiro.
3. Por que, à noite, Brasília parece um grande avião?
4. Fale sobre o Palácio da Alvorada, a Catedral e o Palácio dos Arcos.
5. Brasília é criação de três artistas. Fale sobre eles.
6. Brasília é única. Você concorda?

B. Examine as fotos e identifique o local em que foram tiradas.

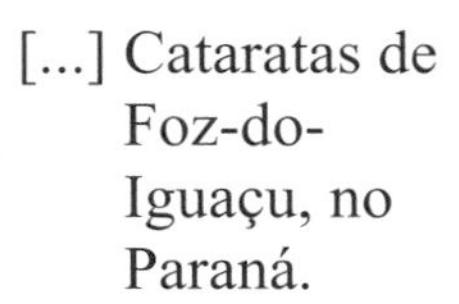

[...] Porto de Santos, em São Paulo.

[...] Cataratas de Foz-do-Iguaçu, no Paraná.

[...] Gramado, Rio Grande do Sul.

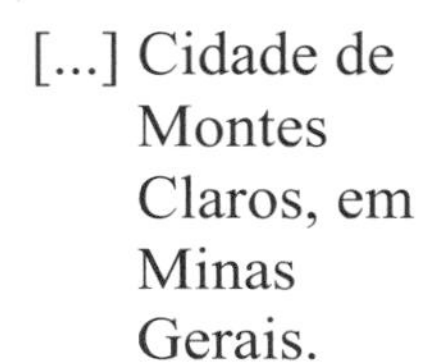

[...] Cidade de Montes Claros, em Minas Gerais.

[...] Prédio da Alfândega, em Manaus.

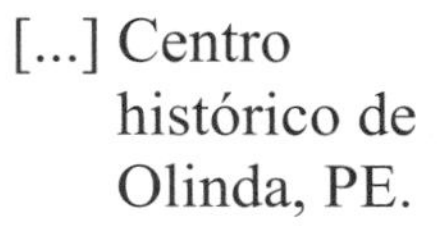

[...] Centro histórico de Olinda, PE.

[...] Ópera de Arame, em Curitiba, no Paraná.

[...] Calçadão numa das praias do Rio de Janeiro.

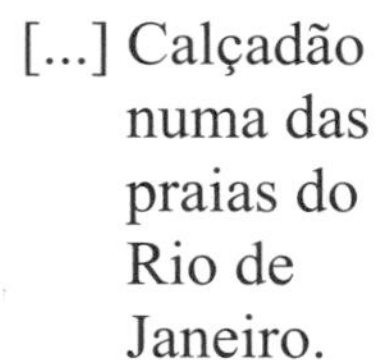

UNIDADE 7

Fazendo compras

Sílvia: *Quanta gente na loja! Parece que todo mundo resolveu fazer compras hoje!*
D. Vera: Venha, Sílvia. Vamos até a seção de utilidades domésticas. Quero ver uma nova máquina de lavar roupa. A minha quebrou e não tem mais conserto.
Vendedor: A senhora já viu os novos modelos da máquina "Alvorada"? Ela faz tudo: lava e seca a roupa muito bem. Vou lhe dar um folheto.
D. Vera: Mas todas as máquinas modernas fazem isso.
Vendedor: A senhora diz isto porque não conhece a nossa. Ela é muito mais econômica. A senhora põe um monte de roupa na máquina. E agora veja: só um pouco de sabão em pó.
D. Vera: É verdade. É bem econômica. E tem garantia?
Vendedor: Claro. Damos garantia de um ano.
D. Vera: Vou pensar um pouquinho. Obrigada.

Alguma coisa mais simples

— Gostaria de ver um aparelho de som.
— Temos as melhores marcas. Nacionais e importados. Aqui estão os últimos modelos. Veja, que beleza!
— São muito caros. Gostaria de comprar alguma coisa mais simples. O senhor não tem outros?

Você quer comprar vários aparelhos eletro-domésticos. Simule uma conversa com um vendedor de loja. Faça perguntas, peça folheto etc.

PARE 7-1

Modo indicativo

FAZER — Presente simples			
Eu	faço	Nós	fazemos
Você Ele Ela	faz	Vocês Eles Elas	fazem

FAZER — Pretérito perfeito			
Eu	fiz	Nós	fizemos
Você Ele Ela	fez	Vocês Eles Elas	fizeram

PÔR — Presente simples			
Eu	ponho	Nós	pomos
Você Ele Ela	põe	Vocês Eles Elas	põem

PÔR — Pretérito perfeito			
Eu	pus	Nós	pusemos
Você Ele Ela	pôs	Vocês Eles Elas	puseram

DIZER — Presente simples			
Eu	digo	Nós	dizemos
Você Ele Ela	diz	Vocês Eles Elas	dizem

DIZER — Pretérito perfeito			
Eu	disse	Nós	dissemos
Você Ele Ela	disse	Vocês Eles Elas	disseram

DAR — Presente simples			
Eu	dou	Nós	damos
Você Ele Ela	dá	Vocês Eles Elas	dão

DAR — Pretérito perfeito			
Eu	dei	Nós	demos
Você Ele Ela	deu	Vocês Eles Elas	deram

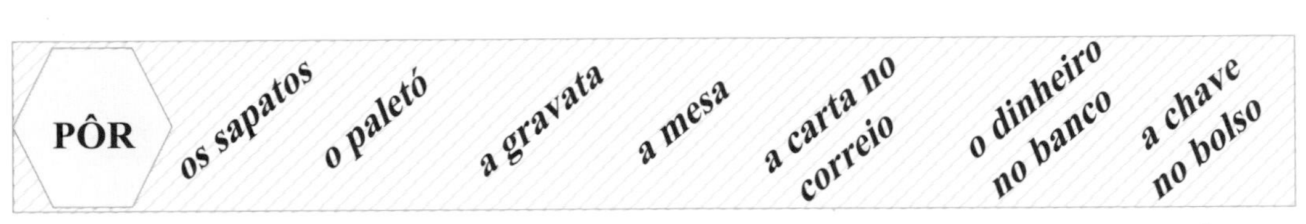

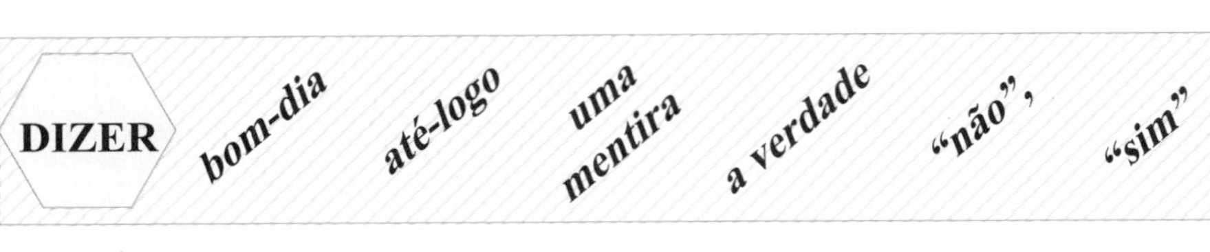

A. Eu **faço** café para meus amigos.

1. Eles não fazem favores, mas eu faço.
2. Eu não faço isto. E você? Você faz?
3. Nós não fazemos viagens longas.
E eles? Eles fazem?
4. Eles fazem compras aos sábados.
E vocês? Quando vocês fazem?
5. Ela faz o trabalho em casa, mas todo mundo faz na fábrica.
6. A gente faz cursos interessantes.
E ele? Eu acho que ele não faz.
7. Elas fazem tudo rápido, mas ele não faz.
Ele faz tudo devagar. Eu também.

B. Eu **fiz** tudo em meia hora.

1. Eu não fiz isso. Quem fez?
2. Eu fiz tudo direito, mas ele não ________.
3. Ela fez um almoço muito gostoso.
4. Nós não fizemos compras. Alguém fez?
5. Você não fez seu trabalho. Ninguém fez.
6. Vocês já fizeram as malas? Eu ainda não fiz.
7. Meus amigos fizeram uma longa viagem, mas a gente não fez.
8. Todo mundo fez tudo certo, menos ele.
Ele fez tudo errado.

C. Ela **dá** presentes para os amigos.

1. Aqui a gente dá informações, mas lá ninguém dá.
2. Nós damos explicações para o diretor.
Eles também dão.
3. Vocês dão informações por telefone, mas ela não dá.
4. Eu não dou gorjeta.
E você? Você dá?
5. Quem dá aula de Português?
Você dá?
6. Todo mundo dá descontos, mas eu não dou.

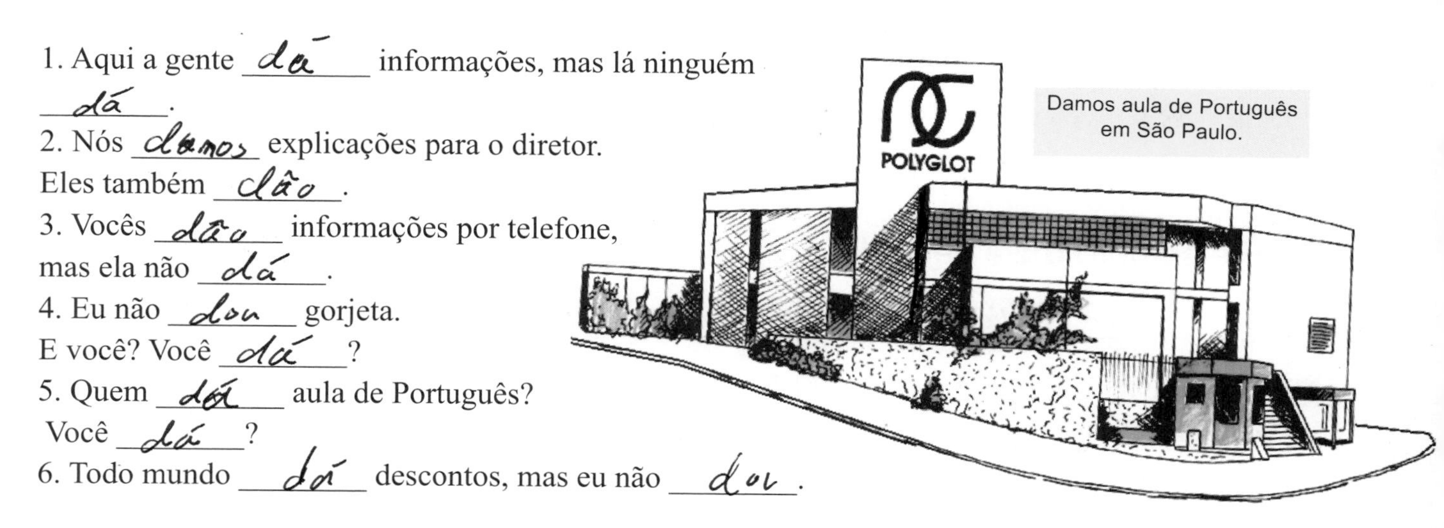

D. Ele me **deu** um beijo.

" Que beijinho doce... que ele deu"

1. Ontem nós __________ uma festa. Foi ótima.
2. Eu gostei muito do livro que vocês me __________ .
3. O que você __________ para ela? Eu não __________ nada.
4. A gente __________ bom-dia para ela, mas ela não respondeu.
5. Todo mundo __________ gorjeta, por isso eu também __________.
6. Quem lhe __________ permissão para entrar? Ninguém __________.
7. Eles já __________ o novo endereço, mas não __________ o número do telefone.

E. Ele **põe** a carta no Correio.

1. Você __________ açúcar no café, mas eu não __________
2. Ele __________ seus documentos no cofre. E vocês? Onde vocês __________?
3. Nós __________ paletó e gravata para trabalhar. Todo mundo __________.
4. Quem __________ a mesa na sua casa? - Ninguém __________. Ninguém almoça em casa.
5. A gente __________ dinheiro no banco todos os meses. E ele? Ele também __________?
6. Eles __________ as cartas no Correio, mas ela não __________. Ela só manda fax.

F. Eu **pus** a mesa para o jantar.

1. Eu não sei quem __________ a mesa. Alguém __________?
2. Quem __________ isso aqui? Foi você? Você __________ isso aqui?
3. Eu não __________ nada na gaveta. Vocês __________?
4. Ontem nós __________ um anúncio no jornal.
5. Eles __________ todo o dinheiro no banco.
   A gente também __________.
6. Todo mundo __________ jeans para ir ao churrasco.
   Ninguém __________ bermudas.
7. Ele __________ o carro no estacionamento, mas
   eles __________ na garagem.

Eu pus o carro no estacionamento, mas eles puseram na garagem.

G. Ele sempre **diz** a verdade.

1. Nós não __________ nada. E você? Você __________?
2. Eles sempre __________ a verdade. E vocês? Vocês também __________?
3. A gente só __________ a verdade, mas elas __________ mentiras.
4. Ela sempre __________ que trabalha demais.

5. Eu sempre _digo_ sim, mas ele não. Ele sempre _diz_ não.
6. Todo mundo _diz_ até-logo quando sai.
Ninguém _diz_ até-logo quando chega.

Eu sempre digo sim, mas ele não. Ele sempre diz não.

H. Ele **disse** a verdade.

1. O que vocês _disseram_? Nós não _dissemos_ nada.
2. O que ela _disse_? Você sabe o que ela _disse_?
3. A gente _disse_ "obrigado" e eles __________ "de nada".
4. Todo mundo _disse_ a mesma coisa.
Ninguém _disse_ nada diferente.
5. Quem _disse_ isso? Alguém _disse_?
6. Eu quero saber o que ele _disse_.
7. O que você _disse_?
Eu?! Eu não _disse_ nada.

– Vamos, repita o que você disse!

A prazo ou a vista?

— Este é o carro do ano! Observe suas linhas modernas e seu motor potente e silencioso.
— É bonito. E parece bom. Quanto custa?
— Bem, é um carro de luxo. Uma jóia! Mas temos planos especiais de pagamento. Com uma pequena entrada e o saldo em 60 prestações, este carro é seu. Um ótimo negócio.
— Mas eu só quero saber o preço. Quanto custa a vista?
— Um momento, preciso consultar a nossa tabela.

Você quer comprar uma casa na praia, um apartamento na cidade, uma bicicleta. Converse com o vendedor. Discuta as formas de pagamento e escolha a mais interessante.

Comprar a prazo, a vista

pagar a vista com desconto pagar a prazo com juros

Plano de pagamento entrada saldo em prestações

Vou **lhe** dar um folheto. Vou dar um folheto **para você**.

Eu	**me**	**(para mim)**	**Nós**	**nos**	**(para nós)**
Você **Ele, Ela**	**lhe**	**(para você,** **para ele, para ela)**	**Você** **Ele, Ela**	**lhes**	**(para vocês,** **para eles, para elas)**

A. Dei um folheto **para ele**. Dei-**lhe** um folheto.

Posso mandar-lhe um folheto?

1. Ele viu o diretor e deu-_lhe_ um folheto.
2. Você não tomou o café que _lhe_ preparei.
3. Ele entrou na loja e o vendedor _lhe_ mostrou as novas máquinas.
4. Convidei os Vieira e ofereci-_lhe_ um jantar.
5. Ele não gostou do presente que eu _lhe_ dei.
6. Não tenho notícias de Mário. Vou _lhe_ telefonar.
7. Vocês não responderam a carta que eu _lhe_ escrevi.
8. Eu _lhe_ fiz um favor mas você não me disse obrigado.

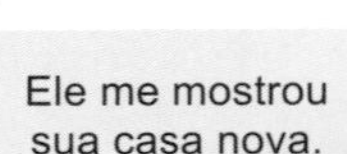

B. Complete.

1. (nós) Ele _me_ mostrou sua casa nova.
2. (nós) Não fomos à festa porque vocês não _nos_ disseram a data.
3. (eu) Escrevi para ele, mas ele não _me_ respondeu.
4. (eu) Você pode _me_ explicar o problema?
5. (eu) O diretor não _me_ deu outra chance.

Preciso comprar outra máquina. **A minha** não tem mais conserto.	Nossa casa é antiga. **A dele** também.	Nossas férias são em setembro. **As dele** também.
Meu livro é velho. **O dele** também.	Meus amigos são alegres. **Os dele** também.	

Meu livro está na mesa. E **o seu** (livro), onde está?

1. (eu/você) _meu_ casa é grande. E ..._mais grande que o casa dele_... ?
2. (eu/você) _você_ irmãs moram na Holanda. E ..._a seu irmãs_... ?
3. (eu/você) _meu_ pai trabalha na Ford. E ..._o ~~pai~~ seu pai_... ?
4. (eu/você) _você_ livros estão no armário. E ..._o seu livros_... ?
5. (eu/ele) _meu_ amigo vai almoçar aqui. E ..._os amigos_... ?

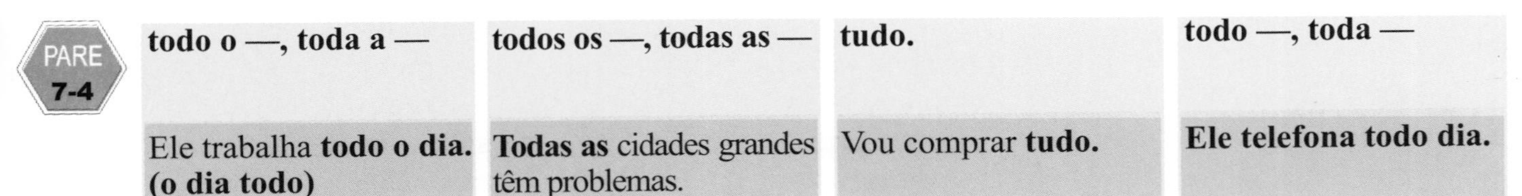

PARE 7-4			
todo o —, toda a —	**todos os —, todas as —**	**tudo.**	**todo —, toda —**
Ele trabalha **todo o dia.** **(o dia todo)**	**Todas as** cidades grandes têm problemas.	Vou comprar **tudo.**	**Ele telefona todo dia.**

Complete.

Todas estas casas têm portas e janelas.

1. Nós conhecemos __________ alunos da escola.
2. __________ casas têm portas e janelas.
3. Ela mandou __________ pelo Correio.
4. Ele telefona __________ dia, menos sábado.
5. Diga __________ o que você sabe.
6. Encontrei __________ em ordem.
7. __________ família tem seus problemas.
8. As crianças comeram __________?
9. A empregada limpa __________ casa, __________ dia.
10. Ele tomou __________ sopa, mas não comeu mais nada.
11. Ele vai para a Europa __________ ano e passa dois meses lá.
12. Este ônibus passa por __________ ruas da pequena cidade.
13. Ele trabalhou __________ semana, mas no domingo foi para a praia.
14. __________ manhã é a mesma coisa: acordo atrasado e saio correndo para o trabalho.
15. Ele vem aqui __________ dia, mas não fica comigo __________ dia. Depois do almoço ele vai embora.

Propaganda

— Você sempre fala pelos cotovelos, mas hoje está quieta. O que aconteceu?
— Nada.
— Vamos, conte-me tudo. Você brigou com seu namorado?
— Briguei. E ele agora tem outra namorada. Isto sempre acontece comigo.
— É, eu sei. Você sempre está com dor-de-cotovelo. Você já experimentou "Maravilha", a nova pasta de dente?
— Não. Por quê?
— "Maravilha" faz milagres: perfuma o hálito e traz alegria para seu sorriso. Experimente "Maravilha".

Seis meses depois ...

— Vejam! "Maravilha" trouxe-me a felicidade. Use, você também, "Maravilha". Ela está à venda nas boas farmácias de seu bairro.

PARE 7-5

Modo indicativo

TRAZER — Presente simples			
Eu	trago	Nós	trazemos
Você / Ele / Ela	traz	Vocês / Eles / Elas	trazem

TRAZER — Pretérito perfeito			
Eu	trouxe	Nós	trouxemos
Você / Ele / Ela	trouxe	Vocês / Eles / Elas	trouxeram

A. Ele **traz** boas notícias.

E eu nunca recebo cartas...

1. Todos os dias ele __traz__ a filha aqui.
2. Nem sempre os jornais __traz__ a verdade.
3. O padeiro __traz__ pão e o leiteiro __traz__ leite.
4. E o jornaleiro? O jornaleiro __traz__ o jornal.
5. Quem __traz__ cartas? O carteiro, claro.
6. Os programas de televisão __trazem__ muita propaganda.
7. Eu sempre __trago__ o livro de Português para a aula.
8. Fique sentado. Eu lhe __trago__ o café aqui.
9. Vocês sempre __traz__ seus amigos aqui?
10. Nós sempre __trazemos__ tudo. Eles nunca __trazem__ nada.

B. O telegrama **trouxe** boas notícias.

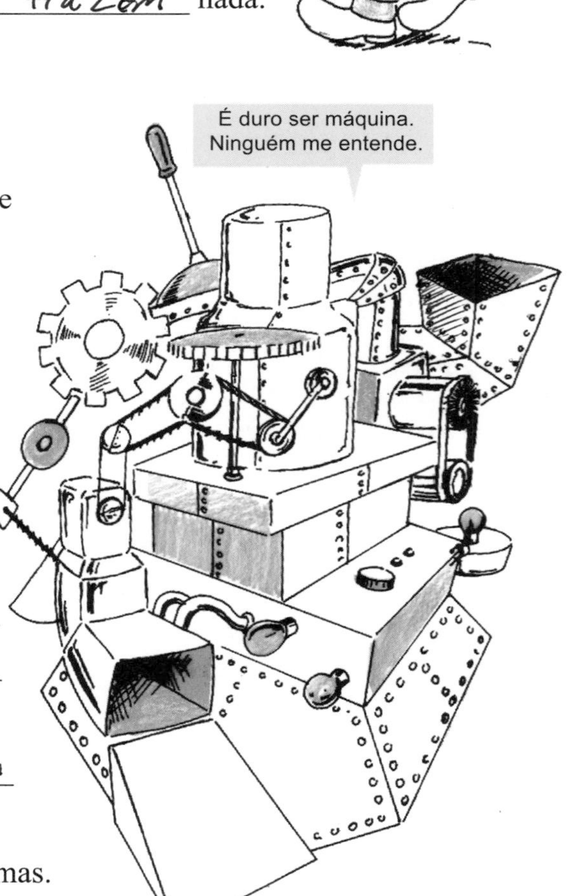

1. Fomos ao supermercado e __trouxemos__ tudo o que você pediu.
2. Quem __trouxe__ isto para cá?
3. Ela __trouxe__ cafezinho para as visitas.
4. Ninguém __trouxe__ nada aqui para nós?
5. Você já __trouxe__ as cadeiras aqui para a sala?
6. Por que vocês não __trouxe__ Mariana para cá?
7. Eles __trouxeram__ os documentos aqui para o advogado.
8. Eu não posso pagar a conta porque não __trouxe__ dinheiro.
9. Estamos aqui preocupados. Vocês __trouxeram__ mais notícias?
10. Esta máquina até agora só nos __trouxemos__ problemas. Precisamos vendê-la.

trouxeram
trouxemos

Levar — trazer

— Como você chegou aqui?
— O Carlos me *trouxe*.
— E como você vai voltar para lá?
— O Álvaro vai me *levar*.

Levar ou trazer?

1. — O gravador não está aqui em casa. Acho que o Felipe o ______________ para a escola. Ele tem de ______________-lo de volta. Preciso muito dele.
2. — Dona Liana, sua televisão está quebrada. Vou ______________-la para a oficina. Lá é mais fácil consertar.
   — E quando o senhor vai ______________-la de volta?
3. — Alô, meu bem. Estou aqui no escritório. Vou ______________ um amigo para jantar conosco aí em casa.
   — Tudo bem, Afonso, mas ______________ bebida. Talvez uma garrafa de vinho.

Expressões

falar pelos cotovelos	**Ela não pára de falar. Ela fala pelos cotovelos.**
estar com dor-de-cotovelo	**O Raimundo está com dor-de-cotovelo. O colega dele foi promovido e ele não.**
não ter pé nem cabeça	**A história que ele contou não tem pé nem cabeça. Ninguém entendeu nada.**
ser o braço direito	**Ela me ajuda muito. Ela é meu braço direito.**

Relacione as expressões com as ilustrações.

Ela é meu braço direito.

Mas esse quadro não tem pé nem cabeça!

Estou com dor-de-cotovelo. Que raiva!

Meu Deus, ela fala pelos cotovelos!

Verbos — revisão

A. Complete.

1. (fazer-pôr-dizer) Todas as manhãs, eu __________ café, __________ a mesa e __________ bom-dia para as crianças.
2. (ver) Ele sempre me __________ na rua, mas eu nunca o __________. Não sei por quê.
3. (poder-dar) Ontem, nós não __________ dar a informação ao cliente, mas nossa colega __________.
4. (estar-querer-poder-ser) Eles __________ aqui ontem e __________ falar comigo. Eu não __________ atendê-los. __________ pena.
5. (ir-fazer-trazer-dar) Ontem eles __________ ao supermercado, __________ compras, __________ tudo para casa e __________ tudo para mim. Vou fazer um grande jantar.
6. (trazer) Aos domingos, eu sempre __________ vinho para nosso almoço e ela __________ a sobremesa. Uma delícia!

B. — Você vai dar gorjeta? — Não, eu já **dei**.

1. — Você vai fazer compras?
— Não, eu já __________. Eu sempre __________ compras de manhã.
2. — Vocês vão ver o show?
— Não, já __________. Nós sempre __________ os shows no primeiro dia.
3. — Vocês vão pôr a mesa?
— Não, já __________. Nós sempre __________ a mesa bem cedo.
4. — Eles vão dizer obrigado?
— Não, já __________. Eles são muito educados.

Texto narrativo

São Paulo

São Paulo, a capital do Estado de São Paulo, é a maior cidade do Brasil.
São Paulo foi fundada por padres jesuítas, que vieram ao Brasil para catequizar os índios. Para alcançar tribos afastadas, os jesuítas deixaram o litoral e subiram a Serra do Mar, chegando ao planalto de Piratininga, a 700 metros acima do nível do mar. Aí, no dia 25 de janeiro de 1554, fundaram um pequeno colégio, o início de uma aldeia.
A posição da pequena aldeia não era favorável para seu desenvolvimento, pois a floresta fechada e a Serra do Mar a separavam do litoral, onde se desenvolvia a vida da colônia. Durante três séculos, a aldeia de São Paulo de Piratininga pouco cresceu. A partir do século XIX, no entanto, por causa do trabalho de seus habitantes, brasileiros e imigrantes europeus, a aldeia começou a progredir rapidamente. Um dos fatores desse progresso intenso foi a grande produção de café. São Paulo deve a este produto grande parte de seu desenvolvimento. A riqueza que ele trouxe fez, depois, nascer a indústria paulista.

Hoje São Paulo é o maior centro industrial brasileiro. Nele tudo se produz. É, também, o grande centro financeiro do país. Uma das maiores cidades do mundo, nela vivem e trabalham pessoas de todas as regiões do país e do globo. Por isso, São Paulo, a pequenina aldeia no planalto de Piratininga, é hoje uma cidade de mil faces, feias e bonitas. Uma cidade surpreendente.

Foto: Monumento dos Bandeirantes, São Paulo, SP

Foto: Pátio do Colégio, São Paulo, SP

A. Complete o quadro com as informações encontradas no texto. Escreva frases completas.

A História de São Paulo.	Séculos XVI a XIX.	Séculos XIX e XX.	Hoje em dia.
Século XVI - São Paulo foi fundada por jesuítas. Eles construíram um pequeno colégio para catequizar os índios.			

B. Responda.

1. Por que os jesuítas fundaram o colégio longe do litoral?
2. Por que só no século XIX São Paulo começou a crescer?
3. Como o imigrante europeu participou do desenvolvimento de São Paulo?
4. Como começou a indústria paulista?
5. São Paulo é uma cidade de grandes contrastes. Por quê?

São Paulo da garoa

Letra/Música de Murilo Alvarenga/ Dieses dos Anjos Gaia
(da dupla Alvarenga e Ranchinho)

Ê, ê, ê São Paulo,
Ê São Paulo,
São Paulo da garoa,
São Paulo, que terra boa!

São Paulo das noites frias
Ao cair da madrugada,
Das campinas verdejantes
Cobertas pela geada.

UNIDADE 8

Falando de televisão

Ele — Já são 10 horas. Amélia ainda está dormindo?
Ela — Ainda. Ontem ela ficou acordada até tarde, vendo um filme policial. O filme era muito bom.
Ele — Você também viu o filme?
Ela — Não. Antigamente eu gostava desses filmes e não saía de casa só para vê-los. Hoje em dia não tenho mais paciência para isso. Prefiro ler um bom livro.
Ele — Para mim, a televisão é interessante. À noite, quando a gente está cansado, nada melhor que uma poltrona e um bom programa de televisão. Por falar nisso, onde está o jornal? Quero saber o que vai passar hoje.
Ela — Acho que está com o Antônio. Quando eu entrei na sala, ele o estava lendo.

Não é mais como era antigamente.

— Ainda bem que você chegou. Eu já ia telefonar para sua casa. Por que você não veio trabalhar ontem?
— É que eu estava cansado.
— Mas isso não é motivo! Antigamente você nunca faltava.
— É verdade, mas depois que mudamos de chefe, tudo ficou diferente. Não é mais como era antigamente. Ando muito desanimado. Estou até pensando em procurar outro emprego.
— É, eu ia sugerir isso para você.

Modo indicativo — Imperfeito

MORAR — Imperfeito			
Eu	morava	Nós	morávamos
Você / Ele / Ela	morava	Vocês / Eles / Elas	moravam

VENDER — Imperfeito			
Eu	vendia	Nós	vendíamos
Você / Ele / Ela	vendia	Vocês / Eles / Elas	vendiam

ABRIR — Imperfeito			
Eu	abria	Nós	abríamos
Você / Ele / Ela	abria	Vocês / Eles / Elas	abriam

TER — Imperfeito			
Eu	tinha	Nós	tínhamos
Você / Ele / Ela	tinha	Vocês / Eles / Elas	tinham

SER — Imperfeito			
Eu	era	Nós	éramos
Você / Ele / Ela	era	Vocês / Eles / Elas	eram

PÔR — Imperfeito			
Eu	punha	Nós	púnhamos
Você / Ele / Ela	punha	Vocês / Eles / Elas	punham

Imperfeito — Situações

1. Antigamente eu fumava muito.
Hoje em dia fumo menos.

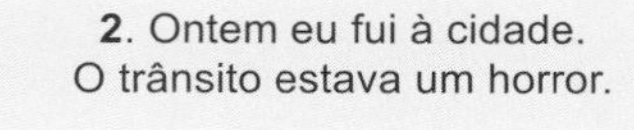

2. Ontem eu fui à cidade.
O trânsito estava um horror.

3. Ela estava dormindo,
quando ele chegou.

4. Enquanto ele via televisão,
ela cantava.

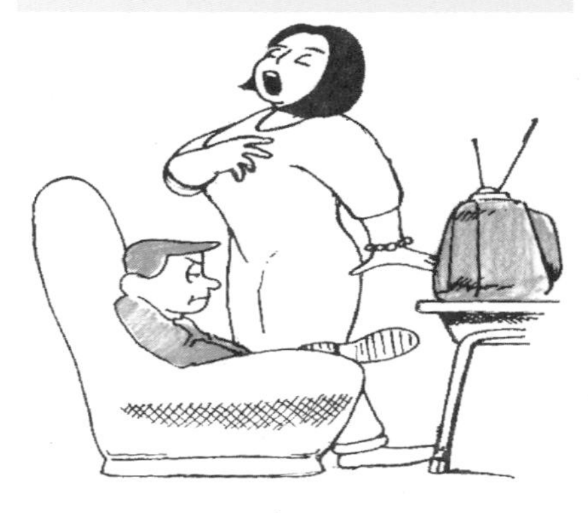

5. Eu ia protestar, mas
não tive chance.

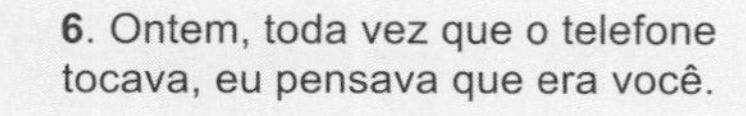

6. Ontem, toda vez que o telefone
tocava, eu pensava que era você.

A. Antigamente eu **fumava** muito.

1. (comprar) Antigamente eu ______ tudo nesta loja.
2. (fumar) Antigamente ele não ______ muito.
3. (estudar) Antigamente nós todos ______ nesta escola.
4. (escrever) Antigamente eles ______ para nós toda semana.
5. (comer) Antigamente ele ______ muito pouco.
6. (receber/responder) Antigamente nós ______ muitas cartas e nunca as ______.
7. (discutir) Antigamente ele ______ com todo mundo.
8. (ir) Antigamente a gente ______ à escola a pé.
9. (ir) Antigamente a gente ______ daqui até a cidade em 10 minutos.
10. (ser) Ele ______ um bom aluno quando criança.
11. (ser) Nós ______ bons amigos quando crianças.
12. (ser/ter) Antigamente a cidade ______ mais bonita, porque ______ mais árvores.
13. (pôr) Antes eles ______ paletó e gravata para trabalhar.
14. (fazer/pôr/lavar) Antes ela ______ café, ______ a mesa e ______ a louça. Agora ela não faz mais nada.
15. (ser/ir/ter) Quando nós ______ crianças, ______ a pé para a escola porque nossa família não ______ carro.

Foto de fundo: São Paulo (Anhangabaú).

B. Ontem o trânsito **estava** um horror.

1. (estar) Ontem chegamos cedo ao escritório. As portas ainda ______ fechadas.
2. (estar) Ontem eu não fui trabalhar porque ______ com febre.
3. (estar/ser/ter) O carro que ______ na nossa garagem ______ antigo e ______ quatro portas. Ele não está mais lá.
4. (estar/estar/haver) Entrei na sala. Ela ______ escura porque as janelas ______ fechadas. Não ______ ninguém lá.
5. (estar/poder) Ontem nós ______ muito nervosos e quase não ______ falar. Temos problemas, você sabe.
6. (haver) No escritório ontem conversamos o dia inteiro. Não ______ nada para fazer, por isso saímos mais cedo.

C. Ela **estava dormindo** quando ele **chegou**.

1. (almoçar/tocar) Nós ______ quando o telefone ______.
2. (ver/apagar) Eles ______ televisão quando a luz ______.
3. (pôr/começar) Ele ______ o carro na garagem quando ______ a chover.
4. (entrar/conversar) Quando o chefe ______ na sala, ele ______ com a secretária.
5. (sair/roubar) Quando ela ______ da loja, o ladrão ______ sua bolsa.
6. (pensar/aparecer) Eu ______ nela quando ela ______ na minha frente.

Foto de fundo: Bahia (antiga).

7. (ler/chamar) Eu ____________________ o jornal quando ele me ____________________.
8. (chegar/sair) A gente ____________________ quando vocês ____________________.
9. (apagar/pôr) Quando a luz ____________, eu ____________ pondo a mesa para o jantar.
10. (pôr/quebrar) Ana __________ pondo a mesa quando ____________ os copos. Que barulhão!

D. Enquanto ele **estava vendo televisão,** ela **estava cantando.**

1. (trabalhar/dormir) Que absurdo! Enquanto a gente ____________________, você ____________________.
2. (ler/ver) Ontem, enquanto ela ____________________, ele ____________ televisão. Eles não conversaram.
3. (ir/ir) Nós não nos encontramos porque enquanto eu ____________________ para o Rio ela ____________________ para Curitiba.
4. (falar/pensar) Enquanto ela ____________________, ele ____________ em seus problemas.
5. (trabalhar/economizar/perder/gastar) Ela ficou brava com ele porque enquanto ela ____________________ e ____________________, ele ____________________ tempo e ____________________ dinheiro em bobagens.
6. (fazer/pôr/conversar) Enquanto eu ____________________ o chá e ela ____________ a mesa, nós ____________________.

E. Eu **ia protestar**, mas não tive chance.

Ele ia atravessar a rua quando viu o amigo.

1. (reclamar) Ele ____________________, mas mudou de idéia.
2. (atravessar) Ele ____________________ a rua quando viu o amigo.
3. (dizer) Ele ____________________ alguma coisa, mas mudou de idéia.
4. (ser) A festa ____________________ um sucesso, mas ninguém apareceu.
5. (trazer) Eu ____________________ flores para você, mas a loja estava fechada.
6. (comprar) Nós ____________________ a casa, mas achamos o preço muito alto.
7. (ir) Depois do trabalho, nós ____________________ ao cinema, mas não deu certo.
8. (pagar) Ela ____________________ a conta do restaurante, mas a gente não permitiu.

F. Ontem, toda vez que o telefone **tocava**, eu **pensava** que era você.

1. (telefonar/estar) Ontem, toda vez que eu ____________________ para você, o telefone ____________________ ocupado.
2. (ouvir/pensar) Ontem, sempre que ele ____________________ aquela música, ____________________ nela.
3. (olhar/sorrir) Na festa, sempre que ele ____________________ para ela, ela ____________________.
4. (falar/interromper) Fiquei furioso na reunião de ontem porque toda vez que eu ____________________, ele me ____________________.
5. (diminuir/morrer) Tivemos problemas com o carro ontem. Sempre que eu ____________________ a velocidade, ele ____________________.

G. Leia este texto.

Agora escreva novamente o texto, começando assim:

"Ontem eles estavam na sala... ....

H. Conte esta história. Comece assim: "Ontem...

PARE 8-3

Comparativo

Mariana **é mais** *alta* ***(do) que*** *Paulo.*

Mariana **é menos** alta **(do) que** Pedro.

Mariana **é tão** alta **quanto** João.

BOM	MELHOR(DO) QUE	GRANDE	MAIOR (DO) QUE
MAU	PIOR(DO) QUE	PEQUENO	MENOR(DO) QUE

A. Complete.

O jantar no restaurante é mais caro do que o lanche aqui na lanchonete.

1. (caro) O jantar no restaurante é ____________ ____________ do que o lanche na lanchonete.
2. (longo) A viagem do Brasil para o Japão é ____________ a viagem do Brasil para os Estados Unidos.
3. (velho) A cidade de Londres é ____________ Brasília.
4. (tranqüilo/agitado) Antigamente a gente tinha uma vida ____________ e ____________ agora.
5. (grande) Os problemas de uma cidade grande são ____________ os problemas de uma cidade pequena.
6. (bom) Este restaurante é ótimo. Ele é ____________ quanto o restaurante Grande César de Roma.
7. (mau) Seu trabalho não está bom. Ele está ____________ o meu.
8. (mau) Não falo bem nem inglês nem francês. Meu inglês é ____________ quanto meu francês.
9. (bom) Os carros americanos são ____________ os carros europeus?
10. (econômico) Os carros grandes são ____________ os carros pequenos.
11. (quente) O Saara é ____________ o Rio.
12. (bom) João e Pedro são bons professores. João é um professor ____________ Pedro.
13. (longo) Janeiro é um mês ____________ fevereiro.
14. (longo/quente) Julho é ____________ quanto dezembro, mas é ____________

B. Ele tem **tantos** amigos quanto eu.

Desculpe, mas eu não tenho tanto tempo quanto você.

1. Eu não tenho ____________ tempo quanto você.
2. Nós não temos ____________ paciência quanto vocês.
3. Ele tem ____________ problemas quanto ela.
4. Eu fiz ____________ perguntas quanto você.
5. Eu não vejo ____________ filmes quanto vocês.
6. Ele vai ganhar ____________ nós.
7. Eles sabem ____________ nós. Ninguém sabe nada sobre o novo chefe.

Os quindins de Iaiá

— Quem vem amanhã para o seu aniversário?

— Só alguns colegas da escola. Quero fazer quindins, mas não sei como.

— Li essa receita ontem mesmo. Mas onde está? Ah! achei. Está aqui. Ouça:

Receita do Quindim

Ingredientes

1 coco ralado
1/2 kg de açúcar
125 g de manteiga
60 g de farinha de trigo
6 gemas

— Como fazer?
— É muito fácil. Em uma tigela bem funda:

1) Junte o coco com o açúcar.
2) Acrescente a manteiga e a farinha de trigo. Bata bem.
3) Adicione as gemas.
4) Ponha em forminhas untadas com manteiga e leve ao forno não muito quente.
5) Quando pronto, tire o doce ainda quente das forminhas.

— Ótimo! Posso fazer os quindins sozinha. Leio a receita com atenção e não há perigo de errar. Você pode comprar o coco para mim?

— Eu ando tão ocupada...

Ele anda contente

Nosso diretor anda contente (está contente) porque estamos fazendo bons negócios.

Substitua **estar** por **andar**.

1. A cidade está calma porque há muitos guardas na rua.

   ....anda calmente..

2. Nós estávamos preocupados porque tínhamos problemas.

   ....

3. Estas crianças estão contentes porque logo vão ter férias.

   ....

4. A situação não está boa. Temos problemas.

   ....

5. Os programas de televisão não estão interessantes.

   ....

6. Meu filho não está bem. Não sei por quê.

   ....

Modo indicativo

VIR — Presente simples			
Eu	venho	Nós	vimos
Você / Ele / Ela	vem	Vocês / Eles / Elas	vêm

SABER — Presente simples			
Eu	sei	Nós	sabemos
Você / Ele / Ela	sabe	Vocês / Eles / Elas	sabem

VIR — Pretérito perfeito			
Eu	vim	Nós	viemos
Você / Ele / Ela	veio	Vocês / Eles / Elas	vieram

SABER — Pretérito perfeito			
Eu	soube	Nós	soubemos
Você / Ele / Ela	soube	Vocês / Eles / Elas	souberam

VIR — Pretérito imperfeito			
Eu	vinha	Nós	vínhamos
Você / Ele / Ela	vinha	Vocês / Eles / Elas	vinham

SABER — Pretérito imperfeito			
Eu	sabia	Nós	sabíamos
Você / Ele / Ela	sabia	Vocês / Eles / Elas	sabiam

Ele sempre **vem** aqui.

1. Eu sempre __________ aqui para conversar com meus amigos.
2. Ontem ele __________ sozinho, mas geralmente ele __________ com ela.
3. Antigamente ninguém __________ aqui porque era perigoso.
4. No domingo passado eu __________. Por que vocês não __________?
5. Nós __________ aqui todo domingo. Por que vocês não __________.
6. Antes eu __________ aqui todo dia. Agora eu não __________ mais.
7. Antigamente nós __________ ver Helena toda semana. Eles também __________. Mas agora é diferente. Ontem só nós __________. Ninguém mais __________.
8. A gente __________ quando a gente pode. Ontem a gente não pôde. Desculpe!

Fundo: Parque do Ibirapuera, SP

PARE 8-6

Eu sabia **que você estava aqui.**
Eu soube **que você estava aqui. (alguém me contou)**

Eu **sei** o que está acontecendo.

1. Eu __________ ontem que você vai viajar.
2. Quando crianças, nós não __________ falar inglês. Agora __________.
3. Vocês __________ onde está o Rodrigo?
4. Nós não __________ que você estava precisando de ajuda. Desculpe!
5. Ele __________ na semana passada que a situação é complicada.
6. Ela nunca __________ o que está acontecendo porque não lê jornal.
7. Vocês __________ que eles vão se casar?
8. Antigamente ninguém __________ o endereço dele. Agora todo mundo __________.
9. Eles __________ ontem que a situação está melhor.
10. Estou nervoso. Não __________ o que fazer. Por favor, me ajude.

PARE 8-7

SABER

ter uma informação
— Eu sei que ele mora no Rio.
ter uma habilidade
— Eu sei falar inglês.
— Eu sei jogar tênis.

CONHECER

conhecer uma pessoa
— Eu conheço Marcos.
conhecer um lugar
— Eu não conheço a Índia.
conhecer uma situação ou um objeto
— Eu conheço esse problema.
— Eu conheço esse carro.

Saber ou conhecer?

1. Ninguém __________ o que eu penso.
2. Eu não __________ jogar golfe, mas eu __________ muitas pessoas que __________.
3. Quero __________ outros países.
4. Você __________ quanto custou isto?
5. Eu __________ um homem que __________ falar 20 línguas.
6. Eu __________ este carro. Eu __________ que ele é muito bom.
7. Eu __________ quem ele é, mas não o __________ pessoalmente.
8. Nós __________ a família dele, mas não __________ onde moram.

Mim – Comigo – Conosco

Ele deu o livro **para mim**.	(Ele **me** deu o livro).
João trouxe o livro **para mim.**	(para você, para ele, para nós, para eles)
João gosta **de mim.**	(de você, dele, de nós, deles)
João só pensa **em mim**.	(em você, nela, em nós ...)
João faz tudo **por mim**.	(por você, por ele ...)
João não vai lá **sem mim**.	(sem você, sem ele ...)

com	**(eu)**	João vai trabalhar **comigo**.	(com você, com ele)
	(nós)	João vai ficar **conosco**.	(com vocês, com eles)

A. (você) Ele gosta de **você**.

Eu sempre penso neles. Entre os dois, meu coração balança.

1. (nós) Você gosta de __________.
2. (eles) Eu sempre penso (em) __________.
3. (eu) Ele deu o caderno e os livros para __________.
4. (eu) Vocês não têm cartas para __________.
5. (eu/eu) Ele não quer falar (com) __________ porque não gosta muito de __________.
6. (você) Eu tenho uma notícia para __________.
7. (nós/elas) Ele não quer jantar (com) __________. Ele prefere jantar com __________.

8. (ele/eu) Eu não gosto (de) __________ porque ele não gosta de __________.

9. (nós) Eles trabalharam muito tempo (com) __________.

10. (eu/eu) Eles telefonaram para __________ e disseram que querem falar (com) __________.

11. (eu/eu/ele) Ele sempre pensa em _____________ porque precisa de ____________. Eu nunca penso (em) __________.

12. (eu) Venha (com) __________. Quero mostrar-lhe a cidade.

13. (nós/nós) Ele não quer sair (com) __________ porque não gosta mais de __________.

14. eu/eu) Minha amiga saiu (com) __________ e comprou um presente para __________.

15. (vocês/vocês/eu) Sem __________ eu não posso ir. Eu preciso de __________. Por favor, venham (com) __________.

B. Pronomes — revisão.

1. Alice, ligue para __________ amanhã.
Quero __________ contar uma novidade.

2. Vimos Pedro saindo do hotel e corremos para cumprimentá-________.
Ele também ________ viu e sorriu para ________.

3. Eles não gostam desta cidade, mas visitaram-________ com seus amigos.

4. Não vejo Ricardo há muito tempo.
Vou telefonar-________ hoje à noite e convidá-_______ para vir à minha festa.
Vou ________ telefonar.

5. Amélia, vou visitá-__________ amanhã.
Quero mostrar-__________ o que eu fiz nas férias.

6. Eu gosto muito de você, mas não sei se você gosta de __________.
Eu penso sempre em você.
Quando é que você pensa em __________?

7. Onde está André? Eu não consigo encontrá-__________.
Preciso muito falar com __________.

8. Gostei muito do livro. Vou lê-__________ outra vez.

9. Meu amigo, venha. Quero mostrar-__________ minha casa.

10. Mariana, eu gosto de __________.
E você? Você gosta de __________?

11. Vamos à praia amanhã. Você não quer ir __________?

12. Fui ao shopping sozinho porque Adriana não quis ir __________.

Gostei muito do livro. Vou lê-lo outra vez.

Texto narrativo

Usos e costumes — Bahia, Ceará, Rio Grande do Sul

O Brasil, como os países da Europa e os outros países da América, tem usos e costumes diferentes para cada região do seu grande território.

"— Você já foi à Bahia, nego?
Não? Então, vá!"

A música tem razão. A Bahia é um dos estados mais interessantes do Brasil. Seus habitantes guardam ainda tradições de religião, comidas e costumes da época da escravidão negra. A capital, Salvador, tem 365 igrejas (segundo a tradição popular). Seus habitantes misturam o culto católico com cultos africanos, como o candomblé.

Foto: Salvador, Elevador Lacerda e vista da cidade baixa. BA.

A festa de Iemanjá, rainha do mar, atrai milhares de pessoas e é um lindo espetáculo. A comida também é bem característica: acarajé, vatapá, cuscuz, tudo feito com azeite de dendê. E os doces? A famosa cocada e os deliciosos quindins, muito famosos, são feitos com coco.

Ao norte da Bahia fica o Ceará.

"Olê, mulé rendeira,
Olê, mulé rendá.
Tu m'ensina a fazer renda,
Que eu t'ensino a namorar".

Como são lindas as rendas do Ceará, as praias do Ceará, com jangadas e jangadeiros no mar!
Os habitantes do Ceará comem muita carne seca com farinha e têm um sotaque diferente dos brasileiros do sul.
O Ceará apresenta vários tipos característicos. O jangadeiro é o pescador corajoso, que sai no seu barco a vela, muito frágil, sem saber se vai voltar.
O cangaceiro, uma mistura de bandido e de homem valente e violento, vivia antigamente no sertão do Ceará.

No extremo sul do país fica o estado do Rio Grande do Sul, cuja capital é Porto Alegre.

"Vou m'embora, vou m'embora,
Prenda minha,
Tenho muito que fazer."

Foto: Gaúchos - Vacaria, RS.

Seus habitantes, os gaúchos, são gente forte, alegre e orgulhosa, que aprendeu a defender suas terras nas violentas lutas de fronteira. Os pampas são a paisagem característica desse estado.
Nos invernos, sempre rigorosos, os gaúchos usam o poncho, uma longa capa feita de lã de carneiro. Durante o ano todo, não dispensam nem o chimarrão, um tipo de chá muito amargo, nem o churrasco, carne assada no espeto, sua comida típica.

A. Responda a estas perguntas.

1. Por que o Brasil tem muitos usos e costumes diferentes?
2. Por que a Bahia tem influência africana em suas comidas e em sua religião?
3. Qual a festa de tradição africana mais conhecida?
4. Se você já provou comida baiana, o que achou dela?
5. Você gosta de pratos exóticos? Por quê?
6. Quais são os tipos característicos do Ceará? O que sabe sobre eles?
7. Qual o prato típico do cearense?
8. Quem são os gaúchos? O que sabe sobre eles?
9. O que é o poncho? Por que os gaúchos o usam?
10. Qual a comida típica do gaúcho?

B. Escreva o nome de cada um dos Estados brasileiros destacados e de sua capital.

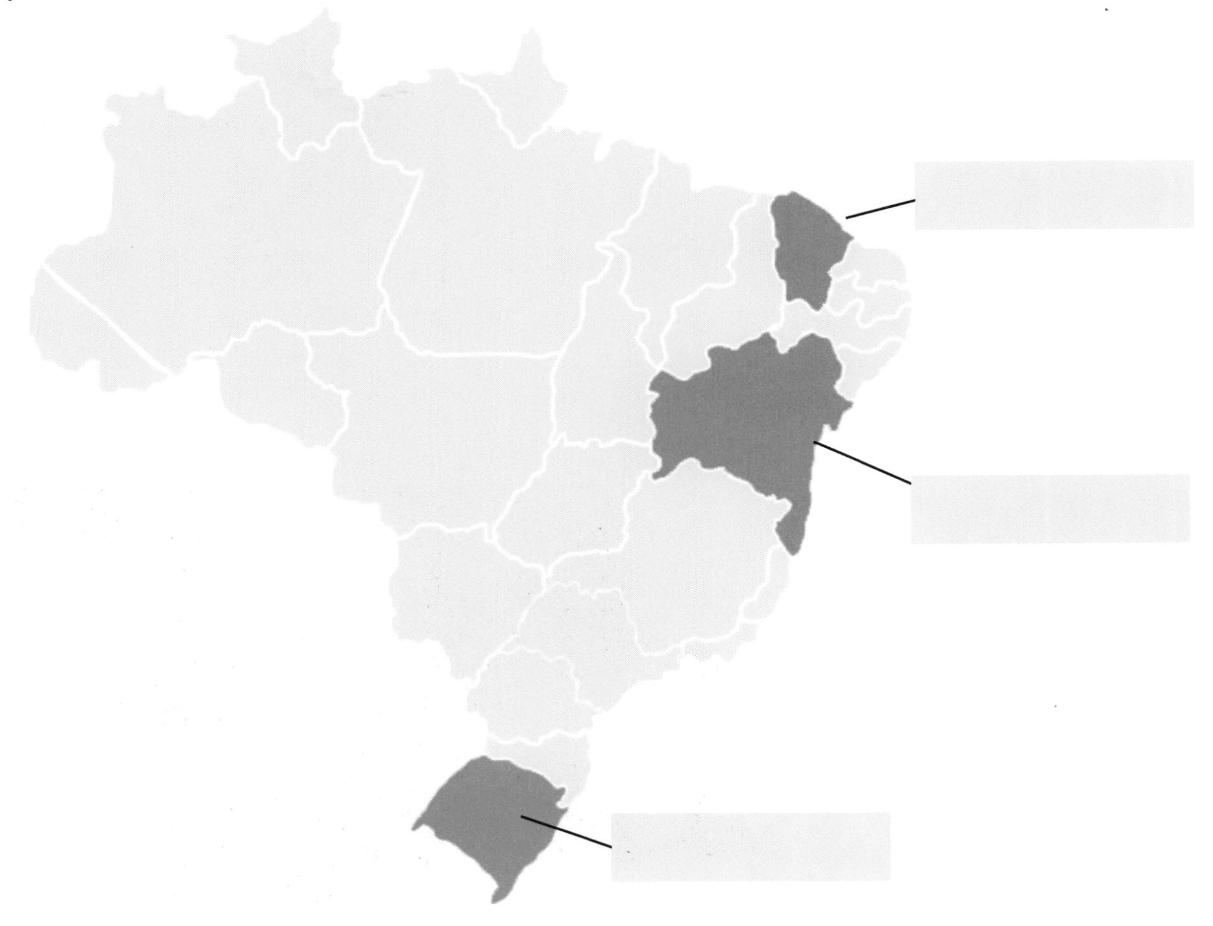

UNIDADE 9

Bons tempos aqueles...

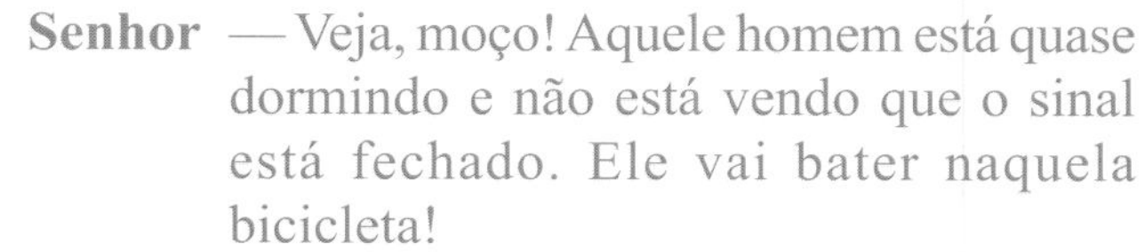

Senhor — Veja, moço! Aquele homem está quase dormindo e não está vendo que o sinal está fechado. Ele vai bater naquela bicicleta!

Moço — Ah! que sorte! Ele desviou dela na hora H!

Senhor — Ainda bem. É perigosíssimo dirigir quando a gente está muito cansado ou não se sente bem.

Moço — De fato, o senhor tem razão. E o trânsito, numa cidade tão grande quanto esta, deixa qualquer pessoa maluca. Há carros demais, gente demais, sinais demais ... e muita indisciplina.

Senhor — Você não se lembra, mas eu me lembro com saudade dos tempos em que esta cidade era pequena. Bons tempos aqueles... Mal posso acreditar que ela cresceu tanto.

Moço — O senhor tem razão. O senhor gosta de dirigir?

Senhor — Só em estradinhas do interior. Aqui não. Eu me sinto mal com toda esta confusão. Prefiro andar de ônibus.

Vamos para a praia

— O tempo tem andado péssimo. Não chove há semanas e está muito abafado.

— É, e ainda por cima esta poluição.

— Neste fim de semana vou para a praia. Lá tem que estar melhor.

— Boa idéia. Eu também vou. Lá eu me sinto bem. Os dias são muito claros e o céu é limpíssimo. Aqui, mal posso respirar.

PARE 9-1

Modo indicativo

SENTIR — Presente simples			
Eu	sinto	Nós	sentimos
Você / Ele / Ela	sente	Vocês / Eles / Elas	sentem

SENTIR — Pretérito perfeito			
Eu	senti	Nós	sentimos
Você / Ele / Ela	sentiu	Vocês / Eles / Elas	sentiram

SENTIR — Pretérito imperfeito			
Eu	sentia	Nós	sentíamos
Você / Ele / Ela	sentia	Vocês / Eles / Elas	sentiam

Como sentir: ferir (eu firo, você fere)
vestir (eu visto, você veste)
servir (eu sirvo, você serve)
repetir (eu repito, você repete)
divertir (eu divirto, você diverte)
mentir (eu minto, você mente)

A. Numa festa informal para seus amigos.

— O que você veste?

— Eu vou me vesto de informal

— O que você serve?

— Eu vou lhes servir frango

— Como você diverte os seus amigos?

— Eu me divesto com ~~meus~~ eles falando

— O que você prefere: receber seus amigos em casa ou num restaurante?

— Eu prefero receber amigos em casa

B. Num dia duro de inverno.

— O que você serve para suas visitas?

— Eu servo frango arroz...

— O que você sente?

— Eu sento cansado

— O que você veste?

— Eu vesto me vesto de traje

— O que você prefere: ficar em casa ou sair?

— Eu prefero ~~[illegible]~~ sair

— Como você se diverte?

— Eu me ....

C. Complete no Presente.

Garçom, não vai nos servir ?

1. (divertir) Ele anda nervoso. Nada o __________.
2. (preferir) O que vocês __________? Chá ou café?
3. (servir) O que você __________ como sobremesa no verão?
4. (divertir) Você __________ seus amigos com suas histórias.
5. (divertir) Eu __________ meus amigos com minhas piadas.
6. (mentir) Vocês __________ muito. Não acredito mais em vocês.
7. (preferir) Eles __________ visitar o Rio em julho. Não é tão quente.
8. (servir) Eu sempre __________ cafezinho para meus amigos, quando eles vêm me visitar
9. (servir) Você acha que este garçom __________ bem? Nós já estamos aqui há meia hora!.
10. (servir) Este livro não __________ para nossos alunos. É muito antigo.
11. (servir) Estas blusas ainda __________ para você. Use-as mais um pouco.
12. (mentir) Eu nunca __________, mas ele __________ o tempo todo.
13. (vestir) Eu __________ roupas quentes quando está muito frio.
14. (mentir) Cuidado com eles! Eles sempre __________.
15. (divertir) No circo, o palhaço __________ as crianças.
16. (preferir) Nós __________ esperar por João aqui.
17. (preferir) Eu __________ chá, por favor. E você?
18. (vestir) Os gaúchos __________ poncho no inverno.
19. (servir) Eu __________ sorvete.
20. (divertir) Cinema e teatro nunca me __________.

O palhaço é divertido.

Verbos pronominais

PARE 9-2

— Por que você está cansada?
— Porque até agora eu só trabalhei. Eu não me sentei nem um minuto! Eu me mato por vocês!
— Não se queixe! Amanhã é domingo!

VESTIR-SE — Presente do indicativo			
Eu	me visto	Nós	nos vestimos
Você Ele Ela	se veste	Vocês Eles Elas	se vestem

A. Conjugue em todas as pessoas.

LEVANTAR-SE — Pretérito imperfeito do indicativo	SENTAR-SE — Presente do indicativo	QUEIXAR-SE — Pretérito perfeito do indicativo
....	....	....
....	....	....
....	....	....
....	....	....
....	....	....
....	....	....

B. Relacione.

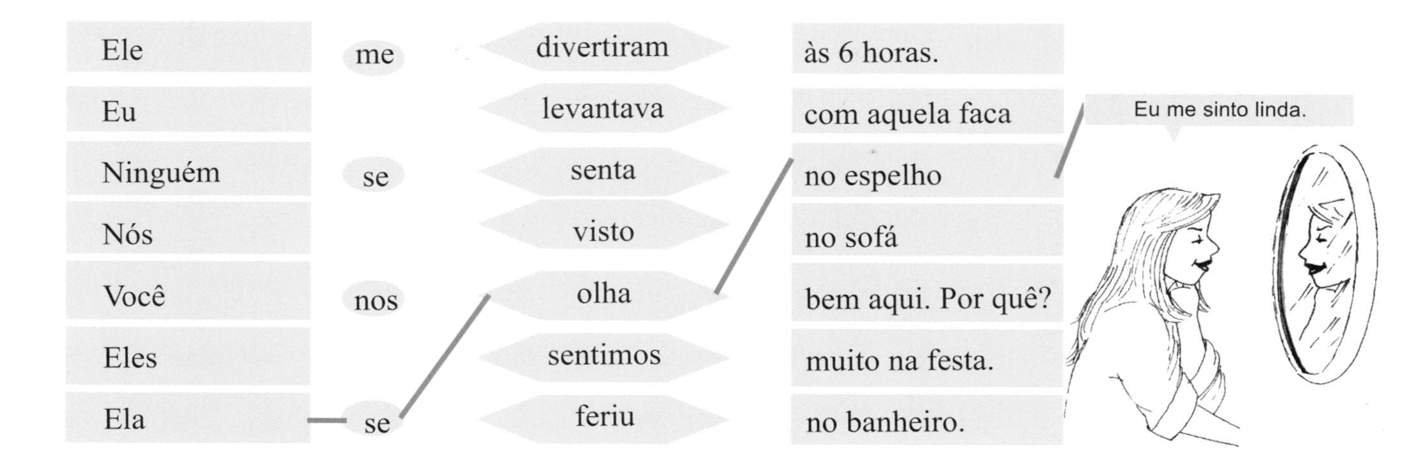

Ele	me	divertiram	às 6 horas.
Eu		levantava	com aquela faca
Ninguém	se	senta	no espelho
Nós		visto	no sofá
Você	nos	olha	bem aqui. Por quê?
Eles		sentimos	muito na festa.
Ela	se	feriu	no banheiro.

> Os verbos pronominais em português podem ter sentido reflexivo e recíproco.
> **Ex.**: Eu me olho no espelho. (reflexivo)
> Eles se conhecem há muito tempo. (recíproco)

A decisão

C. Sublinhe os verbos pronominais do texto e classifique-os (reflexivos ou recíprocos).

Ela então se decidiu. Levantou-se, vestiu-se e saiu. No elevador encontrou um vizinho. Cumprimentaram-se, conversaram um pouco e, na rua, despediram-se. Ela virou a esquina e dirigiu-se para o escritório do noivo.

D. Complete as frases com os seguintes verbos, no tempo adequado.

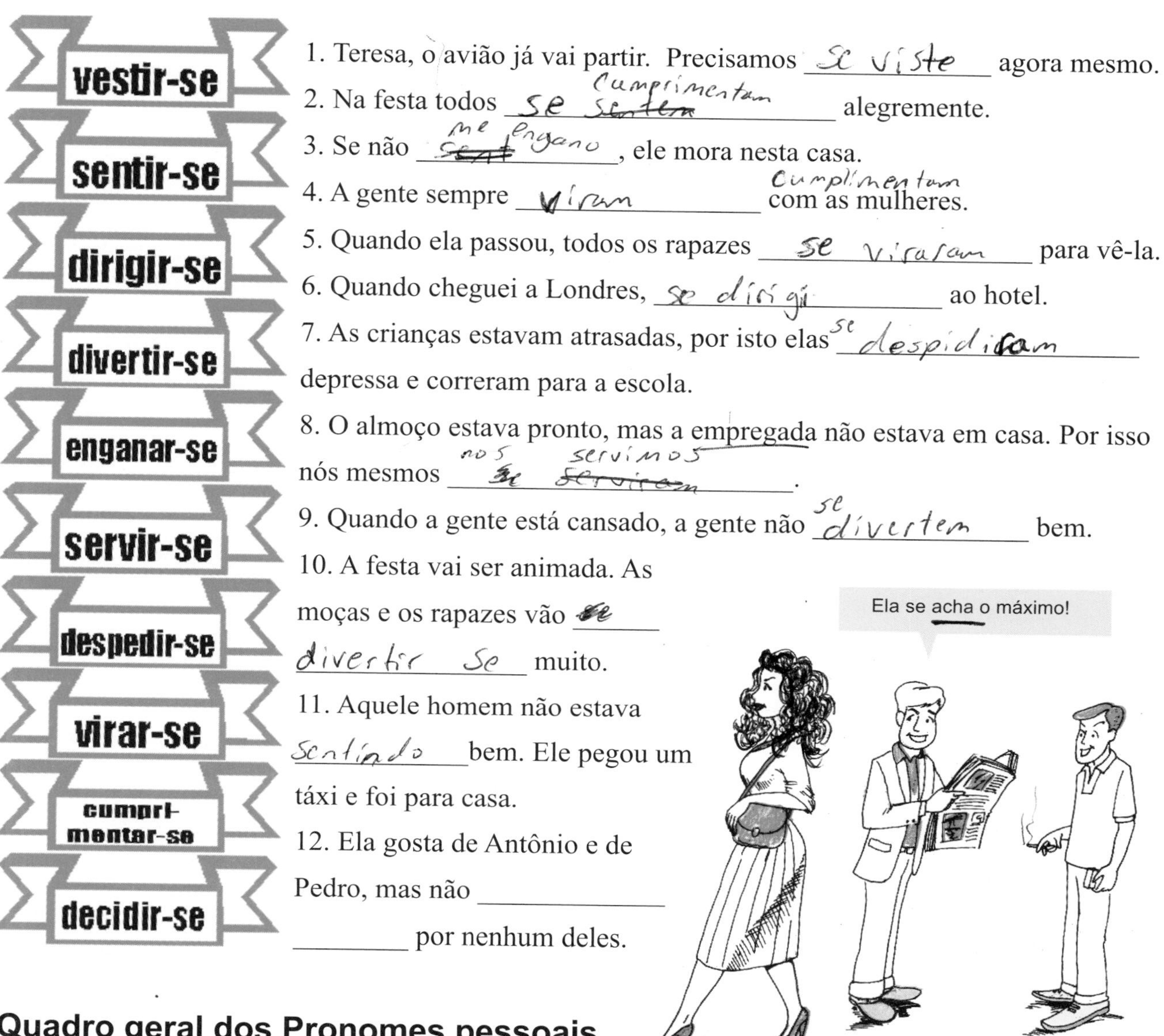

1. Teresa, o avião já vai partir. Precisamos ____________ agora mesmo.
2. Na festa todos ____________ alegremente.
3. Se não ____________, ele mora nesta casa.
4. A gente sempre ____________ com as mulheres.
5. Quando ela passou, todos os rapazes ____________ para vê-la.
6. Quando cheguei a Londres, ____________ ao hotel.
7. As crianças estavam atrasadas, por isto elas ____________ depressa e correram para a escola.
8. O almoço estava pronto, mas a empregada não estava em casa. Por isso nós mesmos ____________.
9. Quando a gente está cansado, a gente não ____________ bem.
10. A festa vai ser animada. As moças e os rapazes vão ______ ____________ muito.
11. Aquele homem não estava ____________ bem. Ele pegou um táxi e foi para casa.
12. Ela gosta de Antônio e de Pedro, mas não ____________ ________ por nenhum deles.

Quadro geral dos Pronomes pessoais

SUJEITO	COMPLEMENTOS		
	Direto	Indireto	Reflexivo recíproco
Eu	me	me, mim, comigo	me
Você Ele Ela	o, a (-lo,- la) (-no, -na)	lhe	se
Nós	nos	nos, conosco	nos
Vocês Eles Elas	os, as (-los,- las) (- nos, -nas)	lhes	se

PARE 9-3

Dinheiro curto ...

Vi Marina ontem. Ela acabou de chegar da Europa. Voltou impressionadíssima com os preços de lá. Os hotéis são caríssimos. Ela mal pôde fazer compras e por isso não pôde trazer o relógio que lhe pedi. Ela queria ficar nos melhores hotéis e comer nos restaurantes mais famosos. É claro que não foi possível. Você também tem de ouvir Marina contar suas histórias.

Superlativo (1)

bom	**o melhor de**
mau, ruim	**o pior de**
grande	**o maior de**
pequeno	**o menor de**

Este hotel é moderno.
Este hotel é **o mais** moderno **da** cidade.
Estas cidades são famosas.
Estas cidades são **as mais** famosas **da** Europa.

Transforme as frases usando o superlativo.

1. Comprei um carro caro. *Comprei o carro mais caro da loja.*
2. Ela mora numa casa confortável. ....
3. Esta fábrica vende aviões velozes. ....
4. Ontem vimos um filme interessante. ....
5. A sala dele é clara. ....
6. Fizemos uma viagem curta. ....
7. Ela mora num bom apartamento. ....
8. Fabricamos máquinas grandes. ....
9. Eles fizeram um mau negócio. ....
10. Ela abriu uma loja pequena. ....

Superlativo (2)

Este hotel é moderno.
Estas cidades são famosas.
Este hotel é muito moderno.
Estas cidades são muito famosas.
Este hotel é moderníssimo.
Estas cidades são famosíssimas.

amável	**amabilíssimo**
mau, ruim	**péssimo**
bom	**ótimo**
agradável	**agradabilíssimo**
fácil	**facílimo**
difícil	**dificílimo**

A. Transforme as frases conforme o modelo.

Esta sala é clara. Esta sala é muito clara. Esta sala é claríssima.

1. Ele comprou um apartamento velho. ....é muito velho, velhíssimo....
2. O irmão dela é alto. ....muito alto, altíssimo....
3. O tempo em São Paulo é instável. ....muito instável, instavelíssimo....
4. Esta bicicleta é barata. ....muito barata, baratíssima....
5. É difícil dirigir em São Paulo. ....muito fácil, dificílimo....
6. Ela acha fácil dirigir em Nova York. ....muito fácil, facílimo....
7. Nosso diretor é um homem ocupado. ....muito ocupado, ocupadíssimo....
8. Ele é jovem, mas é responsável. ....muito mais jovem, jovenzíssimo....
9. O que aconteceu com Tomás? Ele está gordo. ....muito gordo, gordíssimo....
10. O carro está conservado e o preço é bom. ....muito bom, ótimo....
11. Pobre homem! Ele está ruim. ....muito ruim, péssimo....
12. Não gosto desta rua. Ela é escura. ....
13. Vou a pé para o escritório. Moro perto do centro. ....
14. Neste restaurante, os garçons são ruins, mas o cozinheiro é bom.
....muitos ruins, ruíssimos....

B. Escolha duas ilustrações e, para cada uma, faça um texto de propaganda, empregando o superlativo.

PARE 9-6

Modo indicativo

OUVIR — Presente simples

Eu	ouço	Nós	ouvimos
Você Ele Ela	ouve	Vocês Eles Elas	ouvem

PEDIR — Presente simples

Eu	peço	Nós	pedimos
Você Ele Ela	pede	Vocês Eles Elas	pedem

OUVIR — Pretérito perfeito

Eu	ouvi	Nós	ouvimos
Você Ele Ela	ouviu	Vocês Eles Elas	ouviram

PEDIR — Pretérito perfeito

Eu	pedi	Nós	pedimos
Você Ele Ela	pediu	Vocês Eles Elas	pediram

OUVIR — Pretérito imperfeito

Eu	ouvia	Nós	ouvíamos
Você Ele Ela	ouvia	Vocês Eles Elas	ouviam

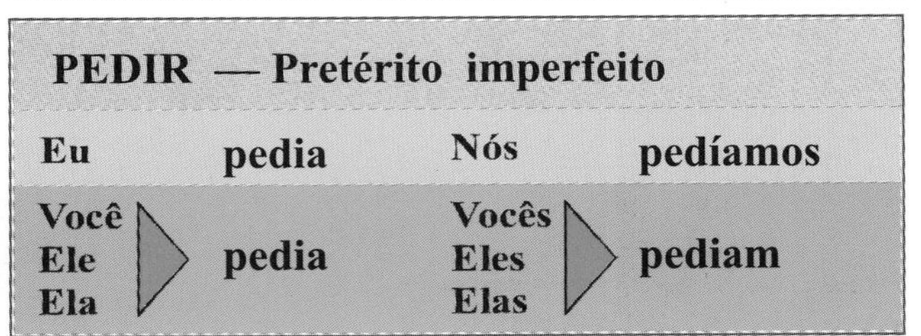

PEDIR — Pretérito imperfeito

Eu	pedia	Nós	pedíamos
Você Ele Ela	pedia	Vocês Eles Elas	pediam

Complete com os verbos nos tempos adequados.

Psiu! Não façam barulho.
Ele quer ouvir rádio.

1. (ouvir) Eu ________ rádio todas as manhãs, mas ele não ________.
2. (ouvir) Não façam barulho! Ele está ________ seu programa preferido.
3. (fazer) Ela não vai sair agora porque está ________ um bolo.
4. (pedir) Ontem ele ________ um livro emprestado.
5. (pedir) Amanhã eles ________ férias ao chefe.
6. (fazer) No ano passado, ele me ________ muitos favores.
7. (pedir) Você sempre ________ sorvete de sobremesa, mas eu ________ salada de frutas.
8. (fazer/fazer) No ano passado, eu ________ ginástica duas vezes por semana. Agora não ________ mais.
9. (fazer/fazer/pedir) Você ________ bons negócios com esta fábrica japonesa?
— Não, não ________. Eu sempre ________ os folhetos, mas nunca os recebo.
10. (fazer) As baianas ________ quindins muito bons.

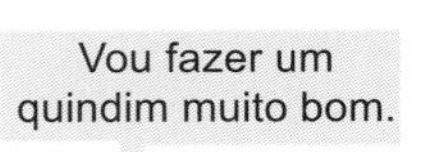

11. (pedir) Quando como neste restaurante, sempre __________ o prato do dia.

12. (pedir) Nós __________ o número do telefone dele, mas ele não deu.

13. (ouvir/ouvir) Antes nós __________ muita música clássica; agora não __________ mais porque não temos tempo.

14. (ouvir/pedir) O público __________ o concerto em silêncio e depois __________ bis.

15. (ouvir/ouvir) Quando eu morava numa casa, __________ a chuva bater no telhado; agora que moro em apartamento não __________ mais.

Acabo de lembrar:
Não temos mais vinho.

acabar de
— Por que você está nervosa?
— Porque *acabo de* (acabei de) ver um acidente.

PARE 9-7

Complete com **acabar de** .

1. (quebrar) Sinto muito, mas não vamos mais tomar vinho no jantar. Eu __________ a última garrafa.
2. (contratar) Temos uma nova secretária. __________-la.
3. (telefonar) Julieta não está em casa. Eu __________ para lá.
4. (sair) Querem falar com o sr. Morais, mas ele __________.
5. (receber) Hoje vamos jantar fora. Eu __________ meu salário.
6. (ver) Marina não está em casa. Eu __________-la na porta do cinema.
7. (fazer) Ele está contente porque __________ um ótimo negócio.
8. (comprar) Eles estão sem dinheiro porque __________ uma casa.
9. (sair) Vou comprar o último disco desta cantora. Ele __________.
10. (limpar) A casa está limpa. Eu __________-la.

mal + verbo
Ele está com dor de garganta e *mal pode* falar.
Não vou conversar com ele porque *mal o conheço*.

PARE 9-8

Complete com **mal + verbo.**

1. Eu trabalho muito e ...*mal posso sair com meus amigos.*...
2. Ele está com sono e ....
3. Por causa da dor de cabeça ela ....
4. Ela estava com dor na mão e ....

5. Porque minha amiga estava com pressa eu ....
6. Não é possível! Eu ....
7. Por causa do sol ele .... o farol fechado.
8. Meu salário é muito baixo .... com ele.
9. Não vou convidar meu vizinho para a festa porque ....
10. Não me lembro do rosto dele. Eu ....

PARE 9-9

precisar	**= ter que**	**= ter de**
Você	***precisa*** ***tem que*** ***tem de***	**ajudar o Paulo.**

A. Responda a estas perguntas.

1. O que você precisa fazer hoje? Eu preciso escrever uma carta.
2. O que eles precisam comprar? Eles precisam ....
3. A que horas você precisa almoçar? Eu ....
4. Por que ele precisa sair? ....
5. Com quem você precisa falar? ....

B. Retome o exercício A, substituindo **precisar** por **ter de** ou **ter que**.

1. O que você precisa fazer hoje? Eu tenho que escrever uma carta.
2. O que eles precisam comprar? Eles ....
3. A que horas você precisa almoçar? Eu ....
4. Por que ele precisa sair? ....
5. Com quem você precisa falar? ....

C. Complete estas frases.

1. Não posso ajudá-la porque tenho que ....
2. Ele não veio à festa porque teve de ....
3. O médico não vai nos atender hoje porque vai ter que ....
4. Para ser engenheiro você ....
5. Para marcar uma entrevista com aquele artista a gente ....
6. A gente .... para dirigir em São Paulo.
7. Para levantar cedo a gente ....
8. A gente .... para ser elegante.
9. Para abrir uma firma nós ....
10. Para falar com o Papa você ....

Sinais de Trânsito

Mão única

Esta rua é mão única.
Esta rua dá mão.

Direção a seguir

Vamos sempre reto!
Vamos sempre em frente!
Não podemos virar à direita.
Não podemos virar à esquerda.

Contramão

Esta rua é contramão.
Você está na contramão
Você não pode entrar na contramão.

Permitido estacionar

Proibido estacionar

Duas mãos

Esta rua é de duas mãos.
Ela tem mão dupla.

Homens trabalhando

Esta rua está em obras.

Proibido ultrapassar

Proibido conversão

Não podemos virar à esquerda

Você está dirigindo seu carro em direção ao banco. Você está na Av. 13 de Maio, perto do supermercado. Observe a figura e responda a estas perguntas.

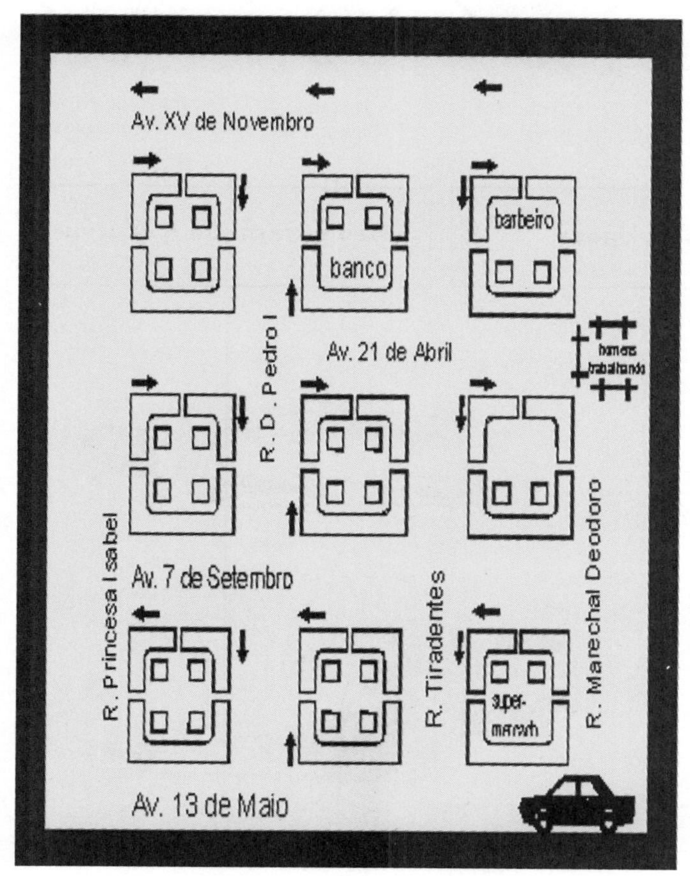

1. Onde fica o banco? ....
2. Em que rua você vai virar para chegar ao banco?
....
3. Por que você não pode virar na rua Tiradentes?
....
4. Que tipo de rua é a rua Dom Pedro I?
....
5. E a Avenida 21 de Abril? ....
6. A rua Marechal Deodoro dá mão. Se você pegar esta rua, você pode ir até o fim? Por quê?
....
7. Depois de resolver seus negócios no banco, você vai ao barbeiro. Que caminho você tem que fazer?
....
8. Por que você tem de fazer um trajeto tão comprido?
....

Sinais de estrada

Depressão na pista

Região sujeita a ventos

Pista escorregadia

Ponte estreita

Restaurante/ Posto de Gasolina/ Borracheiro/ Telefone

Placas de advertência

Declive Acentuado

Aclive Acentuado

Ponte Móvel

Mão Dupla Adiante

Área com desmoronamento

Projeção de cascalho

Ciclistas

Maquinária agrícola

Passagem de Pedestre

Cuidado animais

Animais Selvagens

Pass. de Nível sem barreira

Pare sempre fora da pista

Use luz baixa ao cruzar com outro veículo

Curva perigosa

Não ultrapasse na curva

Coloque as legendas adequadas.

BEBA

Texto narrativo — Duas lendas indígenas.
1. A vitória-régia

A vitória-régia é uma bela flor aquática, típica do rio Amazonas. Os índios contam uma lenda para explicar seu aparecimento.
Naia era uma indiazinha bem bonita e pensava, como todos de sua tribo, que a Lua era um moço de prata. Do casamento das índias virgens com este moço, nasciam as estrelinhas do céu.
Naia apaixonou-se pela Lua e, para aproximar-se dela, subiu montes e montanhas. Mas, mesmo chegando ao topo das mais altas montanhas e erguendo os braços, não conseguia alcançá-la. A Lua ficava sempre muito longe, no céu infinito.
Naia desistiu de buscar o moço de prata e ficou triste.
Uma bela noite, porém, aproximou-se do grande rio. O que viu? Dentro dele, bem lá no fundo, estava a Lua. Naia não teve a menor dúvida. O moço de prata, noivo das virgens, lá estava, chamando-a, num convite de amor.
A jovem lançou-se às águas do rio-mar, num mergulho ansioso. Foi-se afundando, mais e mais, até desaparecer para sempre.
A Lua sentiu-se responsável pelo trágico acidente e achou que a indiazinha merecia ser recompensada e viver para sempre. Num gesto de gratidão, transformou-lhe o corpo numa flor diferente, bela e majestosa: a vitória-régia.

Responda.

1. Quem era Naia?
2. Por que Naia queria alcançar a Lua?
3. Por que Naia desistiu da idéia?
4. Explique como Naia morreu.
5. Como surgiu a vitória-régia?
6. A vitória-régia é uma flor típica do rio Amazonas. O que mais você sabe sobre ela?

2. A criação da noite

No princípio, era só o dia. A Cobra Grande guardava a noite no fundo do rio.
Um dia sua filha se casou e disse ao marido:
— Quero muito ver a noite.
O marido respondeu:
— A noite não existe. Há somente o dia.
— A noite existe, sim. Meu pai a guarda no fundo do rio.
O marido, então, mandou guerreiros à casa da Cobra Grande em busca da noite.
Quando chegaram lá, a Cobra Grande entregou-lhes um coco de tucumã e avisou:
— Tenham muito cuidado com este coco. Se ele se abrir, o mundo todo ficará escuro e tudo se perderá.

Os guerreiros prometeram tomar cuidado, mas, na viagem de volta, ouviram ruídos estranhos vindos de dentro do coco. Era o ruído de sapos e grilos, de corujas e morcegos, de todos os seres que se movimentam à noite. Cheios de curiosidade, os guerreiros abriram o coco....
Imediatamente, o mundo escureceu.A filha da Cobra Grande entendeu o que tinha acontecido:
— Soltaram a noite! — disse, furiosa.
E o marido, espantado:
— O que vamos fazer? Tudo vai-se perder.

— Não tenha medo! Com este meu fio de cabelo, vou separar o dia e a noite.
E arrancou um fio de seus cabelos.
Logo o céu se tornou vermelho e a madrugada começou ...
Assim nasceu a noite.
Mas quando, finalmente, os guerreiros chegaram à aldeia, a filha da Cobra Grande os castigou pela desobediência, transformando-os todos em macacos. E os macacos, assustados, começaram a pular pela mata, de árvore em árvore, de galho em galho. Quando, porém, a noite chegou, com medo, eles se recolheram, muito quietos, à espera do dia.

Responda.

1. Por que os guerreiros foram à casa da Cobra Grande?
2. Por que os guerreiros desobedeceram ao aviso da Cobra Grande?
3. Explique como apareceram os macacos.
4. Conte lendas de seu país.

UNIDADE 10

D. Pedro II dormiu aqui

Guia — Sinto muito, mas sempre trago os turistas para este hotel. Até agora ninguém se queixou.

Turista — Pois serei o primeiro! Veja! Este hotel é horroroso. E vai de mal a pior. É tão velho que está caindo aos pedaços. Está muito mal cuidado. E não oferece nenhum conforto.

Guia — Mas é o hotel mais tradicional de nossa cidade. D. Pedro II dormiu aqui há 160 anos atrás!

Turista — Pois é ... E desde aquele dia nunca mais ninguém fez nada para conservá-lo.

Guia — Não adianta discutir. Não posso alterar o programa da agência de turismo.

Turista — Pois aqui eu não fico de jeito nenhum. Alguém me indicará um hotel pequeno e bem limpinho, numa ruazinha tranqüila. O senhor tem alguma sugestão?

Na portaria do hotel

— Há alguma carta para mim?
— Não, nenhuma.
— Alguém veio me procurar?
— Não, ninguém.
— O senhor tem certeza de que não há nenhum recado?
— Tenho, senhor. Não há nenhum recado, nenhum telefonema e nenhuma carta. Não há nada para o senhor.

Pronomes indefinidos (1)

O senhor tem alguma sugestão?

***algum* amigo**	***alguns* amigos**	***alguém***
***alguma* amiga**	***algumas* amigas**	***Alguém* vai nos ajudar.**

Complete com **algum, alguma, alguns, algumas, alguém.**

1. Quando morreu, ele deixou ________ dinheiro e ________ casas para os filhos.
2. ________ dia vou ao Canadá. Estou com saudade de ________ amigos que tenho lá.
3. Veja! ________ luzes estão acesas. Há ________ em casa agora.
4. Eu trouxe ________ jornais e ________ revistas para você.
5. Ela precisa de ________ informações sobre aquele candidato.
6. Não sei o que fazer. Você tem ________ idéia?
7. Preciso encontrar ________ em casa.
8. Por favor, ________ pode me ajudar?
9. ________ viu o que aconteceu lá na esquina?
10. ________ tem ________ livros para emprestar?
11. ________ me disse que esta firma vai de mal a pior.
12. É verdade. ________ bancos e ________ fábricas já não querem fazer negócio com ela.
13. ________ telefonou para você, mas não deixou o nome.
14. Você conhece ________ lá do banco? Preciso de um empréstimo.
15. O ônibus levou ________ crianças e ________ professores ao museu.

Veja nossa casa! Há alguém lá dentro.

PARE 10-2

Pronomes indefinidos (2)

Este hotel não oferece nenhum conforto.

nenhum amigo	**ninguém - nada**	Até agora **ninguém** se queixou.
nenhuma amiga		Até agora **ninguém** fez **nada**.

Complete com **nenhum, nenhuma, ninguém, nada.**

1. Você tem algum amigo aqui? — Não, ________.
2. ________ amigo quer me ajudar. Acho que ________ gosta de mim.
3. — Alguém me telefonou? — Não, ________.
4. — Meu Deus! Quantos copos você quebrou?
   — Não quebrei ________ copo. Quebrei alguns pratos.
5. Ele não teve ________ problema, por isso não fez ________ pergunta.
6. Telefonei para lá, mas não havia ________ em casa.
7. — Você pode me emprestar algum dinheiro?
   — Não, de jeito ________
8. — O que você disse? — ________.
9. João não é meu amigo. Ele não fez ________ para me ajudar.
10. Todos queriam ajudar, mas na hora H ________ apareceu.

Modo indicativo — Futuro do presente

MORAR — Futuro do presente			
Eu	morarei	Nós	moraremos
Você / Ele / Ela	morará	Vocês / Eles / Elas	morarão

VENDER — Futuro do presente			
Eu	venderei	Nós	venderemos
Você / Ele / Ela	venderá	Vocês / Eles / Elas	venderão

ABRIR — Futuro do presente			
Eu	abrirei	Nós	abriremos
Você / Ele / Ela	abrirá	Vocês / Eles / Elas	abrirão

SER — Futuro do presente			
Eu	serei	Nós	seremos
Você / Ele / Ela	será	Vocês / Eles / Elas	serão

Formação:
forma-se o Futuro do presente
a partir do Infinitivo

TER — Futuro do presente			
Eu	terei	Nós	teremos
Você / Ele / Ela	terá	Vocês / Eles / Elas	terão

Observe.

PARE
10-4

FAZER — Futuro do presente			
Eu	farei	Nós	faremos
Você / Ele / Ela	fará	Vocês / Eles / Elas	farão

TRAZER — Futuro do presente			
Eu	trarei	Nós	traremos
Você / Ele / Ela	trará	Vocês / Eles / Elas	trarão

DIZER — Futuro do presente			
Eu	direi	Nós	diremos
Você / Ele / Ela	dirá	Vocês / Eles / Elas	dirão

A. Leia o texto.

Ontem nosso guia nos mostrou as Cataratas do Iguaçu. Saímos do hotel logo depois do café da manhã. O ônibus já estava nos esperando. Cinco minutos depois, ele partiu. Todos nós estávamos contentes. O ônibus seguiu pela estrada até a fronteira com a Argentina. Lá descemos do ônibus e tomamos um barco pequeno. Não dissemos uma palavra, nem fizemos barulho durante a viagem de barco, porque tudo nos parecia perigoso: estávamos muito perto das cataratas.

Foi bom chegar à Argentina. À tarde, o ônibus nos trouxe de volta para o hotel. Estávamos muito cansados, mas felizes.

Foto: Cataratas do Iguaçu. Foz do Iguaçu/PR.

Agora passe os verbos do texto para o Futuro do presente. Comece assim: "Amanhã nosso guia...

B. Substitua o Futuro imediato pelo Futuro do presente.

1. No ano que vem vou trabalhar menos e descansar mais.
   ....trabalharei..........descansarei..........
2. Eles disseram que vão comprar e vender carros usados.
   ....comprará vendera..........
3. Nós vamos partir às 9 de São Paulo e às 11 vamos chegar à Bahia.
   ....partiremos..........chegaremos..........
4. O que você vai fazer? Você vai me trazer ainda mais problemas?
   ....fazerá..........trazerá..........
5. Ana Maria vai dizer ao chefe que precisa ganhar um ordenado melhor. O que ele vai lhe dizer?
   ....dizera..........dizerá.
6. Estas suas idéias vão nos trazer problemas.
   ....trazeremos..........

C. Formule as perguntas. Use o Futuro do presente.

1. (passar) Onde vocês passarão suas férias? Em Campos do Jordão.
2. (abrir) .... ? Às dez horas em ponto.
3. (ajudar) .... ? Ninguém.
4. (fazer) .... ? Nada.
5. (ir) .... ? De navio.
6. (beber) .... ? Um guaraná.
7. (trazer) .... ? Nenhum.
8. (dizer) .... ? Não.
9. (comprar) .... ? No Shopping Leste.
10. (pedir) .... ? Goiabada com queijo.

Modo indicativo

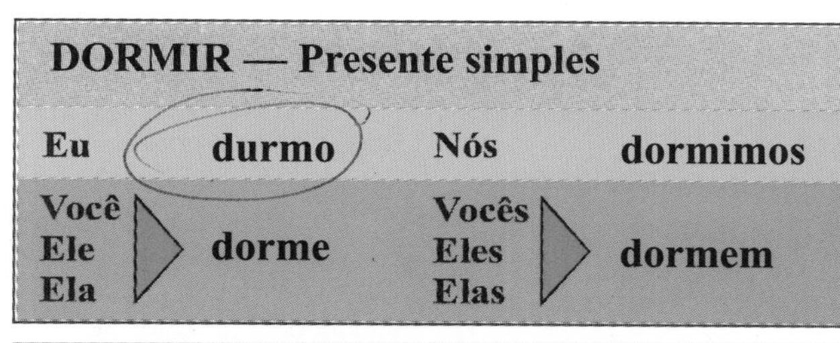

DORMIR — Presente simples			
Eu	durmo	Nós	dormimos
Você / Ele / Ela	dorme	Vocês / Eles / Elas	dormem

DORMIR — Pretérito perfeito			
Eu	dormi	Nós	dormimos
Você / Ele / Ela	dormiu	Vocês / Eles / Elas	dormiram

DORMIR — Pretérito imperfeito			
Eu	dormia	Nós	dormíamos
Você / Ele / Ela	dormia	Vocês / Eles / Elas	dormiam

DORMIR — Futuro do presente			
Eu	dormirei	Nós	dormiremos
Você / Ele / Ela	dormirá	Vocês / Eles / Elas	dormirão

Como dormir: cobrir, tossir, engolir

Modo indicativo

PARE
10-6

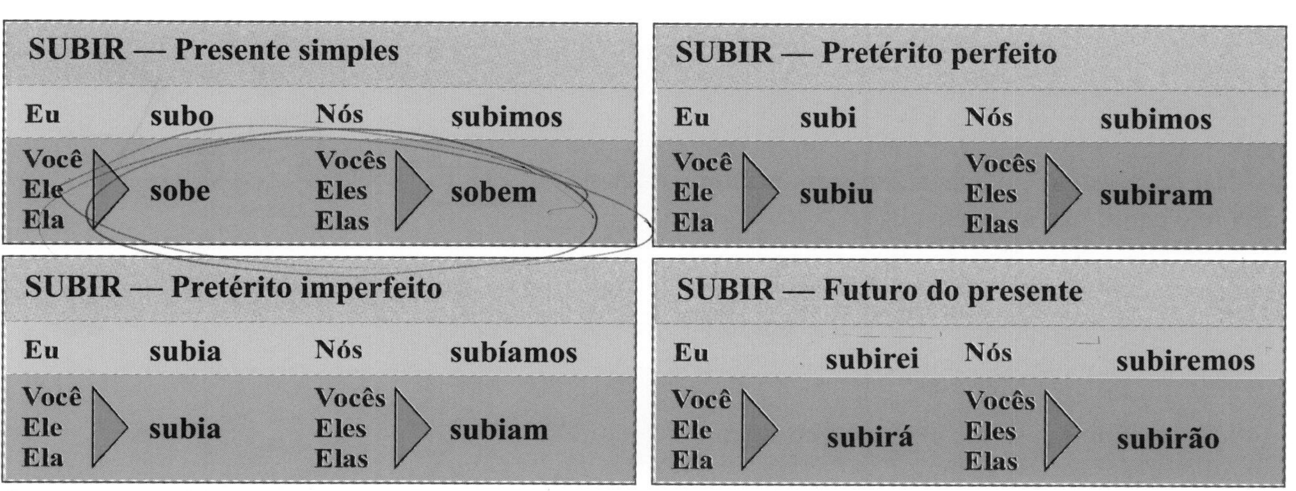

SUBIR — Presente simples			
Eu	subo	Nós	subimos
Você / Ele / Ela	sobe	Vocês / Eles / Elas	sobem

SUBIR — Pretérito perfeito			
Eu	subi	Nós	subimos
Você / Ele / Ela	subiu	Vocês / Eles / Elas	subiram

SUBIR — Pretérito imperfeito			
Eu	subia	Nós	subíamos
Você / Ele / Ela	subia	Vocês / Eles / Elas	subiam

SUBIR — Futuro do presente			
Eu	subirei	Nós	subiremos
Você / Ele / Ela	subirá	Vocês / Eles / Elas	subirão

Como subir: fugir, sumir, consumir, sacudir, acudir

Complete.

1. (dormir) Boa-noite! ~~dormirá~~ durma bem!
2. (dormir) Vocês dormirá bem no verão?
3. (dormir) Antigamente a gente dormiram mais.
4. (subir) Os preços sobem sempre.
5. (dormir) Quando estou cansado, eu durmo a noite inteira.

E você? Você dorme?

6. (subir) Eu não __________ a escada. Eu tomo o elevador. E você? Você __________?

7. (subir) Quando eu queria falar com ele, eu __________ até o 15º andar.

8. (cobrir) À noite, ela sempre se __________ porque diz que sente frio.
Mas eu não me __________.

9. (fugir) Todo mundo __________ dele porque ele é perigoso.
Mas eu não __________. Eu não tenho medo dele.

10. (consumir) As pessoas __________ mais no fim do ano.
Eu também __________.

11. (subir) As águas do rio __________ quando chove muito.

12. (fugir) Não __________!

13. (cobrir-se) __________! Está frio.

14. (sumir) Não __________! Quero falar com vocês.
Vocês sempre __________ quando preciso de vocês.

15. (fugir) Ontem os ladrões __________. Eles sempre __________.

Ei, você aí! Não suma!

Era um carro novinho em folha!

Foi aqui mesmo. Mal posso acreditar.

— Droga! Roubaram meu carro!
— Você deve estar enganado.
— Não, não estou. Eu o estacionei ali, pertinho daquela árvore e agora não está mais lá.
— Calma! Vamos ver este negócio. A que horas foi isso?
— Agorinha mesmo. Não faz nem dez minutos.
— Mas que coisa! Não é possível! Você tem certeza?
— Tenho. Foi aqui mesmo. Mal posso acreditar.
— Como era o carro?
— Era novinho em folha. O que é que a gente faz agora?
— A gente tem de ir à polícia. É a primeira coisa que a gente deve fazer. Não há outro remédio.

Diminutivo

O diminutivo é muito usado no português do Brasil. Ele serve para indicar:

a.	**objetos pequenos:**	**Comprei uma casinha na praia.**
b.	**carinho:**	**Venha cá, filhinha!**
c.	**ênfase:**	**Ele mora pertinho daqui. (bem perto)**
d.	**desprezo:**	**Que filminho monótono!**
e.	**muitas vezes é usado como forma típica da língua, sem função definida:**	**Ele ficou um bom tempinho lá.**

Geralmente a terminação do diminutivo é **inho, inha**:

escola — escol**inha**
casa — cas**inha**
menino — menin**inho**
rapaz — rapaz**inho**

Usa-se **zinho, zinha** para os seguintes casos:

a. palavras terminadas em sílaba tônica:
café - cafe**zinho**
mulher - mulher**zinha**
papel - papel**zinho**

b. palavras terminadas em duas vogais:
pai - pai**zinho**
boa - boa**zinha**

c. palavras terminadas em som nasal:
bom - bon**zinho**
mãe - mãe**zinha**
irmão - irmão**zinho**

A. Passe para o diminutivo.

Tome o seu leitinho, filhinho!

objeto pequeno

1. Um copo pequeno é um ....copinho....
2. Um anel pequeno é um ....anelzinho....
3. Um chapéu pequeno é um ....chapelzinho....
4. Uma mão pequena é uma ....mãezinha....
5. Um nariz pequeno é um ....narizinho....
6. Uma praça pequena é uma ....praçinho....

carinho

1. Uma *rua* pequena e tranqüila é uma ruazinha.
2. Estou procurando uma *casa* pequena e bonita. Sonho com uma casinha assim.
3. Ir ao cinema em dia de chuva é um bom *programa*. É um programinha bom.
4. Você está fazendo café, não está? Senti o *cheiro*. Que cheirinho bom!
5. Ele é um *bom* rapaz. Gosto dele. Ele é muito bozinho. Gosto dela também. Ela também é muito boazinha
6. A gente gosta muito de nosso *chefe*. É um chefinho 100% .

ênfase

1. Fale *baixo*, por favor! Fale bem baixinho.
2. Eles moram muito *perto* daqui, pertinho.
3. Eu li o livro *inteiro*. Eu li o livro inteirinho.
4. Gostei do livro todo, do *começo* até o *fim*. É ótimo do começinho até o fimzinho.
5. Trabalhe *direito*. Faça tudo diretinho!
6. Tomo café com muito *pouco* açúcar. Só um poucinho por favor!

desprezo

1. Um *filme* de má qualidade é um filminho.
2. Uma *mulher* desagradável é uma mulherinho.
3. Uma *revista* de má qualidade é uma revistinho.
4. Um *homem* chato é um homenzinho.
5. Um *chefe* difícil é um chefezinho.

Ela é bem chatinha...

sem função definida

1. Espere um *minuto*, por favor.
Só um minutinho.
2. Estou ocupado agora. Venha falar comigo em outra *hora*!
Numa horinha mais fácil.
3. Vou embora agora. *Ciau*! Ciauzinho.

B. Classifique os diminutivos:	objetos pequenos	carinho	ênfase	desprezo	expressão típica da língua
1. Você já leu o jornalzinho da escola?					
2. Ela deixa tudo limpinho.					
3. Ela está tão bonitinha hoje!					
4. Não gosto desta mulherzinha.					
5. O solzinho está gostoso hoje.					
6. Quero só um pouquinho de chá.					
7. Aceita um cafezinho?					
8. Ele tem uma vidinha calma.					
9. Nossa! Que livrinho ruim!					
10. Joãozinho, agora você vai ficar sentadinho aí.					
11. Ela faz uma comidinha gostosa.					
12. O ladrão entrou na casa devagarinho.					

C. Substitua as palavras grifadas por seu diminutivo. Explique sua função.

1. A empregada já terminou o serviço. *A casa está muito limpa agora.*
2. As contas estão *completamente certas*. ....
3. Maria é *bonita*, mas um pouco *boba*. ....
4. Gostei destas roupas. Vou comprar todas. São *muito baratas*. ....
5. Cuide bem da bicicleta. Ela é *muito nova*. ....
6. Gosto do café *bem doce*. ....
7. Não coma estas bananas hoje! Elas ainda estão *muito verdes*. ....

8. Ele foi até a casa dele e voltou *muito rápido* porque mora *muito perto* daqui.

....

9. Detesto este *hotel*. É caro, mas não é confortável.

....

10. Ele não é um bom escritor, mas os *livros* dele fazem sucesso.

....

Faz um tempão...

Não **faz** nem dez minutos!
Eu trabalho aqui ***há*** dez anos. } =
Faz dez anos que eu trabalho aqui.

PARE 10-8

Substitua o verbo grifado. Faça outras modificações, se necessário.

1. Estivemos em Bruxelas *há* cinco anos.

....

2. *Há* dois meses eu não o vejo.

....

3. Lúcia e André se separaram *há* alguns anos.

....

4. *Há* dois dias ele saiu do hospital e já está trabalhando.

....

5. *Há* quanto tempo nós nos conhecemos?

....

6. Não sei exatamente. Já *há* muito, muito tempo.

....

Faz um tempão que a gente se conhece.

Verbo dever

Suposição: Você *deve* estar enganado.
Obrigação, dever: Você *deve* fazer seu trabalho sozinho.

Eles devem estar nervosos.

PARE 10-9

A. Complete com dever. Suposição ou obrigação?

Ele trabalhou muito hoje. Ele deve estar cansado. (suposição)

1. Eles estão em dificuldade. Nós somos difíciles ajudá-los. (dever)
2. Já são duas horas e você ainda não almoçou.
Você ______________ estar com fome. (______________)
3. Ele precisa falar com você. Você deve esperá-lo. (dever)
4. Todo mundo deve respeitar as leis. (dever)
5. Ele está muito nervoso. Ele dever ter problemas. (deve)

B. Complete as frases. Use **dever**.

1. (cansado) Vera, você trabalhou o dia todo sem parar. Você .... estar ....
2. (contente) Eles receberam o primeiro prêmio. Eles ....
3. (doente) Hoje está quente, mas eles estão com frio. Eles ....
4. (antigo) Estes quadros são muito caros. Eles ....
5. (rico) Que casa enorme! Ela é linda! Os donos ....
6. (rico) Eles ganharam o primeiro prêmio da loteria. Eles ....
7. (estrangeiro) Estas pessoas não entendem o que dizemos. Elas ....
8. (feliz) A festa deles foi um sucesso. Eles ....

C. 1. O que uma boa secretária deve fazer?

Ela deve *chegar cedo ao escritório.*

Ela deve ....

Ela deve ....

Ela deve ....

Ela deve ....

Ela deve ....

2. O que uma cidade deve oferecer para ser uma boa cidade? (6 frases)

3. O que a gente deve fazer para ser feliz?

Canção popular

"Terezinha de Jesus
De uma queda foi ao
chão, acudiram três
cavalheiros, todos três,
chapéu na mão.

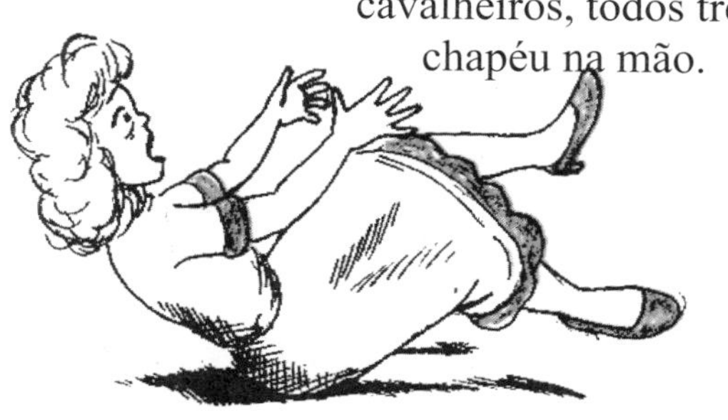

O *primeiro* foi seu pai,
O *segundo* seu irmão,
O *terceiro* foi aquele
A quem Tereza
deu a mão."

Ordinais

1º, 1ª, 1ºs, 1ªs
primeiro, a, os, as
2º segundo ...
3º terceiro ...
4º quarto ...
5º quinto ...

6º sexto ...
7º sétimo ...
8º oitavo ...
9º nono ...
10º décimo ...
20º vigésimo ...

30º trigésimo ...
40º quadragésimo ...
50º qüinquagésimo ...
60º sexagésimo ...
70º septuagésimo ...
80º octagésimo ...

90º nonagésimo ...
100º centésimo ...
1 000º milésimo ...
1 000 000º
milionésimo...

A. Leia o texto em voz alta.

Um passeio pelo Brasil

Preparem-se! Vamos conhecer o Brasil em 30 dias. Sairemos de São Paulo e nossa 1ª escala será o Rio de Janeiro. Lá passaremos o 1º, o 2º, o 3º e o 4º dias. No 5º dia partiremos para Salvador, onde ficaremos 4 dias, o 6º, o 7º, o 8º e o 9º. No 10º dia estaremos em Manaus. No 15º dia, nosso destino será o Pantanal Matogrossense. No 21º dia, chegaremos a Brasília. Lá nosso grupo se dividirá para pontos diferentes do Nordeste. No 29º dia, nos reuniremos novamente em Natal, capital do Rio Grande do Norte. Encerraremos nossa viagem no 30º dia, todos felizes sob o sol do Nordeste, rumo a São Paulo.

B. Escreva por extenso.

1. (1º) As ________________________ pessoas da fila devem apresentar seus documentos agora.
2. (3ª/26º) Antigamente ele trabalhava na __________________________________ porta deste corredor. Depois mudou-se para o _____________________________ andar.
3. (100º) Está é a _______________________ vez que lhe digo isto.
4. (5º/2ª) Vá até o ___________________________ sinal e vire na _______________________________ esquina!
5. (16º) Ela mora no ________________________ andar.
6. (1 000º) Pela ________________________ vez, não!

C. Diga de outra forma.

— Roubaram meu carro. ....

— Calma! Vamos ver este negócio. ....

— Eu estacionei meu carro agorinha mesmo, pertinho daquela árvore.

....

— Não faz nem dez minutos. ....

— Não há outro remédio. ....

— Meu carro era novinho em folha. ....

— Você tem certeza? Você deve estar enganado. ....

— A gente tem de ir à polícia. ....

Foto: Quadro "A Independência do Brasil". Pedro Américo. Museu Paulista.

Texto narrativo

Um pouco de nossa história

O Brasil não é um país muito antigo, mas muita coisa já aconteceu aqui desde que os portugueses chegaram em 1500. Durante 300 anos, depois de sua descoberta, o Brasil pouco se desenvolveu. Mas, em fins de 1807, D. João VI, o rei de Portugal, e sua família abandonaram Lisboa, fugindo dos exércitos de Napoleão e instalaram-se no Rio de Janeiro. Com a família real, veio a corte portuguesa. Com a chegada de 15.000 pessoas, a vida da pacata cidade do Rio, com seus 60.000 habitantes, metade deles escravos, mudou completamente. Da noite para o dia, o país começou a progredir.

Em 1821, D. João VI voltou para Portugal, mas deixou em seu lugar seu filho D. Pedro, o príncipe herdeiro, para defender os interesses de Portugal no Brasil. Foi um erro! Aqui, desde os 9 anos de idade, D. Pedro sentia-se um brasileiro.

Criado em liberdade, sempre em contato com os brasileiros, ele compreendia o desejo de independência do país.

No dia 7 de setembro de 1822, D. Pedro, contrariando as intenções de Portugal, proclamou, ele mesmo, a nossa independência. Isso aconteceu em São Paulo. D. Pedro aí estava para acalmar os patriotas, que exigiam a independência. Às margens do riacho Ipiranga, o príncipe recebeu uma carta de seu pai. Sabendo das agitações políticas pela independência e sabendo das tendências de seu filho, D. João VI ordenava a D. Pedro voltar para Portugal. Irritado, D. Pedro arrancou do chapéu as fitas com as cores portuguesas e, erguendo a espada, gritou: "Independência ou Morte!"

D. Pedro foi, então, aclamado 1º Imperador do Brasil. Alguns anos depois, com a morte do pai, D. Pedro I voltou a seu país de origem como D. Pedro IV, rei de Portugal.

Responda.

1. A colonização do Brasil foi rápida?
2. Pense um pouco e responda. Por que o Brasil progrediu com a vinda da corte portuguesa?
3. Tente imaginar os problemas que a chegada da Família Real e da corte portuguesa causaram à cidade do Rio de Janeiro.
4. Por que D. Pedro não acompanhou o pai quando este voltou a Portugal em 1821?
5. Por que D. Pedro se sentia, também, brasileiro?
6. Qual era o ambiente político no Brasil por volta de 1821?
7. Por que nossa independência foi proclamada em São Paulo e não no Rio de Janeiro?
8. A história de seu país é muito antiga? Conte um episódio interessante.
9. Descreva o quadro de Pedro Américo, que ilustra este texto.

Foto: Fachada do Museu Imperial em Petrópolis/ RJ.

UNIDADE 11

Progresso é progresso

Foto: Casa das Rosas na Avenida Paulista/SP.

— Você está louco! Construir aqui na Avenida Paulista? Isto nunca vai ser possível.

— Por que não?

— Porque é caro demais, ora essa! Cada centímetro vale ouro. E depois, onde vamos achar uma casa à venda, por aqui?

— Veja, por exemplo, aquela, na esquina. Eu soube que os proprietários querem vendê-la. O ponto é ideal.

— Mas, por que querem vendê-la? Qualquer um gostaria de ter uma casa como esta.

— Problemas de família ... O primeiro dono faleceu há um ano e deixou herdeiros. Eles tinham resolvido alugar a casa, mas depois desistiram e agora decidiram vendê-la.

— É uma boa oportunidade e não devemos perdê-la. Para falar a verdade, eu já tinha pensado nisso. Só faltava coragem ...

— Deve haver vários interessados. Vamos ver se conseguimos fechar o negócio antes dos outros.

— Tomara! Mas olhe! Que casa bonita! Que pena demoli-la!

— De fato é muito bonita. Mas o que é que se vai fazer? Progresso é progresso.

— Mesmo assim é uma pena!

Pronomes indefinidos (3)

Cada centímetro vale ouro
Cada uma destas salas tem duas janelas.
Cada aluno receberá um livro

Ele deixou **vários** herdeiros
Fiz **vários** negócios com ele.
Várias pessoas estavam interessadas no negócio.

Vamos fechar o negócio antes dos **outros**.
Volte **outro** dia.
Não gostei desta casa. Vamos procurar **outra**.

Qualquer um gostaria de ter uma casa como esta.
Qualquer dia destes vou visitá-la.
Qualquer coisa serve.

PARE 11-1

Complete com: **cada, vários, várias, outro, outra, outros, outras, qualquer.**

1. ____________ aluno recebeu um livro.
2. ____________ dia destes ele vai aparecer.
3. Não gostei desta blusa. Quero ver ____________.
4. Já li todas estas revistas. Vou comprar ____________.
5. Não desanime! Tente ____________ vez.

6. Ele deu um presente para __________ criança.

7. O dentista tem uma ficha de __________ cliente.

8. Este livro não serve. O senhor não tem __________.

9. Preciso falar com ele, mas ele não está. Voltarei __________ dia.

10. Que jornal você quer? O “Estado” ou a “Folha”? Tanto faz. __________ um serve.

11. Telefonei para ele __________ vezes, mas não o encontrei em casa.

12. Este é um trabalho muito fácil. __________ pessoa pode fazê-lo.

13. O que você quer comer? Tanto faz. __________ coisa.

14. Tenho __________ amigos na Europa.

15. Já fomos a casa deles __________ vezes.

— É meu! É meu!

TRIIIM!

— Ninguém vai atender?

PARE 11-2

Modo indicativo

SAIR — Presente simples			
Eu	saio	Nós	saímos
Você / Ele / Ela	sai	Vocês / Eles / Elas	saem

SAIR — Pretérito perfeito			
Eu	saí	Nós	saímos
Você / Ele / Ela	saiu	Vocês / Eles / Elas	saíram

SAIR — Pretérito imperfeito			
Eu	saía	Nós	saíamos
Você / Ele / Ela	saía	Vocês / Eles / Elas	saíam

SAIR — Futuro do presente			
Eu	sairei	Nós	sairemos
Você / Ele / Ela	sairá	Vocês / Eles / Elas	sairão

Como sair: cair, trair, distrair, atrair, subtrair etc.

Complete com o verbo no tempo adequado.

(sair) Eu só *sairei* daqui amanhã.

1. (sair) Não __________ ontem porque estava chovendo.
2. (atrair) O açúcar __________ as formigas.
3. (cair) Cuidado com os buracos. Você pode __________.
4. (subtrair) Ele errou o problema porque __________ em vez de somar.
5. (sair) Quando eu era criança, não __________ muito de casa.
6. (sair) Amanhã, queremos ir ao cinema, mas não __________ com chuva.

— Caí! ...

7. (sair) Por favor, a que horas as crianças ______________ da escola?

8. (trair) Eu nunca ______________ meus amigos, mas ele ______________.

9. (distrair) Por favor, não me ______________! Estou trabalhando.

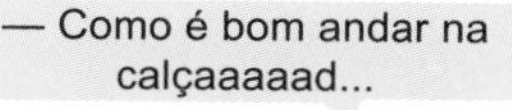

10. (cair) No ano passado, o Natal ______________ numa 4ª feira.

11. (atrair) Vitrinas bonitas sempre ______________ os fregueses.

12. (sair) Eu nunca ______________ sozinha.

13. (cair) Ele ______________ e quebrou a perna.

14. (distrair) Eu me ______________ vendo televisão. Eles se ______________ ouvindo música.

15. (distrair-se/cair) As calçadas aqui são muito irregulares. Se a gente ______________, a gente ______________.

Contexto

Borá — a cidade que prefere não crescer

Borá, localizada a 450 quilômetros de São Paulo, tem 732 habitantes. Cerca de 80% de seus moradores vive do trabalho volante nas regiões vizinhas. São bóias-frias. "É uma população pobre", reconhece o prefeito, um homem de 53 anos, filho de lavradores, que não conseguiu estudar além da quarta série do primeiro grau. Mas, segundo ele, a pobreza de seus habitantes não impede que a pequena cidade desfrute de benefícios que podem causar inveja aos grandes centros de desenvolvimento: lá não há meninos de rua, nem pedintes e muito menos favelas.

O asfalto cobre 98% das poucas vias públicas e a água tratada e o esgoto chegam a todas as residências. Três médicos e dois dentistas contratados pela Prefeitura atendem toda a população e o índice de criminalidade é zero. O último homicídio aconteceu há mais de 50 anos e a cadeia pública, construída depois, até agora não recebeu nenhum preso. A Prefeitura arrecada pouco dinheiro da população, mas mesmo assim consegue pagar as contas da farmácia da maioria dos moradores e mantém uma horta, distribuindo, duas vezes por semana, legumes, verduras e frutas entre os habitantes da cidade.

A Prefeitura mantém, também, uma frota de quatro ônibus e seis peruas para o transporte de estudantes da zona rural para a única escola da cidade, localizada na zona urbana, e que atende alunos do primeiro grau. Os que dependem de colégios de outras cidades também têm condução grátis da Prefeitura.

Não há trabalho em Borá, pois as lavouras de café estão em extinção. Por isso, a Prefeitura transporta os bóias-frias para cidades vizinhas, onde trabalham no corte de cana e na colheita da laranja.

Um dos orgulhos do prefeito é o funcionamento da Prefeitura. O número de funcionários é adequado às necessidades da administração.

Já houve tempo em que Borá chegou a oferecer terrenos para famílias interessadas em se mudar para lá. Mas a situação mudou: "Não adianta nada trazer famílias para cá se aqui não há emprego", — diz o prefeito. "Em lugar de buscar novos moradores, que poderão trazer novos problemas, preferimos ajudar nossos moradores para que eles não deixem a cidade em busca dos grandes centros".

A. Complete com números.

Borá, que fica a __________ km de São Paulo, tem __________ habitantes. __________% de suas ruas são asfaltadas e __________% de suas casas recebem água tratada e têm esgoto. __________ dentistas e __________ médicos cuidam da saúde da população. __________ peruas e __________ ônibus levam as crianças para a escola local e os jovens para escolas de cidades vizinhas.

B. Complete.

A maior parte da população de Borá é formada por lavradores sem emprego fixo. Eles são __________ __________. A população é pobre, mas todos vivem bem. A Prefeitura, além de pagar médicos e dentistas, paga também __________. Na área de alimentação, a Prefeitura mantém uma __________, que fornece verduras e legumes para a população.

C. Discuta.

1. Qual é o futuro de Borá?
2. Você acha que o Prefeito está fazendo um bom governo? Por quê?

D. Relacione.

1. fruta	2. cana	fria	rural
3. preso	4. bóia	na fruteira	de açúcar
5. zona	6. lavoura	de café	na cadeia

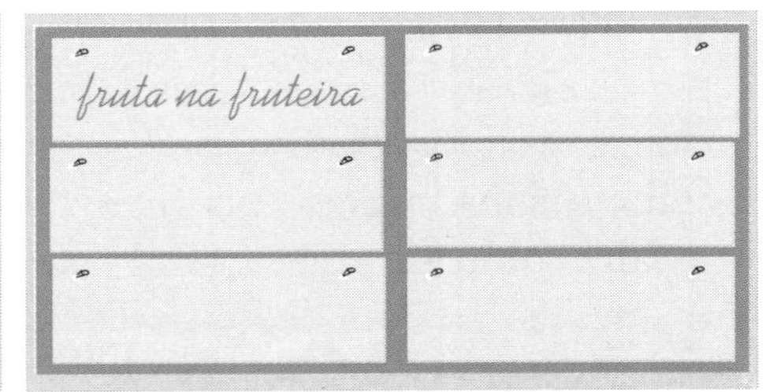

Modo indicativo — Mais-que-perfeito composto

MORAR — Mais-que-perfeito do indicativo			
Eu	tinha morado	Nós	tínhamos morado
Você Ele Ela	tinha morado	Vocês Eles Elas	tinham morado

(comprar)
Eu não comprei o jornal, porque ele já tinha comprado.
(vender)
Ele veio de ônibus, porque tinha vendido o carro.
(partir)
Quando eu cheguei, eles já tinham partido.

Particípio

Particípios regulares		
andar	—	andado
falar	—	falado
comer	—	comido
beber	—	bebido
decidir	—	decidido
insistir	—	insistido

Particípios irregulares					
ganhar	—	ganho	ver	—	visto
gastar	—	gasto	abrir	—	aberto
pagar	—	pago	cobrir	—	coberto
dizer	—	dito	vir	—	vindo
fazer	—	feito	pôr	—	posto
escrever	—	escrito			

A. Complete com o Mais-que-perfeito.

(discutir) Eu estava nervoso, porque eu **tinha discutido** com meu chefe.

1. (pensar) Ele queria passar as férias nas montanhas. Ela já tinha pensado nisso.
2. (resolver) Eu já tinha resolvido sair quando ela telefonou.
3. (partir) O avião já tinha partido quando chegamos ao aeroporto.
4. (comprar) Ela gostou daquele apartamento, mas você já tinha comprado uma casa.
5. (ir) Quando o professor chegou, os alunos já tinham ido embora.
6. (vender) Nós fomos para o Rio de ônibus porque tinhamos vendido nosso carro.

B. Complete com o Mais-que-perfeito. Depois termine a frase.

(escrever) Ele estava feliz porque ela lhe **tinha escrito**, *por isso estava cantando.*

1. (ver) Ele nunca tinha vido mulher tão bonita, por isso estava vindo.
2. (falar) Eles já tinham falado com o diretor, por isso estavam falando
3. (permitir) Os funcionários estavam bravos porque o diretor não tinham a festa. Por isso estava ______.
4. (vender) Nós queríamos comprar aquela casa, mas ele já a tinhamos vendido. Por isso estavamos ______.
5. (decidir) As crianças queriam ir à praia, mas os pais tinham decidido ir às montanhas. Por isso estavam ______.
6. (dizer) Ninguém acreditou, mas ele tinha dito a verdade. Por isso ______.
7. (fazer) Nós nunca tinhamos feito aquele trabalho, por isso ______.
8. (abrir) A sala estava gelada porque ele tinha aberto todas as portas e janelas. Por isso estava ______.
9. (gastar) Não pude comprar as entradas de teatro, eu já tinha gasto todo o meu dinheiro. Por isso estava ______.
10. (ganhar) Ela tinha ganho um carro novo, por isso estava ______.
11. (escrever/responder) Ele reclamou porque ele já tinha escrito três cartas e ela não tinha respondido. Por isso estava ______.

12. (vir) Ele teve dificuldade em achar minha casa porque nunca _tinha vindo_ aqui, por isso _estava v_.

13. (pôr) No estacionamento, ele ficou nervoso porque não sabia onde _tinha posto_ seu carro, mas _estava_.

14. (pagar) Ele descobriu que não _tinha pago_ a conta da luz, por isso _estava_.

15. (trabalhar/comer/dormir) Eles estavam muito cansados porque _tinham trabalhado_ muito, _tinham comido_ pouco e _tinham dormido_ mal, por isso _estava cansado_.

C. Por que ele estava contente?
Porque, no escritório, ele tinha recebido uma boa notícia.

Porque ele tinha quebrado o vaso.

Por que ele estava desanimado?

Porque, no escritório, o chefe dele tinha ....

Por que ela foi promovida?

Porque ela tinha ....

Por que a mãe ficou brava com o menino?

Por que ele tinha ....

PARE 11-5

Família de palavras — Complete o quadro.

VERBO	SUBSTANTIVO	VERBO	SUBSTANTIVO
1. partir	a partida	14. assinar	
2. chegar	a chegada	15. voar	
3.	a saída	16.	o aumento
4. empregar		17.	a resolução
5. trabalhar		18. escolher	
6.	a parada	19. repor	
7. proibir		20. defender	
8.	a permissão	21.	a abertura
9. propor		22. cobrir	
10. pintar		23.	a perda
11. discutir		24.	o prejuízo
12.	a preferência	25. sugerir	
13. receber			

Intervalo — Irene no céu

Manuel Bandeira

Foto: Manuel Bandeira.

Irene preta
Irene boa
Irene sempre de bom humor

Imagino Irene entrando no céu:
— Licença, meu branco!
E São Pedro bonachão *:
— Entre, Irene. Você não precisa pedir licença.

* bonachão, bonachona: *pessoa que é simples, bem-humorada, afável, calma.*

Responda.

1. Por que Irene não precisa pedir licença para entrar?
2. A linguagem de Irene é típica de que tipo de pessoa? No caso, quem é o branco?
3. Irene é revoltada contra sua situação? Como sabemos?

Texto narrativo — Pedras preciosas brasileiras (1)

Quando uma bela esmeralda brilha nas vitrinas de uma joalheria, quase ninguém imagina a fascinante viagem que ela faz para chegar até lá. Tudo começa nos garimpos da Bahia ou de Minas Gerais, onde a esmeralda surge em estado bruto. Aí, só os olhos de um técnico experiente podem ver o seu verdadeiro valor. Dos garimpos, ela segue para as oficinas de lapidação. Lapidada, ela começa a mostrar todo o seu brilho, a sua beleza. Finalmente, nas mãos de um ourives, ela se transforma em jóia. Das mãos do ourives ela vai para as do joalheiro, que a coloca em sua vitrina. E aí, ela atrai os olhares dos que passam e é admirada.
A esmeralda, uma das pedras brasileiras mais valiosas, está ligada a um trágico episódio da história do Brasil.
Nos tempos do Brasil-colônia, Fernão Dias Pais, um paulista muito respeitado e estimado, não só pelo povo da Vila de São Paulo, mas também pelo próprio rei de Portugal, partiu de São Paulo em direção à região das Minas Gerais. Acreditando que havia uma montanha feita só de esmeraldas no sertão do Brasil, ele tinha convencido o rei de Portugal a custear a expedição, a bandeira, e tinha juntado um grande número de homens para acompanhá-lo na missão. A bandeira vagou pelo sertão durante vários anos. Muitos bandeirantes morreram, outros ficaram pelo caminho. Houve trágico confronto entre Fernão Dias e uma parte de seu grupo que queria desistir. No fim, depois de muitas dificuldades e sofrimento, perto do Rio das Velhas, Fernão Dias, envelhecido, fraco e amargurado, encontrou pedras verdes que julgou serem esmeraldas. Mas

não eram - eram apenas turmalinas de pouco valor. Fernão Dias morreu ali mesmo, de febre, na ilusão de tê-las encontrado.

A. Responda.

1. Por que a esmeralda atrai?
2. Dê a trajetória desta pedra do estado bruto até transformar-se em jóia.
3. O que faz um garimpeiro? E um lapidário? E um ourives? E um joalheiro?
4. Por que só um técnico experiente percebe o valor da pedra bruta?
5. A esmeralda também o (a) atrai? Por quê?
6. Quem foi Fernão Dias? Qual era seu sonho?
7. Este sonho foi realizado?

B. Baseando-se na trajetória da esmeralda, descreva a transformação que acontece com o ouro até chegar às vitrinas de uma joalheria.

Os caminhos dos bandeirantes

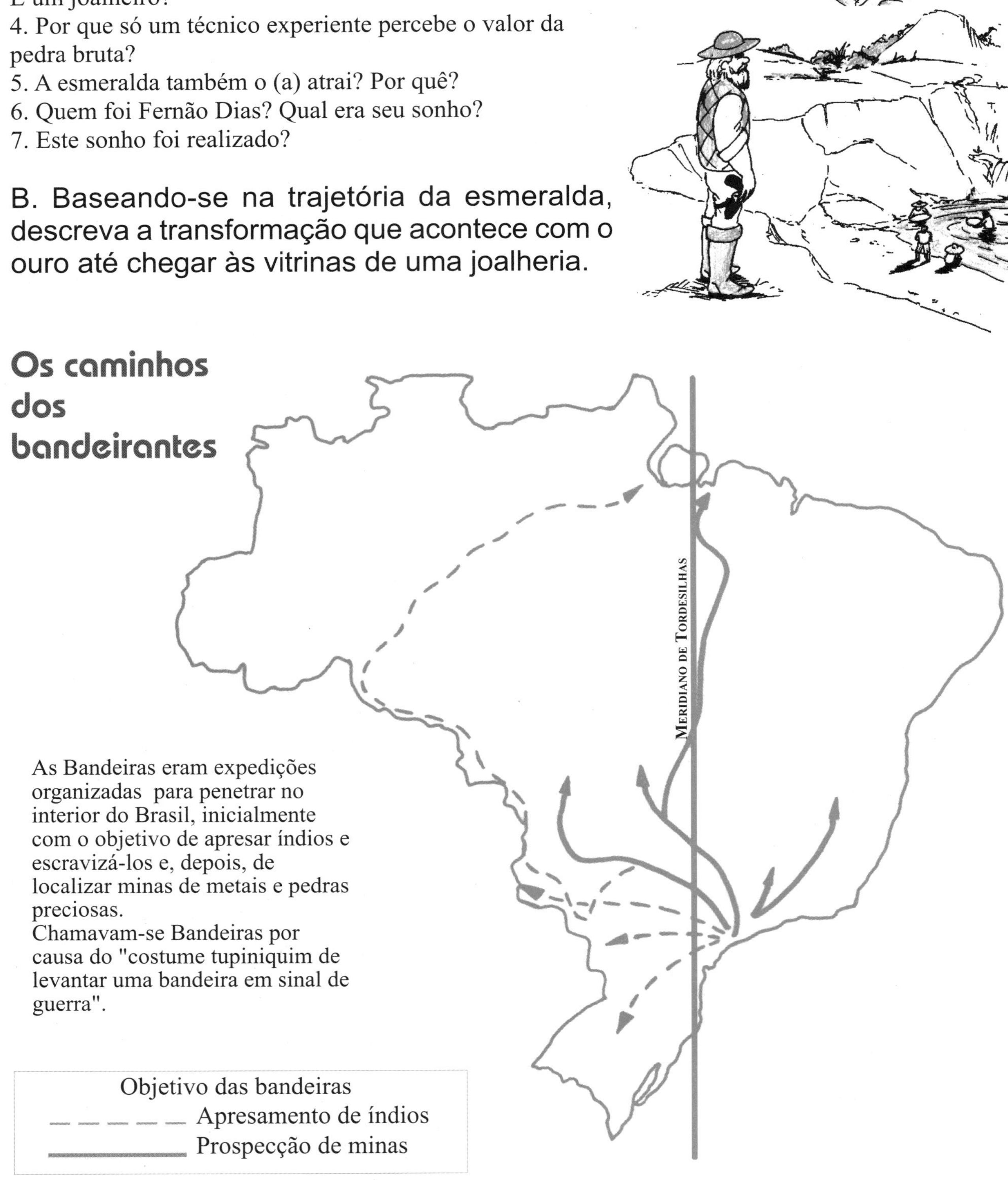

As Bandeiras eram expedições organizadas para penetrar no interior do Brasil, inicialmente com o objetivo de apresar índios e escravizá-los e, depois, de localizar minas de metais e pedras preciosas.
Chamavam-se Bandeiras por causa do "costume tupiniquim de levantar uma bandeira em sinal de guerra".

UNIDADE 12

Viajando em fim de semana

I. Num sábado

— Bom dia, senhor. O que vai hoje?
— Estou indo para Itatiaia. Quero que você faça uma boa revisão no carro.
— O senhor quer que eu veja os pneus, examine a bateria, o óleo e encha o tanque, não é?
— É.
— O senhor prefere que eu ponha gasolina azul?
— Não, a comum mesmo. Quanto tempo vai levar?
— Uns vinte minutos, no máximo.
— Tomara que eu chegue lá com dia claro. O hotel onde vou me hospedar fica longe do centro.

II. No sábado seguinte

— Bom dia, senhor. O que manda hoje?
— O mesmo de sempre. Vou a Itatiaia de novo. O que você acha do tempo?
— Duvido que chova hoje à tarde. Talvez faça um pouco de frio.
— É, é possível que faça frio.

III. Quinze dias depois

— Olá, tudo bem?
— Tudo bem. O mesmo de sempre?
— Não, hoje não. Só gasolina. Não vou a Itatiaia esta semana.
— É pena que o senhor não vá. O tempo está bom!
— Pois é. Que pena que a gente precise trabalhar num sábado tão bonito!

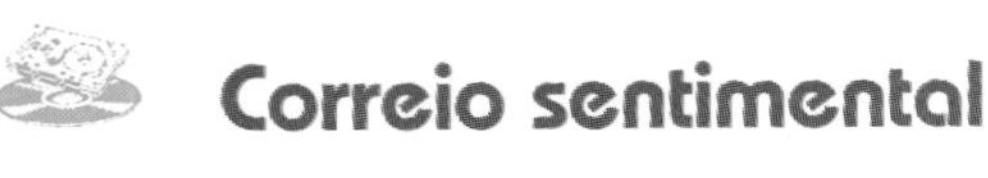

Correio sentimental

Rio de Janeiro, 8 de julho de ...

Querida Candinha,

Estou apaixonada por um rapaz, mas acho que ele não gosta de mim. Todos os sábados ele vem ao posto de gasolina, onde trabalho como caixa, e sempre pede ao empregado que encha o tanque, examine a bateria, veja os pneus e verifique o óleo.
Tento conversar com ele, mas não consigo. Ele está sempre com muita pressa e nem olha para mim. Que devo fazer?
Espero que você me responda logo.

Desesperada da Capital

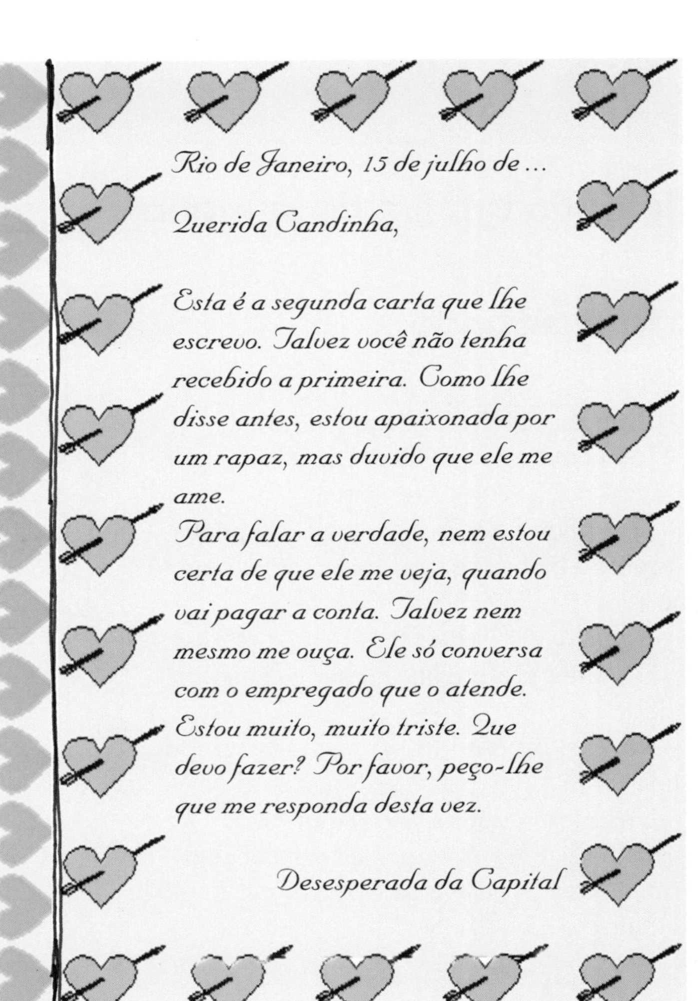

Rio de Janeiro, 15 de julho de ...

Querida Candinha,

Esta é a segunda carta que lhe escrevo. Talvez você não tenha recebido a primeira. Como lhe disse antes, estou apaixonada por um rapaz, mas duvido que ele me ame.
Para falar a verdade, nem estou certa de que ele me veja, quando vai pagar a conta. Talvez nem mesmo me ouça. Ele só conversa com o empregado que o atende.
Estou muito, muito triste. Que devo fazer? Por favor, peço-lhe que me responda desta vez.

Desesperada da Capital

São Paulo, 22 de julho de...

Minha cara Desesperada da Capital

Que pena que você não possa ver o que é óbvio: este seu amor não tem futuro. Que pena que você seja tão ingênua!
Lamento que você esteja complicando sua vida.
Desista deste moço! Esqueça-se dele! Por que você não se interessa pelo rapaz que trabalha com você aí no posto? Talvez ele lhe traga a felicidade com que você está sonhando.

Candinha

Modo subjuntivo — Presente (1) — Formação regular

Formação

O presente do subjuntivo forma-se a partir da 1ª pessoa do singular do presente do indicativo.

MORAR (Eu moro/ Que eu more) — Presente do subjuntivo

Que eu	more	Que nós	moremos
Que você Que ele Que ela	more	Que vocês Que eles Que elas	morem

DIZER (Eu digo/ Que eu diga) — Presente do subjuntivo

Que eu	diga	Que nós	digamos
Que você Que ele Que ela	diga	Que vocês Que eles Que elas	digam

VENDER (Eu vendo/ Que eu venda) — Presente do subjuntivo

Que eu	venda	Que nós	vendamos
Que você Que ele Que ela	venda	Que vocês Que eles Que elas	vendam

PODER (Eu posso/ Que eu possa) — Presente do subjuntivo

Que eu	possa	Que nós	possamos
Que você Que ele Que ela	possa	Que vocês Que eles Que elas	possam

ABRIR (Eu abro/ Que eu abra) — Presente do subjuntivo

Que eu	abra	Que nós	abramos
Que você Que ele Que ela	abra	Que vocês Que eles Que elas	abram

PEDIR (Eu peço/ Que eu peça) — Presente do subjuntivo

Que eu	peça	Que nós	peçamos
Que você Que ele Que ela	peça	Que vocês Que eles Que elas	peçam

Haver → haja

A. Dê a 1ª pessoa do singular do Presente do indicativo e do Presente do subjuntivo.

Presente do indicativo	Presente do subjuntivo	Presente do indicativo	Presente do subjuntivo
1. ter - eu tenho	Que eu tinha	11. subir - eu subo	Que eu suba
2. morar - eu moro	Que eu more	12. vender - eu vendo	Que eu venda
3. fazer - eu faço	Que eu faça	13. vir - eu venho	Que eu venha
4. ver - eu veo	Que eu vea	14. comprar - eu compro	Que eu compre
5. pedir - eu peço	Que eu peça	15. ler - eu leo	Que eu lea
6. dizer - eu digo	Que eu diga	16. trazer - eu trago	Que eu traga
7. partir - eu parto	Que eu parta	17. pôr - eu ponho	Que eu ponho
8. ouvir - eu osso	Que eu o a	18. preferir - eu pefiro	Que eu prefiro
9. sair - eu durmo	Que eu durma	19. servir - eu sirvo	Que eu sirva
10. dormir - eu saio	Que eu saia	20. desistir - eu disto	Que eu desista

B. Complete com o Presente do subjuntivo.

1. ouvir — Que nós ....
2. trazer — Que ele ....
3. partir — Que você ....partam..........................
4. pedir — Que o senhor....peça.........................
5. morar — Que elas ....
6. dizer — Que nós ......digamos.........................
7. subir — Que nós ....subamos.......................
8. sair — Que ela ....saia.................................
9. fazer — Que vocês ....faça..........................
10. pôr — Que ele.......ponha................................
11. ter — Que nós ....tenhamos......................
12. desistir — Que eles ..desistam.....................
13. vender — Que as senhoras ....
14. vir — Que nós ....venhamos.......................
15. ver — Que eles ....vean..........................
16. chover — Que ....chova............................

Emprego (1)

O subjuntivo é introduzido por verbos de: desejo, ordem, dúvida e sentimento.

a. Desejo - Ordem

Desejo que
Quero que
Proíbo que
Espero que
Exijo que
Prefiro que
Peço que
Tomara que
Oxalá
→ **eles venham**

b. Dúvida

Não estou certo que
Não tenho certeza que
Duvido que
Não acho que
Não penso que
Não acredito que
Talvez
→ **ele venha**

c. Sentimento

Estou contente que
Estou triste que
Receio que
Tenho medo que
Lamento que
Sinto que
Que pena que
É pena que
→ **chova**

A. Complete com o Presente do subjuntivo.

1. (andar) Quero que ele ______________ mais depressa.
2. (vender) Desejamos que vocês ______________ logo a casa.
3. (partir) Prefiro que eles ______________ sem dizer até-logo.
4. (fazer) Peço que vocês não ______________ barulho.
5. (trazer) O que o senhor quer que eu ______________?
6. (ter) Talvez vocês ______________ sorte.
7. (poder) Tomara que vocês ______________ vir no sábado.
8. (trazer) Duvido que estas cartas ______________ boas notícias.
9. (mudar) Não acho que eles ______________ de idéia.
10. (dizer) Não penso que ele sempre ______________ a verdade.
11. (gostar) Sinto que você não ______________ de meus amigos.
12. (poder) Lamento que eles não ______________ esperar.
13. (sair) Tenho medo que ele ______________ tarde.
14. (ter) Que pena que nós não ______________ tempo.
15. (acordar) Tenho medo que ele ______________ tarde.
16. (entrar) O diretor exige que nós ______________ na hora.
17. (repetir) Não acredito que eles ______________ o erro.
18. (vir) Espero que nossos amigos ______________ nos receber.
19. (desistir) Receio que a senhora ______________ de seus planos.
20. (lembrar-se) Duvido que ela ______________ do compromisso.

B. Complete com o Presente do subjuntivo.

Tenho medo que ele não diga a verdade.

1. (dizer) Duvido que ele ______________ a verdade.
2. (entender) Espero que vocês me ______________.
3. (sair) Espero que eles ______________ já.
4. (vir) Não queremos que vocês ______________ amanhã.
5. (fazer) Como você quer que a gente ______________ isto?
6. (encontrar) Tomara que eu as ______________ em casa.
7. (esperar) Peço-lhes que me ______________ até as 10 horas.
8. (ouvir) Sinto que você não me ______________
9. (descobrir) Talvez um dia nós ______________ o que aconteceu.
10. (comer/dormir) A mãe quer que o menino ______________ tudo e ______________ bem.

Atenção! Mudanças ortográficas.

ficar —	(eu fico)	que eu fique
chegar —	(eu chego)	que eu chegue
conseguir* —	(eu consigo)	que eu consiga
começar —	(eu começo)	que eu comece
esquecer —	(eu esqueço)	que eu esqueça
dirigir —	(eu dirijo)	que eu dirija

* conseguir - conjuga-se como vestir: eu visto, ele veste / eu consigo, ele consegue

A. Faça frases.

1. pagar a conta — *Ele quer que eu pague a conta do dentista.*
2. ficar em casa — Ele quer que ela fique em casa
3. começar o trabalho — Ele quer que nós comece
4. pegar o ônibus — Ele duvida que você pegue
5. verificar o óleo — Ele exige que o rapaz verifiquem
6. chegar às duas — Ele prefere que nós cheguemos
7. ficar contente — Ele prefere que vocês fiquem
8. dirigir devagar — Ele está pedindo que você dirija
9. alugar a casa — Ele receia que os proprietários alguem
10. esquecer o que aconteceu — Ele duvida que nós esqueçamos

B. Faça frases.

1. perder o trem — *Talvez ele perca o trem porque saiu de casa tarde.*
2. não falar comigo — Talvez não fale comigo
3. fazer barulho — Talvez faça barulho
4. ter azar — Talvez tenha azar
5. desistir da idéia — Tomara que desista da idéia
6. não chover hoje à noite — Tomara que não chova
7. dormir a noite toda — Tomara que durma
8. pôr o dinheiro no banco — Talvez ponha
9. não servir — Que pena que não sirva
10. ganhar pouco — Que pena que ganhe pouco

11. trabalhar o dia inteiro — Que pena que ....
12. não conhecer Susana — Que pena que ....
13. poder vir — Que bom que ....
14. ter amigos aqui — Que bom que ....
15. não gostar da gente — É pena que ....
16. ter idéias malucas — É pena que ....

C. É o primeiro dia de trabalho de sua nova secretária. Diga o que você quer que ela faça.

1. Eu quero que você ....
2. É importante que ....
3. Prefiro que ....
4. Todos nós aqui no escritório esperamos que ....
5. Não permito que ....

D. Você está conversando com um bom amigo seu. Você está lhe contando seus problemas no trabalho.

As coisas vão mal no escritório.
Duvido que meu chefe ....
Não acredito que ....
Talvez ....
Não estou certo que ....
Tomara que ....

— Talvez você precise mudar de emprego.

E. Um grande amigo seu vai mudar-se para outro país a trabalho. Você está triste com essa partida, mas, contente com o progresso profissional de seu amigo. Converse com ele e explique-lhe como você está se sentindo.

— É pena que lá não faça sol.

É pena que ....
Estou contente que ....
Tenho medo que ....
É bom que ....

Contexto — A sogra

Ele morava no Rio e era funcionário público estadual. Casado com uma mineira, levava uma vidinha quieta e sossegada.

Um dia, no entanto, algo aconteceu. Sua sogra precisava ir a Minas ver uma fazendinha que o marido tinha deixado. A fazenda, cujas terras estavam abandonadas, ficava no Triângulo Mineiro. Foram os três, de Volks, ele, a mulher e a sogra. Na fazenda, a velha teve uma síncope fulminante. Levaram-na correndo para Uberaba. Tinha morrido mesmo. Enterrar, onde? Ali? O sogro estava no túmulo da família, no Caju.

O jeito era voltar logo para o Rio, para fazer o enterro. Voltaram.

A sogra deitada no fundo do carro, coberta com uma mantilha de renda, a mulher chorando baixinho, entre o desconsolo e a compreensão, e ele, a noite inteira, firme no volante, comendo asfalto. Não parava para nada. Só uma vez, por causa da gasolina, mas arrancou logo. Lá atrás, balançando, o cadáver miúdo da velhinha.

Depois de Juiz de Fora, já madrugada, a fome apertou. No primeiro posto, saíram um instante para ir ao banheiro e comer sanduíche. A chave ficou no carro. Era um minuto só e a sogra estava ali, embora morta, vigilante. Quando voltaram, o pior tinha acontecido. O carro não estava onde ele o tinha deixado. Alguém o tinha levado. Polícia, amigos, anúncio em jornal. Tentaram tudo.

Até hoje, nem carro, nem sogra.

(Adaptado de "A sogra" - Sebastião Nery - Folha de São Paulo - 2/12/79)

Compreensão

A. Escolha a alternativa correta.

1. Na fazenda, a velha teve uma síncope fulminante. Levaram-na correndo para Uberaba. Tinha morrido mesmo.

- [ ] a. A sogra morreu em Uberaba.
- [ ] b. A sogra foi correndo para Uberaba.
- [ ] c. A sogra morreu na fazenda.
- [ ] d. A sogra morreu a caminho de Uberaba.

2. Depois de Juiz de Fora, já de madrugada, a fome apertou. No primeiro posto, saíram um instante para ir ao banheiro e comer sanduíche.

☐ a. Pararam no primeiro posto que encontraram depois que saíram de Uberaba.
☐ b. Pararam porque já era madrugada.
☐ c. Eles tinham jantado em Juiz de Fora.
☐ d. Este foi o primeiro posto em que pararam depois de Juiz de Fora.

B. Responda.

1. O que você sabe sobre a sogra e toda a sua família?
2. O que você sabe sobre a fazendinha da família?
3. O que aconteceu com o carro e o cadáver da sogra? Invente outro final para a história.

Modo indicativo — Mais-que-perfeito (forma simples)

O carro não estava onde ele o *tinha deixado*.

O carro não estava onde ele o *deixara*.

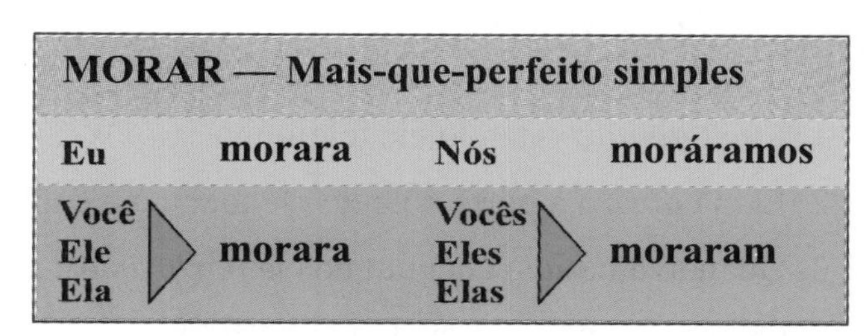

MORAR — Mais-que-perfeito simples			
Eu	morara	Nós	moráramos
Você / Ele / Ela	morara	Vocês / Eles / Elas	moraram

VENDER — Mais-que-perfeito simples			
Eu	vendera	Nós	vendêramos
Você / Ele / Ela	vendera	Vocês / Eles / Elas	venderam

ABRIR — Mais-que-perfeito simples			
Eu	abrira	Nós	abríramos
Você / Ele / Ela	abrira	Vocês / Eles / Elas	abriram

Formação

PARE
12-5

O mais-que-perfeito é formado a partir da **3ª pessoa do plural do perfeito**.
Ex. Eles moraram - eu morara.

A forma simples do mais-que-perfeito é muito pouco usada oralmente. Seu uso se restringe, quase exclusivamente, a textos escritos, mas, neles, é corrente.

Perfeito			
Eles	pagaram	Eles	tiveram
Eles	venderam	Eles	foram (ir)
Eles	insistiram	Eles	trouxeram
Eles	foram (ser)	Eles	puseram
Eles	estiveram	Eles	fizeram

Mais-que-perfeito			
Eu	pagara	Eu	tivera
Eu	vendera	Eu	fora (ir)
Eu	insistira	Eu	trouxera
Eu	fora (ser)	Eu	pusera
Eu	estivera	Eu	fizera

A. Dê o Mais-que-perfeito, forma simples.

1. almoçar (eles almoçaram) — Eu ...almoçara...
2. cuidar (eles cuidaram) — Você ...Cuidara...
3. correr ...eles correram... — Nós ...corrêramos...
4. perceber ...percebera... — Eles ...perceberam...
5. insistir ...insistira... — Vocês ...insistiram...
6. desistir ...desistira... — Nós ...desistíramos...
7. saber ...sabera... — Eu ...sabera...
8. dar ...dara... — Ela ...dara...
9. ver ...vera... — Nós ...vêramos...
10. vir ...vira... — Ela ...vira...

B. Passe o Mais-que-perfeito forma simples, para a forma composta.

1. Eu já *jantara* quando ele telefonou. ...tinha jantado...
2. Ela já *abrira* a porta quando ele tocou a campainha. ...tinha abrido...
3. Quando a notícia chegou, nós já *partíramos*. ...tínhamos partido...
4. Quando eu nasci, meu avô já *morrera*. ...tinha morrido...
5. O ladrão ainda não *fora* embora, quando a polícia chegou. ...tinha ido...
6. Quando o elevador chegou, ela ainda não se *despedira* da amiga. ...tinha desperdida...
7. Eu estava nervoso porque nada *dera* certo. ...tinha...
8. Nós estávamos preocupados porque ele ainda não *telefonara*. ...tinha telefonado...
9. Ele estava contente porque *encontrara* Mariana. ...tinha encontrado...
10. Eles estavam com fome porque não *comeram* nada. ...tinham comido...

Pronomes relativos

Os pronomes relativos podem ser variáveis e invariáveis.

I. Pronomes relativos invariáveis: **que, quem, onde.**

Una as frases empregando o pronome relativo **que**.

1. Você nos deu livros. Lemos os livros. ....
2. A revista é cara. Eu comprei a *revista*. A revista que eu ....
3. A *moça* trabalha no posto. Gosto dela. Gosto da moça ....
4. Ele não recebeu a carta. Eu lhe escrevi a *carta*. Ele não recebeu a carta que eu ....
5. O relógio era de seu pai. Ele perdeu o *relógio*. O relógio que ele ....
6. O carro era velho. Eles venderam o *carro. O carro que eles* ....
7. Os papéis são importantes. Nós temos *estes papéis.* ....
8. As *crianças* vieram aqui. Elas fizeram muito barulho ....
9. A fazenda é muito grande. Ele herdou *a fazenda.* ....
10. Não conheço o rapaz. Ela ama *este rapaz.* ....
11. Temos muitos parentes. Nem conhecemos os *parentes.*
....
12. Vimos o filme. Você tinha recomendado o *filme.*
....
13. Temos um novo vizinho. *Ele* veio dos E.U.A.
....
14. Os *rapazes* trabalham nesta firma. Eles são estrangeiros.
....
15. Recebemos muitas cartas. *Elas* vêm do exterior.
....
16. Eu plantei *esta árvore*. Ela cresceu depressa. ....

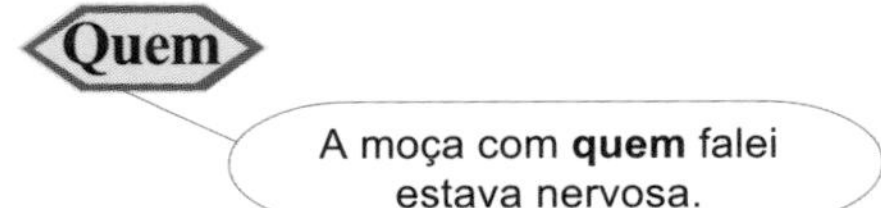

Refere-se a pessoa e vem sempre precedido de preposição: de, com, por, para, contra, a etc.

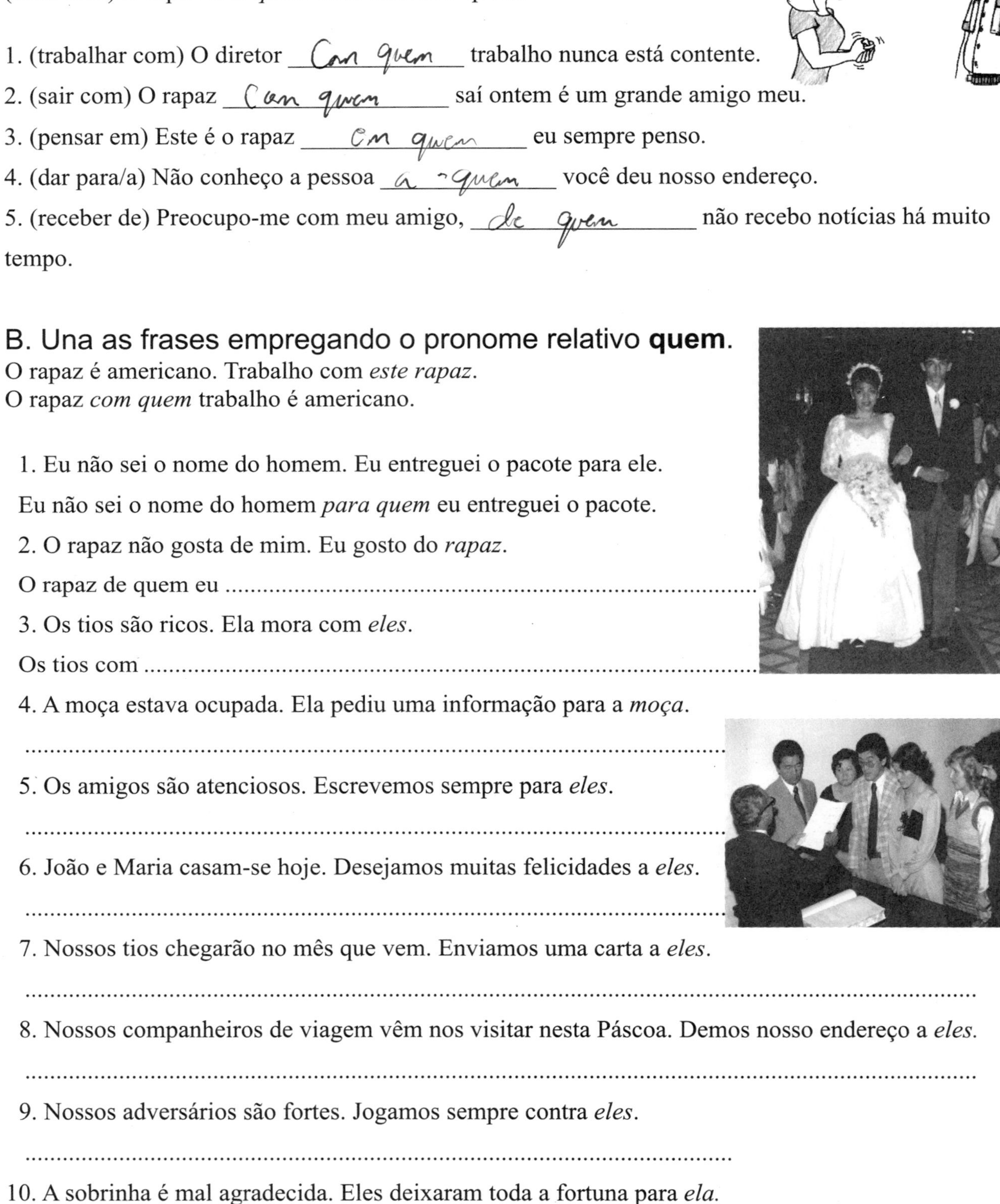

A. Complete com a preposição + **quem**.

(falar com) O rapaz *com quem* falei estava ocupado.

1. (trabalhar com) O diretor Com quem trabalho nunca está contente.
2. (sair com) O rapaz Com quem saí ontem é um grande amigo meu.
3. (pensar em) Este é o rapaz em quem eu sempre penso.
4. (dar para/a) Não conheço a pessoa a quem você deu nosso endereço.
5. (receber de) Preocupo-me com meu amigo, de quem não recebo notícias há muito tempo.

B. Una as frases empregando o pronome relativo **quem**.

O rapaz é americano. Trabalho com *este rapaz*.
O rapaz *com quem* trabalho é americano.

1. Eu não sei o nome do homem. Eu entreguei o pacote para ele.
   Eu não sei o nome do homem *para quem* eu entreguei o pacote.
2. O rapaz não gosta de mim. Eu gosto do *rapaz*.
   O rapaz de quem eu ....
3. Os tios são ricos. Ela mora com *eles*.
   Os tios com ....
4. A moça estava ocupada. Ela pediu uma informação para a *moça*.
   ....
5. Os amigos são atenciosos. Escrevemos sempre para *eles*.
   ....
6. João e Maria casam-se hoje. Desejamos muitas felicidades a *eles*.
   ....
7. Nossos tios chegarão no mês que vem. Enviamos uma carta a *eles*.
   ....
8. Nossos companheiros de viagem vêm nos visitar nesta Páscoa. Demos nosso endereço a *eles*.
   ....
9. Nossos adversários são fortes. Jogamos sempre contra *eles*.
   ....
10. A sobrinha é mal agradecida. Eles deixaram toda a fortuna para *ela*.

....

11. A moça é advogada. Ele se casou com *ela*.

....

12. A sogra nunca está contente. Ele faz tudo para *ela*. ....

13. Pedro é nosso vizinho. Meu filho sempre brinca com *ele*. ....

14. O jornaleiro é muito engraçado. Eu converso sempre com *ele*.

....

15. A telefonista estava nervosa. Falei com *ela* hoje de manhã.

....

O hotel **onde** vou me hospedar fica longe do centro.

Una as frases com o pronome relativo **onde**.

A casa é velha. Vou morar *na casa*. A casa *onde* vou morar é velha.

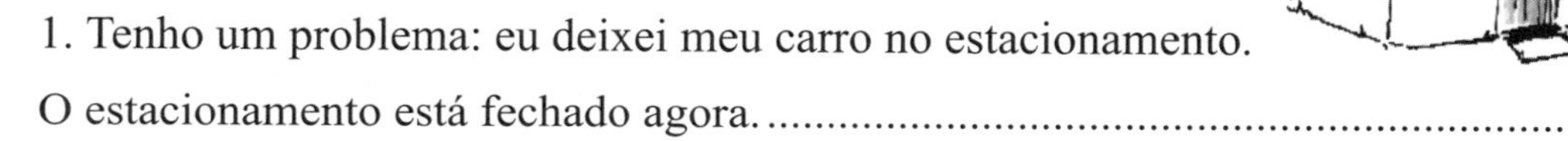

1. Tenho um problema: eu deixei meu carro no estacionamento. O estacionamento está fechado agora. ....
2. A firma é muito grande. Eu trabalho na firma.

....

3. A rua é estreita e escura. Ela mora nessa rua.

....

4. Que chato! Perdi minha bolsa no cinema. O cinema fica do outro lado da cidade.

....

5. Que bom! A cidade é calma. Moramos nesta cidade.

....

6. O escritório é grande e claro. Trabalho nesse escritório.

....

7. A fábrica era moderna. O incêndio começou nessa fábrica.

....

8. O hotel fica nas montanhas. Nós sempre passamos as férias de julho nesse hotel.

....

9. O livro estava no velho armário da sala. O documento foi achado no livro.

....

10. O colégio é muito antigo. Estudei nesse colégio.

....

11. Ele ainda se lembra do lugar. Ele conheceu sua esposa nesse lugar.

....

12. Eu já arrumei a sala. Vai haver uma reunião nessa sala.

....

13. Ela pôs as caixas no armário. Eu guardei todas as fotografias nas caixas.

....

14. Ele quer abrir um restaurante no bairro. Nesse bairro há muitas lojas finas.

....

15. A Prefeitura demoliu o prédio. Ele morava no prédio.

....

PARE 12-9

II. Pronomes relativos variáveis.

o qual a qual	os quais as quais	cujo cuja	cujos cujas

Os pronomes relativos invariáveis: **que, quem, onde** podem ser substituídos por **o qual, a qual, os quais, as quais.**

Os contratos	que os quais	ele assinou são importantes.
A pessoa	com quem com a qual	falei deu-me a informação.
O prédio	onde em que no qual	eu moro tem 6 andares.

A. Substitua. **que, quem, onde,** por **o qual, a qual, os quais, as quais.**

O livro *de que* falo recebeu um prêmio. O livro *do qual* falo recebeu um prêmio.

1. A estrada por que passei estava deserta. ....

2. O problema em que penso noite e dia não tem solução.

....

3. Esperamos a resposta de que depende o futuro da firma.

....

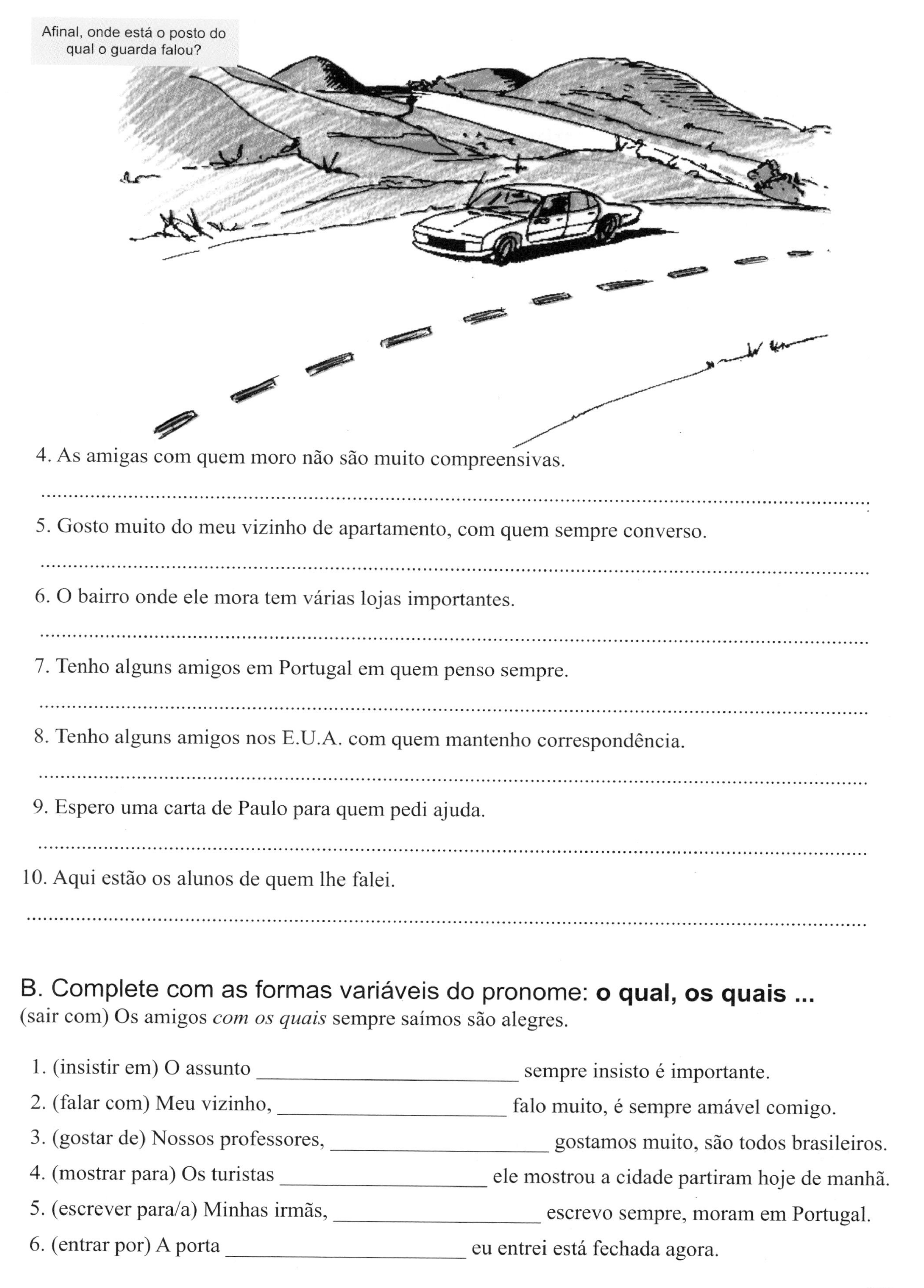

4. As amigas com quem moro não são muito compreensivas.

....

5. Gosto muito do meu vizinho de apartamento, com quem sempre converso.

....

6. O bairro onde ele mora tem várias lojas importantes.

....

7. Tenho alguns amigos em Portugal em quem penso sempre.

....

8. Tenho alguns amigos nos E.U.A. com quem mantenho correspondência.

....

9. Espero uma carta de Paulo para quem pedi ajuda.

....

10. Aqui estão os alunos de quem lhe falei.

....

B. Complete com as formas variáveis do pronome: **o qual, os quais ...**

(sair com) Os amigos *com os quais* sempre saímos são alegres.

1. (insistir em) O assunto ______________________ sempre insisto é importante.
2. (falar com) Meu vizinho, ____________________ falo muito, é sempre amável comigo.
3. (gostar de) Nossos professores, __________________ gostamos muito, são todos brasileiros.
4. (mostrar para) Os turistas __________________ ele mostrou a cidade partiram hoje de manhã.
5. (escrever para/a) Minhas irmãs, __________________ escrevo sempre, moram em Portugal.
6. (entrar por) A porta ____________________ eu entrei está fechada agora.

Cujo, cuja, cujos, cujas indicam posse.

A fazenda, **cujas** terras estavam abandonadas, ficava no Triângulo Mineiro.

cujo dono vive na Europa
cuja dona está na Europa
cujos quartos estão vazios
cujas janelas você vê daqui

está abandonada.

A. Complete.

João, *cuja casa é grande*, tem muitos filhos.

Mas este livro está todo rasgado!

1. O livro, cujas ______________________, é muito antigo.
2. Não posso assinar os contratos cujas ______________________.
3. Não paguem as contas cujo ______________________________.
4. O turista, cujo ________________________, teve problemas no aeroporto.
5. Minha vizinha, cujos ____________________________, está muito preocupada.
6. O advogado, cuja ______________________________, ajudou-nos muito.

B. Una as frases empregando os pronomes relativos **cujo, cuja ...**

A loja está sempre cheia. *Os preços da loja* são muito bons.
A loja *cujos* preços são muito bons está sempre cheia.

1. O carro estava estacionado ali há vários dias. A placa do carro era de Porto Alegre.

   ....

2. O prédio ficava na rua principal. Os moradores do prédio reclamavam do barulho.

   ....

3. O aluno saiu mais cedo. Os livros do aluno ficaram na classe.

   ....

4. Esta sala é a melhor do edifício. As janelas da sala são grandes.

   ....

5. Meu amigo mudou-se para o Rio de Janeiro. A esposa de meu amigo é carioca.

   ....

6. A orquestra não se apresentou ontem. O maestro ficou doente.

   ....

Intervalo

Trem das Onze

Adoniran Barbosa

Não posso ficar
Nem mais um minuto com você
Sinto muito, amor,
Mas não pode ser
Moro em Jaçanã
Se eu perder esse trem
Que sai agora às onze horas
Só amanhã de manhã

Não posso ficar ...

E além disso, mulher,
Tem outras coisas
Minha mãe não dorme
Enquanto eu não chegar
Sou filho único
Tenho minha casa pra olhar

Eu não posso ficar ...

A. Ouça a fita.

B. Use sua imaginação.

1. Descreva o rapaz. ....
....

2. Como é sua mãe? ....
....

3. Que idéia você faz do bairro em que ele mora? Justifique. ....
....

C. Explique.

1. Só amanhã de manhã. ....
....

2. Tenho minha casa pra olhar. ....
....

D. Ouça a fita novamente e cante junto.

Texto narrativo
Pedras Preciosas Brasileiras (2)

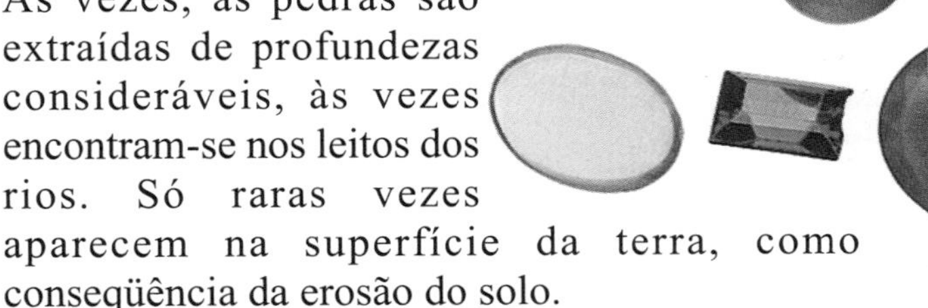

No Brasil há, praticamente, todas as classes de pedras e metais preciosos: ouro, prata, platina, águas-marinhas, ametistas, esmeraldas, topázios, turmalinas.
Às vezes, as pedras são extraídas de profundezas consideráveis, às vezes encontram-se nos leitos dos rios. Só raras vezes aparecem na superfície da terra, como conseqüência da erosão do solo.
Estas riquezas representaram, durante muito tempo, papel importante na história do país. Grupos de homens corajosos - os bandeirantes - formaram expedições famosas, as "bandeiras", que saíam em busca de ouro e de pedras preciosas. Os bandeirantes, com suas expedições, aumentaram o território do Brasil, fundaram cidades e colonizaram o interior do país.

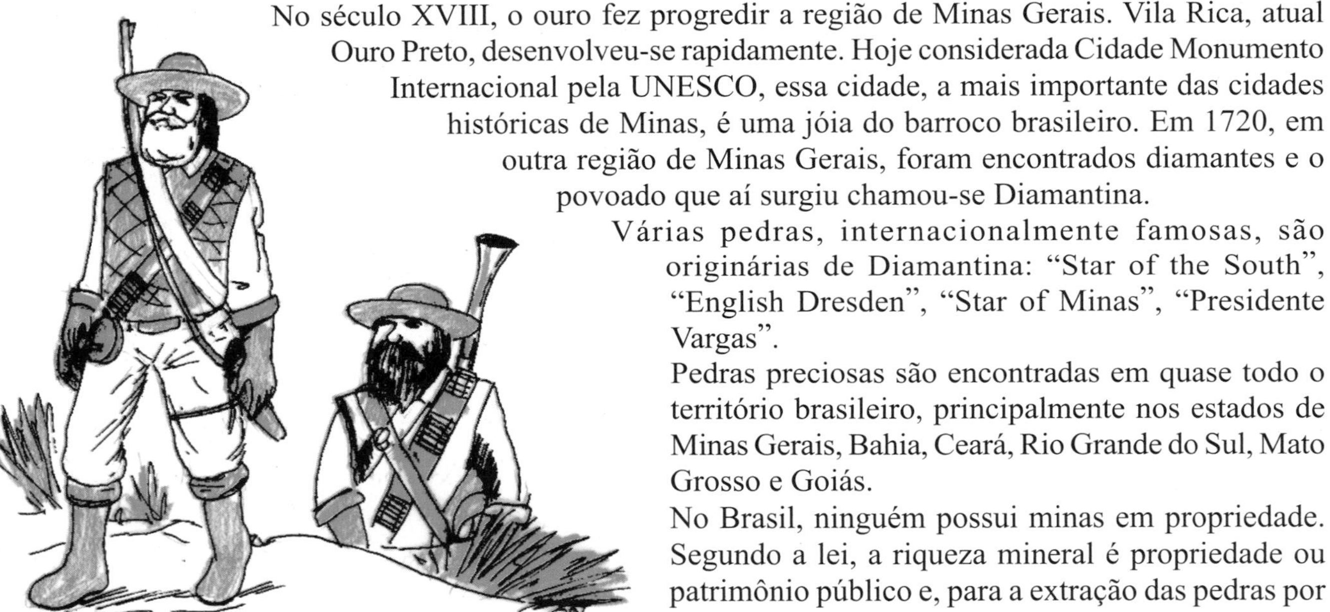

No século XVIII, o ouro fez progredir a região de Minas Gerais. Vila Rica, atual Ouro Preto, desenvolveu-se rapidamente. Hoje considerada Cidade Monumento Internacional pela UNESCO, essa cidade, a mais importante das cidades históricas de Minas, é uma jóia do barroco brasileiro. Em 1720, em outra região de Minas Gerais, foram encontrados diamantes e o povoado que aí surgiu chamou-se Diamantina.
Várias pedras, internacionalmente famosas, são originárias de Diamantina: "Star of the South", "English Dresden", "Star of Minas", "Presidente Vargas".
Pedras preciosas são encontradas em quase todo o território brasileiro, principalmente nos estados de Minas Gerais, Bahia, Ceará, Rio Grande do Sul, Mato Grosso e Goiás.
No Brasil, ninguém possui minas em propriedade. Segundo a lei, a riqueza mineral é propriedade ou patrimônio público e, para a extração das pedras por empresas particulares, o governo outorga licenças.

Responda.

1. No solo do Brasil há grande variedade de metais e pedras preciosas. Cite alguns tipos.
2. O ouro e as pedras preciosas estão ligados à expansão do território brasileiro e à sua colonização. Explique.
3. Conte tudo o que você sabe sobre os bandeirantes. (Você se lembra de Fernão Dias?)
4. O que você sabe sobre as cidades históricas de Minas? Você sabe algo sobre o herói Tiradentes?
5. A quem pertencem as riquezas minerais do Brasil? O que é preciso para explorá-las?
6. Seu país tem riquezas minerais? Se tem, como se faz sua exploração?
7. Você gosta das pedras brasileiras? Fale um pouco sobre o assunto. (suas preferências, o valor delas em seu país etc.)

UNIDADE 13

Fim de semana perdido.

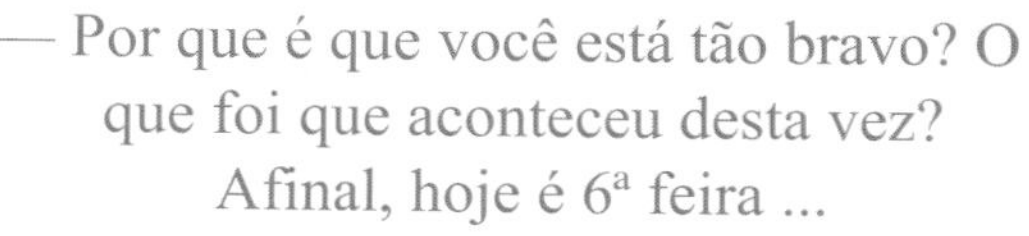

— Por que é que você está tão bravo? O que foi que aconteceu desta vez? Afinal, hoje é 6ª feira ...

— Por isso mesmo. Não há fim de semana sem chuva. É sempre a mesma coisa: uma beleza durante a semana, mas fim de semana ... chuva, neblina, garoa, frio ... Olhe pela janela!

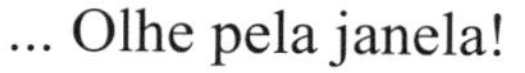

— Eu sei. Mas o que é que se vai fazer? Para que a gente aproveite bem o fim de semana, é necessário que haja alternativas: um cineminha, teatro, um bate-papo com amigos num barzinho.

— Não adianta. Fim de semana tem que ser com sol, praia, piscina, churrasco ao ar livre ...

— Acho que então não tem jeito.

— Não tem jeito mesmo. Mais um fim de semana perdido. Que absurdo!

Modo subjuntivo — Presente

PARE 13-1

Há 7 verbos de conjugação irregular no Presente do subjuntivo.

— Duvido que ele *seja* um bom funcionário.

ser

— Ela quer que nós *estejamos* aqui às 8.

estar

— Receio que não *haja* lugar para todo mundo.

haver

— Peço-lhe que não *dê* gorjetas.

— Peço-lhes que não *dêem* gorjetas.

dar

— Espero que você *saiba* o que está fazendo.

saber

— Ele duvida que eu vá lá.

ir

— Talvez ele *queira* ficar aqui.

querer

PARE 13-2

Emprego (2)

Embora não nos vejamos muito, somos boas amigas.

É possível que a reunião seja às 10 horas.

Vou chegar mais cedo ***para que*** possamos ir ao cinema.

É melhor que ele chegue cedo.

Preciso de ***alguém que*** me compreenda.

Vamos embora ***antes que*** comece a chover.

O subjuntivo é introduzido por expressões impessoais, por certas conjunções e palavras indefinidas mais pronome relativo.

a. Expressões impessoais

É possível que
É impossível que
É provável que
É aconselhável que
É importante que
ele vá

É necessário que
É melhor que
É difícil que
Convém que
Basta que
ele vá

b. Conjunções

Estas conjunções introduzem sempre o presente ou imperfeito* do subjuntivo.

para que = a fim de que	**caso**
embora	**sem que**
contanto que = desde que	**até que**
a não ser que	**antes que**
mesmo que	

* O imperfeito do subjuntivo será estudado na Unidade 14.

— Ela fala devagar para que (a fim de que) todos a entendam.
— Embora seja rico, ele trabalha muito.
— Vou ajudar você contanto que (desde que) você me ajude depois.
— Vamos à praia a não ser que você queira ficar em casa.
— Não vamos desistir da idéia, mesmo que isto nos dê muito trabalho.
— Telefone para mim caso você não possa vir.
— Não vou assinar o contrato sem que eu saiba o que está escrito.
— Vamos esperar até que ele vá embora.
— Faça alguma coisa antes que seja tarde demais.

Embora tenha muito dinheiro, vive morrendo de trabalhar.

c. Palavra indefinida + pronome relativo

Estou procurando uma secretária que

possa viajar.
saiba inglês.
queira trabalhar no sábado.
seja simpática.
tenha 5 anos de experiência.

A. Complete as frases.

(ter cuidado) É melhor que você *tenha cuidado.*

1. (dar uma explicação) É melhor que você me ....
2. (ouvir com atenção) É melhor que eles me ....
3. (ir embora) É provável que ele ....
4. (saber a resposta) É provável que vocês ....
5. (ser paciente) É aconselhável que nós ....
6. (estar aqui bem cedo) É aconselhável que amanhã você ....
7. (pagar à vista) É necessário que vocês ....
8. (saber a verdade) É importante que todo mundo ....
9. (haver outra chance como esta) É difícil que ....
10. (ter bons amigos) Para que você seja feliz, basta que você ....
11. (ler as instruções) Basta que você .... para fazer um bom trabalho.
12. (dizer tudo o que sabe) Para que você não tenha problemas, convém que ....

B. Complete as frases.

1. (ouvir) Falo alto para que todo mundo me ....
2. (ver) Faço gestos para que todo mundo me ....
3. (saber) Não faça nada sem que eu ....
4. (vir) Você terá um bom lugar desde que .... cedo.
5. (haver) Vamos esperar até que .... alguém para nos atender.
6. (preferir) Embora eu .... a blusa amarela, vou levar a azul.
7. (querer) Telefone-me caso você .... mais informações.
8. (vestir) Mesmo que eu me .... depressa, chegaremos tarde.
9. (compreender) Repito a explicação a fim de que os alunos me ....

10. (ajudar) Vou terminar o trabalho mesmo que ninguém me ....
11. (ficar) Vou abrir o guarda-chuva antes que eu .... todo molhado.
12. (querer) Vou servir-lhes chá, a não ser que vocês .... café.
13. (ser) Podemos comprar a casa a não ser que .... cara demais.
14. (gostar) Vou conversar com eles embora eu não .... deles.
15. (fazer) Ele concorda em trabalhar conosco contanto que nós .... o que ele quer.

Vou abrir o guarda-chuva antes que eu fique todo molhado.

C. Faça frases.

Vou cortar esta árvore

embora	tenhamos mais luz na sala.
para que	você permita.
mesmo que	ela cresça demais.
caso	seja fácil.
a fim de que	você não queira.
contanto que	ela me dê sombra.
antes que	ele me pague pelo serviço.
desde que	vocês protestem.
sem que	chegue o inverno.
a não ser que	seja muito difícil.

D. Eu estou enganado? Impossível! É impossível **que eu esteja enganado.**

1. Eu estou errada? Impossível! ....
2. Ele precisa saber a verdade! É melhor. ....
3. Você sabe meu nome? É provável que não. ....
4. Eu vou embora agora. É necessário. ....
5. Ela quer mesmo trabalhar? Basta isso. ....
6. Ele deve pedir recibo. Convém que ele faça isso. ....
7. Há erros em nosso trabalho? É bem possível. ....
8. Ela precisa estar aqui às 10. Convém que ela faça isto. ....
9. Por favor, dê uma olhada em meu trabalho. Basta isso. ....
10. Ele precisa ler o regulamento de novo. É melhor que ele faça isso. ....

....

E. Você está conversando com um corretor de imóveis. Você está explicando a ele o tipo de casa que você quer comprar. Fale sobre o bairro, as distâncias, sobre a casa em si.

Eu quero uma casa grande, *embora* minha família seja pequena.
É importante que **a sala seja bem grande.**

É bom que tenha portos grandes

Basta que ....

Mesmo que ....

Para que ....

A não ser que ....

F. (ajudar) Eu vou achar alguém que me **ajude**.

1. (ser) Eu vou comprar um livro que ______________ interessante.
2. (haver) Vamos à praia num domingo em que ______________ sol.
3. (saber) Eu não conheço ninguém que ______________ falar bem dez línguas.
4. (explicar) O aluno precisa de um professor que lhe ______________ o uso dos verbos.
5. (estar) Só vou contratar um funcionário cujos documentos ______________ em ordem.
6. (querer) Estou procurando uma amiga que ______________ ir comigo à exposição.

G. Complete livremente.

a. Com quem você quer casar?
Estou procurando *alguém que goste de mim.*
Estou procurando *alguém com quem eu* esté feliz
Quero encontrar uma pessoa que seja inteligente
....

b. Que livro você quer ler?
Eu quero ler um livro que seja interesate
....

c. Fale sobre a casa ou apartamento de seus sonhos.
Eu quero morar numa casa que tenha pizinha
....

d. Descreva o que você considera um emprego ideal.
Eu preciso de um emprego em que eu pague muito dinheiro
....

Por que é que ... Por que ... ?

Por que é que **você está tão bravo?**

Por que você está tão bravo?

O que é que ... O que ...?

O que é que **você quer?**

O que você quer?

A. Diga de outra forma.

1. O que é que você está vendo?	1. O que você está vendo ?
2. Do que é que você está falando?	2. O que você está falando ?
3. Por que é que você está aqui?	3. Porque você esta aqui ?
4. Onde é que você trabalha?	4. onde você trabalha ?
5. Quem foi que você viu?*	5. .... ?
6. O que foi que você fez?	6. .... ?
7. Quando foi que aconteceu?	7. .... ?

* Com o verbo no *perfeito*, as duas formas são usadas.

Quem *foi* que você viu?

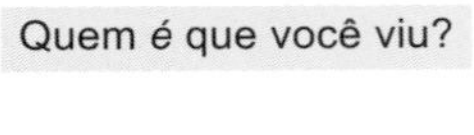

Eu vi a faxineira limpando a sala.

Eu vi as crianças saindo da escola.

B. Diga de outra forma.

1. Onde você mora?	1. Onde é que você mora ?
2. Quanto você quer ganhar?	2. Quanto é que você quer ganhar ?
3. Para quem você trabalha?	3. .... ?
4. Por que você está brava?	4. .... ?
5. Quem chegou?	5. .... ?
6. Quem disse isso?	6. .... ?
7. O que você disse?	7. .... ?
8. Quando ele vai começar?	8. .... ?
9. Até quando vou esperar?	9. .... ?
10. Quando você vem?	10. .... ?
11. Quanto você deu?	11. .... ?
12. Quando ela nasceu?	12. .... ?
13. Onde você vai?	13. .... ?
14. Onde você foi?	14. .... ?
15. O que você pediu?	15. .... ?

Contexto

A outra noite

Outro dia fui a São Paulo e resolvi voltar à noite, uma noite de vento sul e chuva, tanto lá como aqui. Quando vinha para casa de táxi, encontrei um amigo e o trouxe até Copacabana, e contei a ele que lá em cima, além das nuvens, estava um luar lindo, de lua cheia; e que as nuvens feias que cobriam a cidade eram vistas de cima, enluaradas, colchões de sonho, alvas, uma paisagem irreal. Depois que o meu amigo desceu do carro, o chofer aproveitou um sinal fechado para voltar-se para mim:

— O senhor vai desculpar, eu estava aqui a ouvir sua conversa. Mas, tem mesmo luar lá em cima?

Confirmei:

— Sim, acima da nossa noite preta, enlamaçada e torpe havia uma outra — pura, perfeita e linda.

— Mas que coisa ...

Ele chegou a pôr a cabeça fora do carro para

olhar o céu fechado de chuva. Depois continuou guiando mais lentamente. Não sei se sonhava em ser aviador ou pensava em outra coisa.
— Ora, sim senhor ...
E, quando saltei e paguei a corrida, ele me disse uma boa noite e um "muito obrigado ao senhor", tão sinceros, tão veementes, como se eu lhe tivesse feito um presente de rei.

Rubem Braga

A. Responda.

1. O autor escreveu esta crônica no Rio ou em São Paulo?
2. Ele escreveu a crônica em casa?
3. "...Tanto lá como aqui". Lá se refere a que cidade? E aqui?

B. Certo ou errado?

	c	e
1. Estava chovendo no Rio.		
2. Em São Paulo, o tempo também estava feio.		
3. Em Copacabana, apesar da chuva, havia luar.		
4. O autor convidou o amigo a entrar no táxi.		
5. A cidade, vista de cima, estava linda.		
6. A paisagem parecia irreal porque o autor estava sonhando.		
7. O chofer conversou com os dois passageiros.		
8. Quando o sinal fechou, o amigo desceu do carro.		
9. Quando o chofer começou a conversar, o carro estava parado.		
10. A conversa deixou o motorista mais feliz.		

C. Leia o texto novamente e continue a explicação.

O autor disse que havia dois mundos bem diferentes: o mundo acima das nuvens e o outro, a cidade, abaixo delas.

O mundo acima ...

D. Explique.

1. noite preta ....
2. noite enlamaçada ....
3. luar ....
4. nuvens enluaradas ....
5. paisagem irreal ....
6. sinal fechado ....
7. céu fechado ....
8. a corrida de táxi ....

E. Dê sinônimos.

1. nuvens *alvas* ....
2. sinal *fechado* ....
3. *voltar-se* ....
4. tem *mesmo* luar ...? ....
5. continuou *guiando* ....
6. *lentamente* ....
7. *saltei* do carro ....

Saltei do carro.

Advérbios em: -mente.

Formação

adj. masc.	*adj. fem.* + mente	= advérbio
lento	lenta	lentamente
longo	longa	longamente
silencioso	silenciosa	silenciosamente
feliz	feliz	felizmente

A. Aqui estão alguns adjetivos. Dê os advérbios em **-mente**.

1. largo — largamente
2. rápido — rápidamente
3. correto — corretamente
4. calmo — calmamente
5. fácil — fácilmente
6. breve — brevemente
7. difícil — difícilmente

B. Substitua pelos advérbios em **-mente**.

1. com interesse — ....
2. com atenção — ....
3. com força — ....
4. com brutalidade — ....
5. com economia — ....
6. com preguiça — ....
7. com honestidade — ....
8. com paciência — ....
9. com facilidade — ....
10. com delicadeza — ....
11. com violência — ....
12. com cuidado — ....
13. com pressa — ....

C. Relacione os antônimos.

sem querer	secretamente
com naturalidade	totalmente
por obrigação	espontaneamente
às claras	sofisticadamente
em parte, parcialmente	de propósito

D. Relacione os sinônimos.

por acaso	manualmente
de imediato	de propósito
intencionalmente	casualmente
de repente	prontamente
a mão	subitamente

E. Faça frases.

(anualmente) ....
(mensalmente) ....
(quinzenalmente) ....
(semanalmente) ....
(diariamente) ....
(semestralmente) ....

PARE 13-5

Outros advérbios.

Como ele fala?

Ele fala	bem
	mal
	demais
	muito
	bastante
	pouco
	alto
	baixo
	rápido

A. Complete com os advérbios: **bem, mal, alto, baixo, muito, pouco, bastante.**

Ele está magro. Eu acho que não come bem.

1. Fique quieto! Você fala ....
2. Ele está magro. Ele come muito ....
3. Ele não entende o que a gente diz. Ele ouve muito ....
4. Agora chega! Você já trabalhou ....
5. Estamos preocupados. Ela está no hospital e está muito ....
6. Não consigo ouvi-lo. Fale um pouco mais ....
7. Não precisa gritar. Eu ouço muito ....
8. Fale mais ...., por favor. Você está gritando.
9. Coitada! Ela ganha muito ...., embora trabalhe ....

Ele come bastante.

Fale mais baixo, por favor. Você está gritando

B. **Bom** ou **bem**? **Mau** ou **mal**?

1. Ele é meu cantor preferido. Ele é um _____ cantor. Um ______ cantor sempre canta _______.
2. Ninguém gosta da comida que ela faz. Uma __________ cozinheira sempre cozinha _______.
3. Que bom! Ela vai ser promovida. Ela é uma ________ funcionária e sempre trabalha________.
4. Não gosto deste professor. Ele ensina muito ___________. Ele é um _____________ professor.

Quando vi Paulo com Maria, *morri de raiva.*

Intervalo

Expressões

morrer de

raiva - Quando vi Paulo com Maria, *morri de raiva.*
frio - Feche a janela. Estou *morrendo de frio.*
calor - Abra a janela. Estou *morrendo de calor.*
medo - Estou *morrendo de medo* do exame.
fome - O jantar está pronto? Estou *morrendo de fome.*
sede - Vamos tomar um refrigerante? Estou *morrendo de sede.*
vontade - Que calor ! Estou *morrendo de vontade* de tomar um sorvete.
inveja - *Morri de inveja* quando vi o brilhante que ela comprou.
dor de cabeça, de dente etc. - Não posso sair hoje. Estou *morrendo de dor de* cabeça.
rir - Ele *morreu de rir* quando lhe contei a piada.

fazer

frio, calor, sol	compras	um pagamento	seguro	as unhas, a barba
uma viagem	um exame	um discurso	anos, aniversário	a cama
um favor	um cheque	erros	as malas	o jantar
um negócio				

Fazer questão de	—	Faço questão de que vocês venham jantar comigo.
Fazer bem, mal a alguém	—	Café me faz mal. O ar das montanhas vai lhe fazer bem.
Fazer de conta	—	Ele fez de conta que não me viu.

O dia da viagem

Conte como foi o dia daquela viagem. Use, da lista acima, o maior número de expressões possível.

Comece assim: Eu ia fazer uma grande viagem.
Finalmente chegou o dia!
Tinha feito sol no dia anterior, mas agora estava fazendo frio!

Eu me levantei cedo ....

....

....

Texto narrativo

Tietê — O rio que foge do mar

O Tietê nasce regato, nasce doce e limpo, morre sujo na metrópole e revive depois, nas próprias águas. O rio Tietê é um rio inteiramente paulista. Nasce em Salesópolis, na Serra do Mar, cruza todo o estado de São Paulo e deságua no rio Paraná, no limite com o Mato Grosso do Sul. Quem sai de São Paulo leva pouco mais de duas horas para chegar ao local da nascente, numa antiga fazenda da região, a 18 quilômetros do centro urbano de Salesópolis. Ali, uma placa de bronze, cravada próxima a um filete de água, apresenta esta inscrição: "Aqui nasce o Tietê. Sociedade Geográfica Brasileira. 1554-1954, São Paulo."

Desse filete até o rio Paraná, onde deságua, o Tietê percorre cerca de 1.100 quilômetros.

Ao nascer entre duas pedras, tem uma vazão de apenas 700 litros de água por hora. Aos poucos vai ficando volumoso, à medida que recebe a adesão de uns 30 pequenos afluentes.

Em São Paulo, no início do século XX, o rio Tietê era um lugar onde mulheres lavavam roupas, onde se realizavam regatas e grandes pescarias. Bem antes disso, ele foi o rio dos Bandeirantes, que o percorriam em busca do ouro, fundando novos povoamentos. Para eles, era a via de acesso às minas de ouro em Mato Grosso, nos idos de 1720. Em sua marcha, os bandeirantes usavam canoas, escavadas em um único tronco de peroba, que mediam 17 metros de comprimento, por quase 2 metros de largura e que podiam transportar até 60 toneladas de carga. Eles venciam os obstáculos a pé, carregando as canoas e voltavam a colocá-las na água, quando a navegação de novo se tornava possível. Em 1628, o bandeirante Antônio Raposo Tavares partiu em direção ao sul, em expedição às missões espanholas de Guaíra. O rio se chamava, então, Anhembi.

O poeta Mário de Andrade assim o definiu:

"Rio que entras pela terra
E que me afastas do mar ..."

Esse rio "ao contrário", que não corre para o mar, como a maioria dos rios brasileiros, foi durante muito tempo a única estrada para o interior. Apesar dos acidentes geográficos que impediam sua travessia em vários pontos, a viagem por ele era ainda a mais rápida.

O Tietê desliza tranqüilo e belo, em direção a Moji das Cruzes. Em muitos bairros desta região, como o do Rio Acima, moradores usam suas águas para beber e fazer comida.

No centro de Moji das Cruzes, o Tietê ainda está vivo. Mas, à medida que se aproxima da Capital, seu leito passa a receber carga muito maior de detritos domésticos e industriais. O nível de poluição chega ao ponto máximo depois da confluência com o rio Tamanduateí, próximo à ponte das Bandeiras, no centro de São Paulo, quando recebe os resíduos de milhares de fábricas e esgotos não tratados.

A prova de maior capacidade de reabilitação do rio vem dele próprio. Saindo a 200 quilômetros da Capital, a recuperação das águas começa na cidade que leva seu nome, a cidade de Tietê. As pessoas podem aí nadar, passear de barco e os peixes voltam a se reproduzir. De Barra Bonita até a foz, as águas do Tietê são

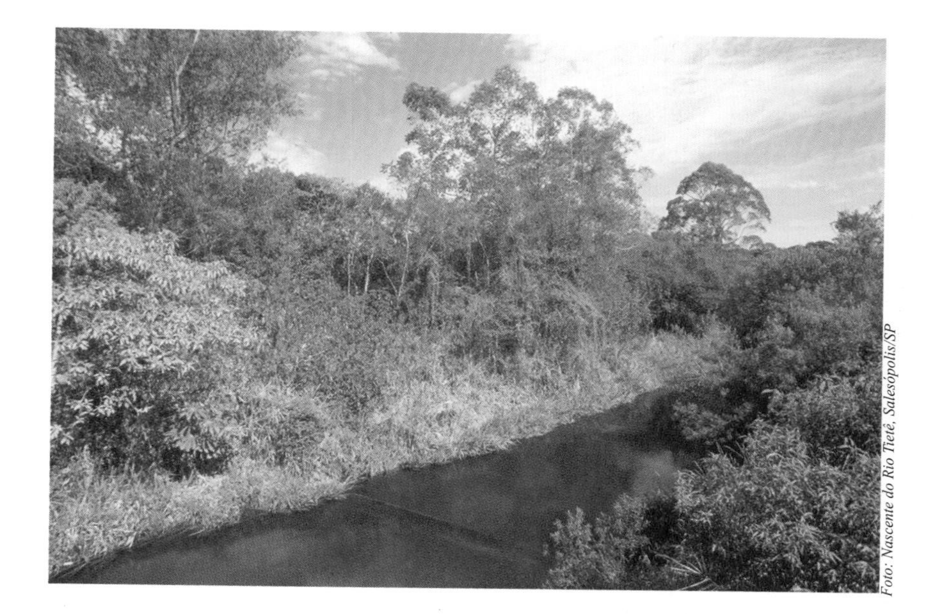

Foto: Nascente do Rio Tietê, Salesópolis/SP

Foto: Rio Tietê, São Paulo/SP

Foto: Rio Tietê, Pereira Barreto/SP, desaguando no Rio Paraná.

consideradas limpas, mesmo recebendo os esgotos de engenhos e curtumes. A recuperação é ajudada pelo relevo, com um grande número de quedas d'água e corredeiras que aumentam a oxigenação das águas.

Tornar o rio inteiramente limpo não é difícil, apenas custa dinheiro criar novas redes coletoras de esgoto e novas estações de tratamento.

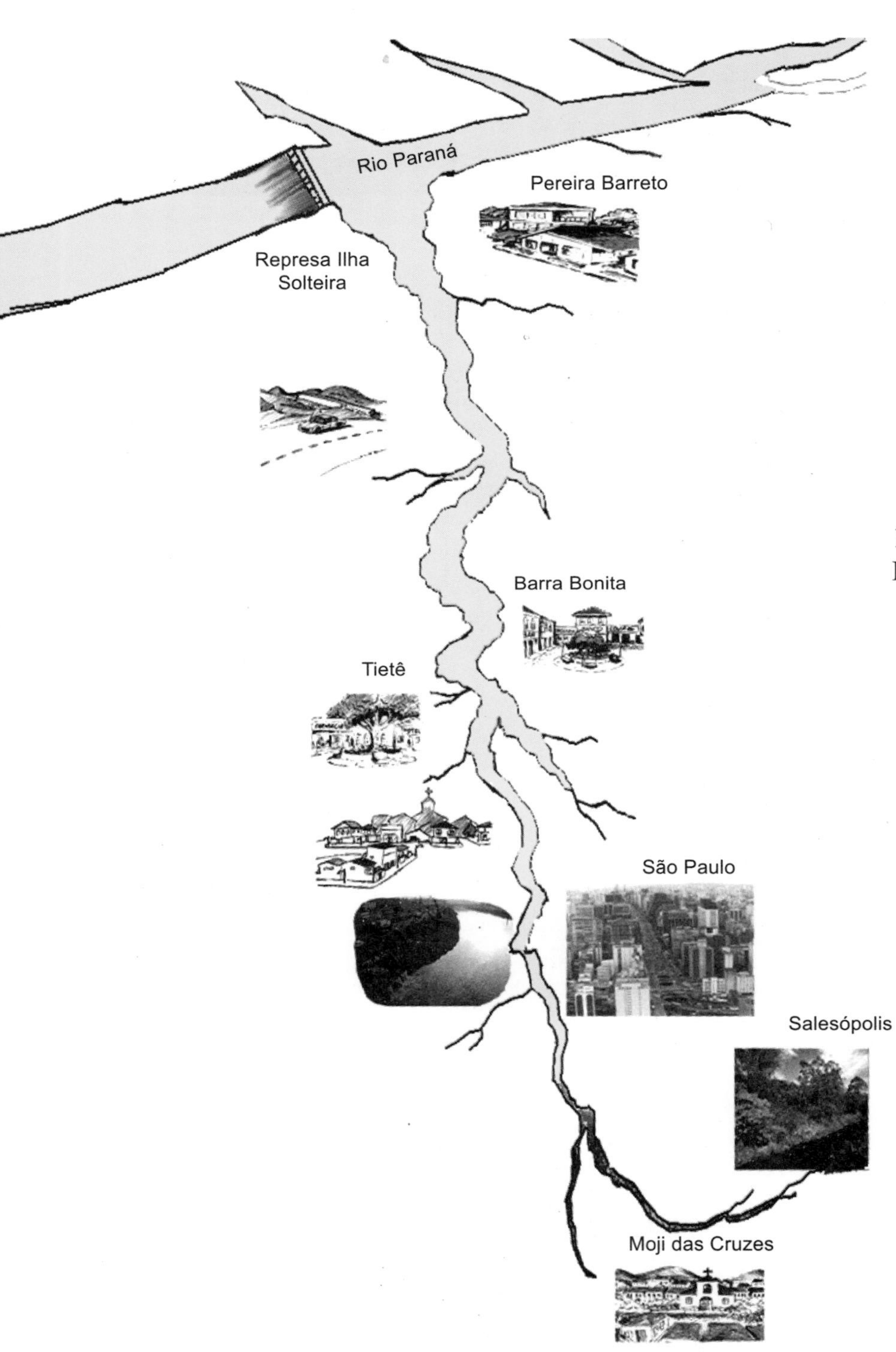

Responda.

1. Por que dizemos que o Tietê é um rio inteiramente paulista?
2. Explique a expressão: "Um rio ao contrário".
3. O Tietê é afluente de qual rio?
4. Onde fica o rio Paraná?
5. Por que o rio Tietê era tão importante no passado?
6. Como os bandeirantes navegavam no rio?
7. Como eram as canoas dos bandeirantes?
8. Por que o Tietê é tão poluído, ao passar pelo centro de São Paulo?
9. Hoje, qual é a importância do Tietê?
10. O que você sabe de Barra Bonita?

UNIDADE 14

Agência de viagens

Ele — Desisti de viajar para a Europa.
Ela — Nossa! Por quê? Você sempre quis fazer esta viagem!
Ele — Pois é! Hoje de manhã estive na agência de viagens e nada deu certo lá.
Ela — Como assim?
Ele — Para começar, eles queriam que eu pagasse tudo adiantado. Quando eu lhes disse que não tinha condições de pagar a viagem à vista, torceram o nariz e exigiram que eu arranjasse dois avalistas. Depois, embora avalista não fosse problema, não gostei nem do plano de pagamento nem da organização da firma. Assim não dá!
Ela — Você tem razão. Quando a gente não está contente, não deve mesmo insistir. Por que você não vai ao meu agente de viagens?

PARE 14-1

Modo subjuntivo — Imperfeito

MORAR — Imperfeito
(eles moraram) mora + sse

Se eu	**morasse**	**Se nós**	**morássemos**
Se você / Se ele / Se ela	**morasse**	**Se vocês / Se eles / Se elas**	**morassem**

PODER — Imperfeito
(eles puderam) pude + sse

Se eu	**pudesse**	**Se nós**	**pudéssemos**
Se você / Se ele / Se ela	**pudesse**	**Se vocês / Se eles / Se elas**	**pudessem**

VENDER — Imperfeito
(eles venderam) vende + sse

Se eu	**vendesse**	**Se nós**	**vendêssemos**
Se você / Se ele / Se ela	**vendesse**	**Se vocês / Se eles / Se elas**	**vendessem**

DIZER — Imperfeito
(eles disseram) disse + sse

Se eu	**dissesse**	**Se nós**	**disséssemos**
Se você / Se ele / Se ela	**dissesse**	**Se vocês / Se eles / Se elas**	**dissessem**

ABRIR — Imperfeito
(eles abriram) abri + sse

Se eu	**abrisse**	**Se nós**	**abríssemos**
Se você / Se ele / Se ela	**abrisse**	**Se vocês / Se eles / Se elas**	**abrissem**

PEDIR — Imperfeito
(eles pediram) pedi + sse

Se eu	**pedisse**	**Se nós**	**pedíssemos**
Se você / Se ele / Se ela	**pedisse**	**Se vocês / Se eles / Se elas**	**pedissem**

Formação:

O imperfeito do subjuntivo forma-se a partir da 3ª pessoa do plural do perfeito do indicativo.

Dê o perfeito do indicativo e o imperfeito do subjuntivo nas pessoas indicadas.

Perfeito do indicativo		Imperfeito do subjuntivo
1. gostar	— Eles	Se eu
2. comer	— Eles	Se ele
3. dormir	— Eles	Se a gente
4. fazer	— Eles	Se nós
5. pôr	— Eles	Se nós
6. ter	— Eles	Se nós
7. ser	— Eles	Se eles
8. pedir	— Eles	Se eles
9. dizer	— Eles	Se eles
10. ir	— Eles	Se eu
11. trazer	— Eles	Se nós
12. ver	— Eles	Se nós
13. vir	— Eles	Se ela
14. saber	— Eles	Se eles
15. querer	— Eles	Se a gente

PARE 14-2

Emprego

Emprega-se o *imperfeito do subjuntivo* nos mesmos casos do presente do subjuntivo (com verbos de ordem, desejo, dúvida, sentimento, expressões impessoais, certas conjunções e estruturas com palavras indefinidas seguidas de pronome relativo). Estando o verbo da oração principal no *pretérito* (imperfeito, perfeito, mais-que-perfeito e futuro do pretérito*), o verbo da oração dependente estará no *imperfeito do subjuntivo*.

* O futuro do pretérito será abordado à página 186.

A. Complete com o imperfeito do subjuntivo.

(perder) Tive medo de que você ***perdesse*** a hora

1. (fumar) Ele nos pediu que não ____________.
2. (sair) Ele não deixou que eles ____________.
3. (voltar) Tive medo de que você não ____________.
4. (pôr) Ela não quis que nós ____________ a mesa.
5. (abrir) Duvidei que você ____________ o cofre.
6. (ficar) Ela preferia que todos ____________ quietos.
7. (dar) Eu queria que você ____________ uma olhada.
8. (escutar) Fiquei triste que eles não me ____________.
9. (vir) Era importante que ela também ____________.
10. (estudar) Eu proibi que as crianças ____________ na sala.
11. (andar) Ela mandou que eu ____________ mais depressa.
12. (chegar) Nós fizemos questão de que eles ____________ na hora.
13. (ter) Ele queria comprar um carro que ____________ 4 portas.
14 (conseguir) Fizemos tudo para que ele ____________ o emprego.
15. (ser) Não perdemos a calma, embora a situação ____________ difícil.

Ele não deixou que eles saíssem.

Eu proibi que as crianças estudassem na sala.

B. Passe o verbo principal para o perfeito do indicativo. Depois faça as modificações necessárias.

Ela duvida que nós possamos ajudar. Ela duvidou que nós pudéssemos ajudar.

1. Ela quer que eu fique. ....
2. Duvido que você venha. ....
3. Faço questão de que vocês me escutem. ....
4. Ele pede uma bebida que não seja gelada. ....
5. Exigimos que ela nos ouça. ....
6. É importante que ele pague a conta. ....
7. Ele deseja que ela seja feliz. ....
8. Sinto que ele não seja feliz. ....
9. É melhor que você venha. ....
10. Espero que você me compreenda. ....
11. Ela sorri, embora tenha problemas. ....
12. Fazemos tudo para que você seja feliz. ....
13. Duvidamos que você saiba fazê-lo. ....
14. Ele quer alguém que o ajude. ....
15. Ela sai sem que a vejamos. ....

Ela quer que eu fique.

C. Passe o verbo principal para o imperfeito do indicativo. Faça, depois, as modificações necessárias.

Ela duvida que eu faça tudo sozinho. *Ela duvidava que eu fizesse tudo sozinho.*

1. É provável que ele fique. Era provável q ele ficasse
2. É melhor que você espere. ....
3. Queremos que você leia a carta. ....
4. Não temos certeza de que ele seja honesto. ....
5. Eu espero que você venha. ....
6. É importante que você leia isso. ....
7. Gosto de você, embora você não goste de mim. ....
8. Ele leva uma vida confortável, embora ganhe pouco. ....
9. Eu explico devagar para que você entenda. ....
10. Não vou, mesmo que vocês me peçam. ....
11. Eu sempre vou embora antes que eles cheguem. ....
12. A mãe canta para que a criança durma. ....
13 Ele precisa de alguém que o compreenda. ....
14. Basta que ele diga uma palavra. ....
15. Eu não conheço ninguém que queira trabalhar aos domingos. ....

D. Ontem ela não quis falar comigo. Por quê?

Talvez *ela estivesse cansada naquela hora.*

Talvez ....

Talvez ....

Talvez ....

Talvez ....

Talvez ....

Talvez ela estivesse cansada naquela hora.

E. Complete com o verbo no tempo adequado.

(ajudar) Eu não quero que você me **ajude**.

1. (dizer) Duvidei que ele dizesse sim.
2. (amar) Sinto que ela não me ame.
3. (poder) Esperava que eles pusesse vir.
4. (poder) Espero que eles possa vir.

5. (ter) É melhor que vocês tenham paciência.
6. (dizer) Ela fechou a porta antes que nós dizesse "até-logo".
7. (ter) Eu sonhava com um apartamento que tivesse vista para o mar.
8. (poder) Ele trabalhou mais na 6ª feira para que pó ficar em casa no sábado.
9. (esperar) Não quero que você me espere .
10. (falar) Ela não deixou que ele falasse .
11. (permitir) Duvido que ele permita .
12. (saber) Ele quer uma esposa que saiba cozinhar bem.
13. (esquecer) Tenho medo de que você me esqueça .
14. (esquecer) Tive medo de que ele esquecesse meu nome.
15. (querer) Você precisa ajudar mesmo que não queira .

Ele quer uma esposa que saiba cozinhar bem.

F. Complete as sentenças.

Não quero que você **saia** agora.

Faço questão que jante conosco

1. Faço questão de que ....
2. Não quero que saibam a verdade
3. Eles duvidaram que façamos a comida
4. Eles disseram que talvez tivesse um carro
5. Ela diz que talvez pudesse ir a escola
6. Eles vieram para que nós fôssemos a
7. Receio que fossemos ao Brasil
8. Esperávamos que compreendesse
9. Era provável que ~~estivesse~~ trouxeísse água
10. Convém que ....
11. Fique conosco mesmo que ....
12. É pena que não estivesse em casa
13. Fico aqui, contanto que ....
14. Prefiro que ....
15. Ele precisa de um mecânico que ....
16. Tomara que ....
17. Foi pena que ....
18. Não acho que ....
19. Não penso que ....
20. Não encontrei ninguém que ....

Contexto — A forra do peão[1]

O baiano Cícero Alves da Silva, 26 anos, é um brasileiro, desses que se vêem em qualquer ponto de ônibus. Há quatro anos viajou para São Paulo com uma mala de couro para tentar mudar de vida. Não conseguiu emprego fixo nem teto para morar. Trabalhando como pedreiro, quando tinha serviço dormia em galpão de obra. Desempregado, residia de favor na casa de amigos. Todos os domingos, Cícero passava em frente de um bar na Vila Madalena, um dos pontos mais animados de São Paulo, e admirava a alegria dos fregueses. Na madrugada de segunda-feira, dia 10, o pedreiro Cícero tomou coragem e resolveu ir à forra[2].
Depois que todos tinham ido embora, arrombou o bar com um pedaço de ferro. Ao entrar, foi direto à cozinha. Ele tinha trabalhado como garçom e não teve dificuldade para preparar o cardápio de sua refeição. No freezer, escolheu dois pedaços de frango, descongelados sob água corrente de uma torneira. Para acompanhar, preparou um molho de pimentão e farofa. Meticuloso, depois de passar o frango na frigideira elétrica, arrumou a mesa para um jantar farto e solitário. No barril de chope, serviu-se à vontade. Foram - conta de bêbado - cerca de trinta canecas. De sobremesa, sorvete de morango. Uma lata inteira. O pedreiro tentou ouvir um CD de Jorge Ben Jor, mas não conseguiu. Não sabia como ligar o aparelho de som da casa.
"— Esqueci da vida, —conta ele. Não lembrei nem que Deus existia." De estômago cheio e cérebro carregado, Cícero teve uma idéia. Numa sacola, separou um videocassete, um toca-discos a laser, vinte e dois Cds, nove fitas de vídeo e alguns alto-falantes para levar embora. Todo mundo acha que ia revender as mercadorias por uns trocados, mas ele garante que era para consumo próprio. Quando amanhecia, pegou no sono. Era segunda-feira e ele sabia que o bar não abre nesse dia. Mas, para azar dele, a proprietária e sua sócia resolveram aparecer no bar no final da tarde. O pedreiro acordou com o barulho da porta de ferro se abrindo.
Assustado, pulou o muro e correu. As duas proprietárias gritaram por socorro. Um borracheiro das vizinhanças agarrou o pedreiro na rua e segurou-o até que ele fosse preso. Atrás das grades, Cícero responde agora a um inquérito por tentativa de furto e, condenado, pode pegar quatro anos de prisão. Na polícia, tornou-se uma atração. Todos os dias é chamado para tirar fotografias algemado e contar sua história. Nascido em Heliópolis, a 255 quilômetros de Salvador, certa ocasião quase perdeu a vida numa enxurrada. Outra vez, numa bebedeira, dormiu na carroceria de um caminhão basculante e acordou no momento em que, coberto de terra, foi despejado numa obra. No passado, sua biografia renderia teses sociológicas sobre pobres migrantes destruídos pela cidade grande. No presente, é uma história banal, uma história que, de tão banal, talvez queira dizer alguma coisa.

1 - peão de obra - trabalhador sem qualificação que faz serviços braçais na construção civil
2 - ir à forra - vingar-se

A. Responda.

1. Como era a vida de Cícero em sua cidade natal? Quais foram suas maiores dificuldades em São Paulo?
2. Embora não fosse homem violento, Cícero "resolveu ir à forra". Por quê? Explique.
3. Descreva o cardápio do jantar que Cícero preparou.
4. Embora estivesse sozinho, Cícero passou momentos agradáveis preparando sua refeição e,

3. Descreva o cardápio do jantar que Cícero preparou.
4. Embora estivesse sozinho, Cícero passou momentos agradáveis preparando sua refeição e, depois, jantando. Indique no texto as passagens que mostram essa satisfação.
5. Qual foi o azar de Cícero na segunda-feira? Foi a primeira vez na vida que Cícero teve azar?
6. Por que todo mundo quer ouvir Cícero contar sua história? Por que fazem questão de tirar fotos de Cícero com algemas? Dê sua opinião.
7. Você tem idéia do motivo por que Cícero concorda em ser fotografado todo dia com algemas?

B. Indique no texto, a passagem que diz que

1. às vezes, Cícero morava na casa de amigos sem pagar.
2. ele entrou no bar com violência.
3. ele tomou chope quanto quis.
4. depois do jantar, ele se esqueceu de todos os seus problemas.
5. provavelmente Cícero ia vender os objetos que estava levando do bar, mas não ia conseguir muito dinheiro com a venda.
6. as proprietárias do bar pediram ajuda.

C. O que é? Como é? Para que serve? Explique cada um dos itens abaixo.

Ex.: **sacola** - é um tipo de saco com alça, feito geralmente de tecido ou de plástico, que serve para transportar uma quantidade reduzida de objetos, alimentos etc.

1. galpão ....
2. torneira ....
3. farofa ....
4. frigideira ....
5. barril ....
6. caneca ....
7. caminhão basculante ....

D. Complete com verbos do texto.

1. Ele não estava contente, por isso decidiu __________________ de vida.
2. Ele não tinha dinheiro, por isso __________________ de favor na casa de amigos.
3. Ela vai __________________ a mesa para o jantar.
4. Por favor, __________________ o aparelho de som. Quero ouvir um pouco de música.
5. O discurso era longo e ele estava cansado, por isso __________________ no sono.
6. No jogo de ontem, os meninos ______________ o muro para pegar a bola no jardim do vizinho.
7. Na viagem, ele __________________ muitas fotografias.

8. Ele gosta de __________________ para os amigos a história do dia em que quase __________________ a vida lutando com jacarés.

9. Por favor, __________________ a água na pia. Não precisamos mais dela.

10. Não entendo esta palavra. O que __________________ isso?

Expressões com o verbo dar

1. dar para (ser possível)
Não *dá para* comprar esta casa. É muito cara.

2. dar para (localização)
A janela da sala *dá para* o lago. Esta porta *dá para* a cozinha.

3. dar para (ter talento)
Não *dou para* matemática, *dou para* línguas.

4. dar (ser suficiente)
Este dinheiro dá? *Dá.*

5. dar bom-dia
Ele me *deu boa-noite* quando me viu.

6. dar certo/errado (ter um determinado resultado)
A viagem *deu certo*, mas a reunião *deu errado*.

7. dar um susto (causar, aplicar)
Ela me *deu um tapa*. (Eu levei um tapa)

8. dar-se bem/mal com (relacionar-se)
Eu *me dou bem com* todo mundo. Não tenho problemas com ninguém.

A. Considerando a lista da página anterior, numere as frases abaixo de acordo com seu sentido.

[_______] — Desculpe, não deu para telefonar.

[_______] — Ele me deu um pontapé.

[_______] — Dou-lhe parabéns pelo seu aniversário.

[_______] — Quando está muito quente não dá para trabalhar direito.

[_______] — A porta do restaurante dá para o parque.

[_______] — Um quilo de açúcar não vai dar para fazer os doces.

[_______] — É pena, mas eu não dou para música.

[_______] — Tudo deu errado porque não planejamos direito a viagem.

[_______] — Elas se dão muito bem. São grandes amigas.

B. Eles estavam contentes porque *o plano tinha sido um sucesso.*

Eles estavam contentes porque *o* plano *tinha dado certo*.

1. Eles estavam desanimados porque o projeto *foi um fracasso*.

....

2. Ele é tão engraçado que *não é possível* ficar triste a seu lado.

....

3. Este dinheiro só *é suficiente* para comprar um apartamento pequeno.

....

4. Desta sala a gente *vê* a praia.

....

5. Estamos todos contentes porque nossa idéia *teve bom resultado*.

....

6. Ela gosta da irmã e *vive bem com ela*.

....

7. Vamos, *diga* bom-dia para ele!

....

8. Ele não *tem talento para* negócios, por isso a empresa *não teve bom resultado*.

....

9. Você acha que *a gente pode comprar* o carro com este dinheiro? Este dinheiro *é suficiente*?

....

10. Vendo tanta coisa errada, *não é possível* ficar quieto.

....

Modo indicativo — Futuro do pretérito

Formação:

Forma-se o futuro do pretérito a partir do infinitivo.

A árvore do futuro

MORAR — Futuro do pretérito			
Eu	moraria	Nós	moraríamos
Você / Ele / Ela	moraria	Vocês / Eles / Elas	morariam

VENDER — Futuro do pretérito			
Eu	venderia	Nós	venderíamos
Você / Ele / Ela	venderia	Vocês / Eles / Elas	venderiam

ABRIR — Futuro do pretérito			
Eu	abriria	Nós	abriríamos
Você / Ele / Ela	abriria	Vocês / Eles / Elas	abririam

SER — Futuro do pretérito			
Eu	seria	Nós	seríamos
Você / Ele / Ela	seria	Vocês / Eles / Elas	seriam

OBSERVE.

FAZER — Futuro do pretérito			
Eu	faria	Nós	faríamos
Você / Ele / Ela	faria	Vocês / Eles / Elas	fariam

DIZER — Futuro do pretérito			
Eu	diria	Nós	diríamos
Você / Ele / Ela	diria	Vocês / Eles / Elas	diriam

TRAZER — Futuro do pretérito			
Eu	traria	Nós	traríamos
Você / Ele / Ela	traria	Vocês / Eles / Elas	trariam

(permitir) Eu **permitiria** sua entrada, mas agora não dá para abrir a porta.

1. (explicar) Eu lhe __explicaria__ o problema, mas agora não dá. Não tenho tempo.
2. (dar) Ele lhe __daria__ estas informações, mas hoje não dá. Ele não veio trabalhar.
3. (gostar) Ela __gostaria__ de viajar, mas o salário dela não dá.
4. (abrir) Eu __abriria__ o cofre para você, mas não dá. Não tenho a chave.
5. (ficar) Ele __ficaria__ rico com esse projeto, mas ele não dá para negócios.

> Ajude-me!
> Você poderia me ajudar, por favor?
> Será que você poderia me ajudar, por favor?

A. Observe o quadro acima e faça o mesmo.

Mostre-me seus documentos!

1. Mostre-me seus documentos!
   Você poderia me mostrar seus ...
   Será que você poderia me mostrar ...
2. Acabe logo este trabalho!
   Você poderia acabar logo ...
   Será que você acabaria logo ...
3. Esperem-me lá fora.
   ....
   ....
4. Por favor, passe-me o açúcar.
   ....
   ....
5. Traga-me o café e a conta, por favor.
   ....
   ....
6. Não faça barulho.
   ....
   ....
7. Diga-me que horas são.
   Você poderia
   Será que você poderia
8. O chefe não está. Passe mais tarde.
   Você poderia passe mais
   ....
9. Estou com calor. Abra a janela.
   ....
   ....
10. Estamos atrasados. Ande mais depressa.
   Você poderia andar mais
   Será que você poderia andar ...

Não façam barulho.

Traga-me o café e a conta, por favor.

Acabe logo este trabalho!

B. A partir das ilustrações, dê a ordem e, depois, transforme-a em pedido.

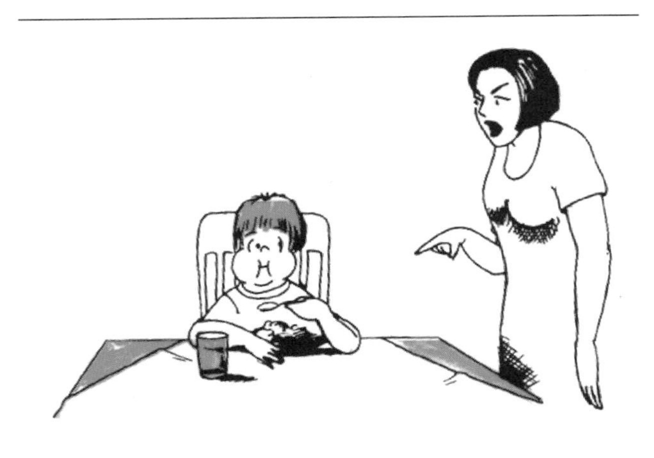

PARE 14-6

Família de palavras

VERBO	SUBSTANTIVO	ADJETIVO
1. rir	a risada	risonho
2. mentir		
3.		difícil
4. enriquecer		
5.	a pobreza	
6.		triste
7.	a fraqueza	
8.	a ignorância	
9.		obrigatório
10.	o conselho	
11. interessar		
12.		alegre
13. cansar		
14. ausentar-se		
15. morrer		
16.		vivo
17.	o hábito	
18.	a correção	

Intervalo

Expressões idiomáticas

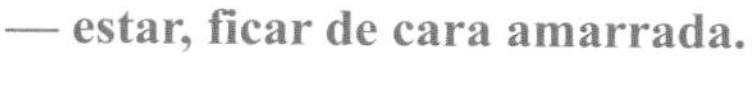
— estar, ficar de cara amarrada.

Ele ficou de cara amarrada porque cheguei tarde.

— pôr os pingos nos ii

Esta história está muito mal contada. Vamos pôr os pingos nos ii.

— ir por água abaixo

Nossos planos falharam. Foi tudo por água abaixo.

— estar, ficar de pernas para o ar

A casa ficou de pernas para o ar depois da festa.

— pisar em ovos

Ele é tão complicado que a gente pisa em ovos quando fala com ele.

— (um) "abacaxi"

Que "abacaxi"! Como vamos resolver isso?

— bater papo

Ela adora bater papo com os amigos no telefone.

— estar, ficar de orelha em pé

Ele anda desconfiado e por isso está sempre de orelha em pé.

— estar, ficar, viver com a cabeça nas nuvens (= no ar)

Depois que começou a sair com ele, ela não presta atenção em mais nada. Vive com a cabeça nas nuvens. (= no ar)

Texto narrativo

Os índios do Brasil

Quando, em 1500, Pedro Álvares Cabral, descobridor do Brasil, chegou às praias do que agora é a Bahia, havia 5 milhões de índios na área que, depois, se transformou no Brasil. Hoje, há 270.000 índios, pouco mais de 5% da população original. Várias foram as causas desta redução: mortes por doenças contagiosas (sarampo, tuberculose, varíola e gripe), por assassinatos, por suicídios, por confinamento e guerras tribais.

Na época do descobrimento do Brasil, existiam quase 1200 línguas indígenas. Hoje são 170, faladas por 206 grupos.

No momento, a situação do índio brasileiro é crítica, mas já foi pior. No final dos anos 50, havia, no máximo, 100.000 índios. A partir dos anos 60, no entanto, o governo organizou reservas para proteger o índio e sua cultura. Hoje, essas reservas ocupam quase 11% do território brasileiro, uma área igual à área ocupada pela França e pela Inglaterra juntas. Apesar disso, muitos povos indígenas continuam desaparecendo.

Qual o futuro dos índios brasileiros? O futuro deles depende do governo. Só a ação do governo vai impedir sua morte e a destruição de sua cultura. A febre do ouro, a exploração da madeira, a criação de fazendas extensas para a criação de gado e o desenvolvimento de cidades próximas às reservas são as maiores ameaças aos índios.

Na busca do ouro, os garimpeiros invadem as reservas indígenas, perturbam seu habitat (a floresta, os rios) e sua cultura. Grupos inteiros de índios morrem por doenças como gripe. Em áreas da floresta, onde não há ouro ou onde o ouro acabou, chegam grandes companhias que cortam árvores por causa do valor comercial de sua madeira. Outros grupos comerciais cortam árvores para formar pastagens para criação de gado. Em todos esses casos, as áreas indígenas são invadidas e choques armados com os índios acontecem.

Hoje há, pelo menos, 60 grupos indígenas ocultos na floresta. São os índios arredios. Temos pouca ou nenhuma informação sobre eles. Eles vivem completamente isolados, exatamente como viviam há 500 anos. Nenhum desses grupos tem contato com outro grupo indígena, resistindo com violência à invasão de suas terras. Quando perdem a luta, afastam-se para pontos ainda mais inacessíveis. As tentativas de aproximação são sempre perigosas. Como já aconteceu várias vezes, os índios podem atacar de repente. Flechas e bordunas são sua resposta à tentativa de conversa do homem branco.

Como há 206 grupos diferentes de índios e 170 línguas indígenas, não se pode falar de uma cultura

indígena, mas de diferentes culturas indígenas. Mas, apesar das grandes diferenças, entre eles há um ponto em comum. Enquanto nós organizamos nosso mundo e nossa vida em diferentes esferas (economia, política, educação, religião, etc), na vida do índio todas as esferas estão ligadas. Assim, por exemplo, o corte de uma árvore tem implicações religiosas, sociais, políticas, econômicas, etc.
O índio respeita a floresta. A posse da terra é coletiva e é determinada pelo seu uso.
Os índios vivem em aldeamentos, geralmente de 30 a 100 pessoas. Há aldeamentos maiores, com 400 ou 500 pessoas.
Na produção, há trabalho masculino e feminino. O homem caça, pesca e colhe o que foi plantado. A mulher cuida da plantação e cozinha. A produção, como vemos, depende do trabalho da família, mas depois é distribuída na comunidade.
Ao contrário de nós, que queremos entender a realidade através da ciência, os índios explicam o sol, a chuva, o dia, a noite, a morte através de mitos.
Os rituais — festas com músicas, danças, bebidas, pintura corporal e trajes específicos — marcam momentos importantes na vida das pessoas e da comunidade e colocam o índio em contato com os seres de seus mitos, com o espírito de seus mortos e com os seres sobrenaturais que vivem nos rios e na floresta.
A política atual do governo brasileiro defende a proteção do índio e a preservação de sua cultura. Ele deve viver como sempre viveu. O homem civilizado pode aproximar-se dele, mas deve respeitar sua cultura, tão diferente da nossa.

Influência indígena no português do Brasil

1. Nomes de lugares ou regiões: Ibirapuera, Ipiranga, Morumbi, Jabaquara, Anhangabaú, Itaparica, Embu, Itapecerica, Cotia, Pirituba, Cantareira, Maracatins, Aracaju.
2. Nomes de pessoas: Iara, Araci, Jaci, Jacira, Ubirajara.
3. Nomes de plantas e frutas: abacaxi, maracujá, mandioca, ipê, jacarandá.
4. Nomes de animais: tatu, jacaré, piranha, urubu, tamanduá.

Responda.

1. Número de índios ....

em 1500 ....

nos anos 50 ....

hoje em dia ....

Por que o número de índios é maior hoje do que nos anos 50? ....

....

2. Número de línguas indígenas ....

em 1500 ....

hoje em dia ....

3. Extensão das terras indígenas ....

4. Apesar da criação das reservas e da proteção dada ao índio pelo governo federal, o futuro dos índios e de sua cultura ainda é incerto. Por quê?

5. Para você refletir antes de responder:
Nas reservas, poucos índios ocupam vastíssimo território, muitas vezes rico em ouro e madeira de lei. Você considera a criação das reservas medida realista ou não? Comente.

UNIDADE 15

E depois?

Orações condicionais

Se eu estivesse em férias, dormiria até às 10.

Eu não *faria* isso se *fosse* você.
Se eu *estivesse* em férias, *dormiria* até às 10.

A. Complete com os verbos nos tempos adequados.

(poder/vir) Se eles *pudessem*, *viriam* aqui.

1. (falar/ouvir) Se você ______ mais alto, ele a ______
2. (estar/ajudar) Se ela ______ aqui conosco, ela nos ______
3. (gostar/conhecer) Você com certeza ______ dele se o ______.
4. (receber/ficar) Se eu ______ uma carta hoje, ______ muito contente.
5. (gastar/ter) Se eles ______ menos, ______ mais dinheiro no banco.
6. (dormir/trabalhar) Se ele ______ mais, ______ melhor.
7. (viajar/permitir) Eu ______ para a Europa este ano se meus negócios o ______.
8. (gostar/aceitar) Ele ______ de dançar com ela se ela ______.
9. (ficar/receber) Nós ______ mais tranqüilos se ______ notícias de nossos filhos.
10. (ser/ter) Minha vida ______ mais fácil se eu ______ um salário maior.

B. Faça frases. Comece com **se**.

1. (ter tempo/estudar) *Se eu tivesse mais tempo, estudaria francês.*
2. (ter dinheiro/comprar) ......
3. (poder/jantar) ......
4. (estar frio/ficar em casa) ......
5. (estar feliz/sorrir) ......
6. (ir ao médico/sarar) ......
7. (ser verão/ir à praia) ......
8. (querer/ajudar) ......
9. (ler/gostar) ......
10. (trabalhar/ficar rico) ......

C. Faça frases. Não comece com **se**.

(ter dinheiro/trabalhar mais) Ele **teria** mais dinheiro se **trabalhasse** mais.

1. ficar em casa / estar frio ......
2. morar em apartamento / poder escolher ......

3. sorrir/estar contente

4. gostar deste livro/ ler

5. ficar rico / trabalhar direito

6. resolver problemas/ ouvir os amigos

7. ficar doente/comer mal e dormir pouco

D. Responda.

1. O que você faria se fosse milionário?

Se eu................................ , eu ....

2. O que você faria se fosse um grande jogador de futebol?

3. O que você faria se ganhasse um grande prêmio na loteria?

4. Se você pudesse criar e organizar uma cidade, como seria ela?

5. Se você ficasse sabendo que o mundo iria acabar amanhã, o que você faria nestas últimas horas?

Foto: Pelé, quando jogador no Time de Futebol Santos.

E. Converse com seu colega. Formule perguntas. Seu colega as responderá.

(Você sozinho em casa — fazer/ladrão entrar)
Imagine você sozinho em casa!
O que você faria se, de repente, um ladrão entrasse no seu quarto?

1. Uma festa em sua casa. —> dizer/vizinho reclamar do barulho

2. Fazendo acampamento numa noite de muito frio. —> como acender o fogo/não ter fósforos

3. À noite, numa cidade estranha. —> onde dormir/ hotéis estar fechados

4. Num helicóptero, só você e o piloto. —> fazer/o piloto morrer de repente

5. À noite, numa estrada deserta. —> fazer/acabar a gasolina

Verbos irregulares

Verbos em -ear

Passear, pentear, semear, bloquear, frear, recear ... são irregulares no presente do indicativo e do subjuntivo

PASSEAR — Presente do indicativo			
Eu	**passeio**	**Nós**	**passeamos**
Você **Ele** **Ela**	**passeia**	**Vocês** **Eles** **Elas**	**passeiam**

PASSEAR — Presente do subjuntivo			
Que	**eu passeie**	**que nós**	**passeemos**
Que você **Que ele** **Que ela**	**passeie**	**que vocês** **que eles** **que elas**	**passeiem**

Ela sempre se penteia de manhã.

Complete com o verbo no tempo adequado.

(passear) Antigamente nós **passeávamos** mais.

1. (pentear-se) Eu sempre _____________ pela manhã.
2. (pentear-se) Ela proibiu que eu ______________ ali.
3. (passear) Não quero que você __________ à noite.
4. (frear) Ontem eu ________________ rápido, por isso não bati. Se eu não ________________, o desastre seria grave.
5. (passear) Quando éramos crianças, _________________ sempre pela praia com nossos pais.
6. (recear/bloquear) Eu ______________ que a polícia ________________ a rua e que não possamos passar.
7. (passear/recear) Ontem foi domingo, mas ninguém ______________ na praia por causa do frio. Eu _________________ que este verão não seja muito bom.
8. (semear) "Quem ______________ ventos colhe tempestades".
9. (pentear-se) O professor não permite que nós __________________ na sala.
10. (semear) No ano que vem eles ______________ outros tipos de legumes.

freou? penteei? passeei? frear? freei?

Verbos em -iar

A maioria dos verbos em -iar é regular (copiar*, pronunciar*, renunciar*, presenciar ...). Há, porém, alguns irregulares no Presente do indicativo e do subjuntivo. **Odiar** é um deles.

ODIAR - Presente do indicativo			
Eu	odeio	Nós	odiamos
Você / Ele / Ela	odeia	Vocês / Eles / Elas	odeiam

ODIAR - Presente do subjuntivo			
Que eu	odeie	Nós	odiemos
Você / Ele / Ela	odeie	Vocês / Eles / Elas	odeiem

*** Eu copio, ele copia (a cópia)**

*** Eu pronuncio, ele pronuncia (a pronúncia)**

*** Eu renuncio, ele renuncia (a renúncia)**

Complete com o verbo no tempo adequado.

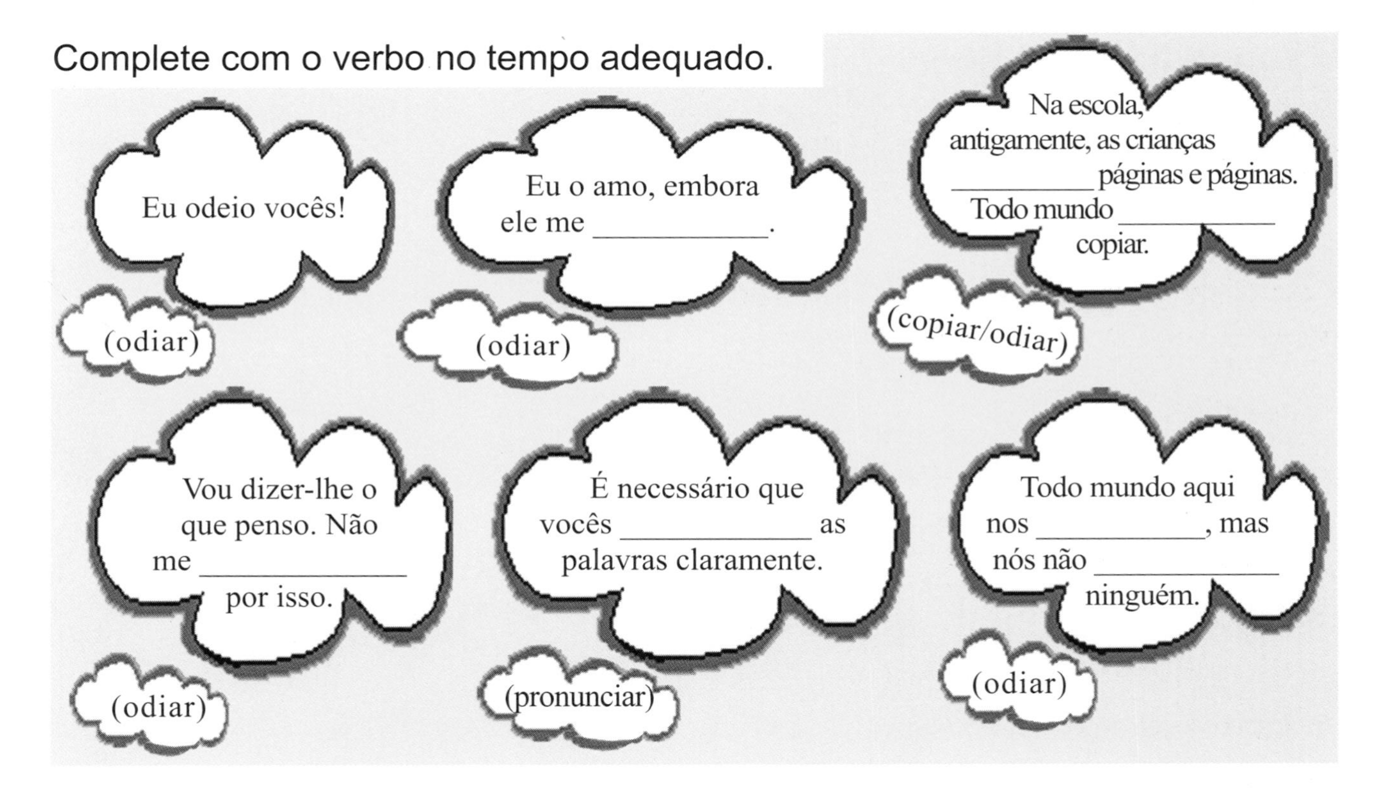

Verbos em -uir

A maioria dos verbos em -uir é regular (atribuir, retribuir, substituir, poluir etc.) com exceção de construir e destruir.

Modo indicativo — Presente simples

CONSTRUIR — Presente simples			
Eu	construo	Nós	construímos
Você / Ele / Ela	constrói	Vocês / Eles / Elas	constroem

DESTRUIR — Presente simples			
Eu	destruo	Nós	destruímos
Você / Ele / Ela	destrói*	Vocês / Eles / Elas	destroem

* Modificação na 3ª pessoa do singular (i ao invés de e).

Complete com o verbo no tempo adequado.

(construir) Que tipo de casa sua firma *constrói*?

1. (construir) Engenheiros __________________ edifícios.
2. (destruir) Dinamites ____________________ edifícios.
3. (substituir) As máquinas _______________ os operários.
4. (construir) Duvido que eles ______________ uma casa maior.
5. (poluir/destruir) As indústrias _________________ o ambiente e ________________ a tranqüilidade da população.
6. (destruir/construir/reconstruir) Há alguns dias uma grande tempestade ________________ a ponte que nós tínhamos ________________. Agora precisamos _________________-la.
7. (construir/distribuir) O governo _________________ casas e ________________ alimentos para a população.

Modo indicativo — Presente simples.
Verbos seguir, valer, caber, medir, perder.

SEGUIR* — Presente simples			
Eu	sigo	Nós	seguimos
Você / Ele / Ela	segue	Vocês / Eles / Elas	seguem

VALER — Presente simples			
Eu	valho	Nós	valemos
Você / Ele / Ela	vale	Vocês / Eles / Elas	valem

CABER** — Presente simples			
Eu	caibo	Nós	cabemos
Você / Ele / Ela	cabe	Vocês / Eles / Elas	cabem

MEDIR*** — Presente simples			
Eu	meço	Nós	medimos
Você / Ele / Ela	mede	Vocês / Eles / Elas	medem

Perder

alguma coisa — Perdi meu guarda-chuva. Preciso comprar outro.

a aula — Não posso perder esta aula.

o ônibus, o avião — Por causa do trânsito, perdi o avião.

a chance — Não perca esta chance!

perder tempo — Você está perdendo tempo. Trabalhe!

o sono — Perdi o sono e dormi pouco. Estou cansado.

a hora — Para não perder mais a hora, comprei um despertador.

PERDER — Presente simples			
Eu	perco	Nós	perdemos
Você / Ele / Ela	perde	Vocês / Eles / Elas	perdem

**** Como vestir, servir etc.***
(visto, veste - sirvo, serve etc.). **Como seguir também :** conseguir, perseguir, prosseguir
***** Como saber, trazer no Pretério Perfeito***
(soube, trouxe, coube)
*** *Como pedir, ouvir*
(eu peço, ele pede/eu ouço, ele ouve)

Complete com o verbo no tempo adequado.

(medir) Quanto você *mede*?

1. (medir) Eu ______________ 1,60 m e ele ______________ 1,70 m.
2. (medir) Ele não quer que você ___________ a sala. Ele já ______________ ontem.
3. (valer) Este carro está muito maltratado. Já não __________ mais nada.
4. (valer) Gosto do meu carro, embora ele não ____________ grande coisa.
5. (valer) Se minha casa ___________ mais, eu a trocaria por um apartamento.
6. (caber) Eu não ______________ em seu carro. Está muito cheio.
7. (caber) Para que sua mala _______________ no armário, precisaremos tirar as caixas.
8. (caber) Para que os adultos ________________ no sofá, as crianças sentarão no chão.
9. (perder) Preciso trabalhar. Já ________________ muito tempo conversando com vocês.
10. (perder) Se fosse mais cedo para a cama, não _______________ a hora no dia seguinte.
11. (perder) Se eu _______________ o ônibus das 7 horas, com certeza perderia a reunião.
12. (perder) Eu __________________ o sono quando estou preocupado.
13. (perder) Vou dar-lhe um mapa para que você não se __________________.
14. (seguir) Eu __________ pela praia e meu cachorro sempre ______________ atrás de mim.
15. (seguir) ____________________ aquele homem!
16. (conseguir) Veja! Eu não ___________________ acabar este desenho. João também não ______________________. Talvez você ___________________.
17. (conseguir) Seria bom se você ___________________ duas entradas para o show.
18. (conseguir) Ele estava aborrecido porque não tinha ________________ um aumento de salário.
19. (conseguir) Ele está sempre muito ocupado, mas talvez nós _________________ falar com ele.
20. (conseguir) Ele duvidou que nós _________________ acabar o trabalho em três dias. Mas nós conseguimos!

Contexto

O gato e a barata

A baratinha velha subiu pelo pé do copo que, ainda com um pouco de vinho, tinha sido largado a um canto da cozinha, desceu pela parte de dentro e começou a lambiscar o vinho. Dada a pequena distância que nas baratas vai da boca ao cérebro, o álcool lhe subiu logo. Bêbada, a baratinha caiu dentro do copo. Debateu-se, bebeu mais vinho, ficou mais tonta, debatendo-se mais, bebeu mais, tonteou mais e já estava quase morrendo quando deparou com o carão do gato doméstico que sorria de sua aflição do alto do copo.

— Gatinho, meu gatinho, pediu ela - me salva (1), me salva. Me salva que assim que eu sair daqui eu deixo você me engolir inteirinha, como você gosta. Me salva.

— Você deixa mesmo eu engolir você? - disse o gato.

— Me saaalva! - implorou a baratinha. Eu prometo.

O gato, então, virou o copo com uma pata, o líquido escorreu e com ele a baratinha que, assim que se viu no chão, saiu correndo para o buraco mais perto, onde caiu na gargalhada.

— Que é isso? - perguntou o gato. Você não vai sair daí e cumprir sua promessa? Você disse que deixaria eu comer você inteirinha.

— Ah, ah, ah, - riu então a barata, sem poder se conter. E você é tão imbecil a ponto de acreditar na promessa de uma barata velha e bêbada?

Millôr Fernandes. Fábulas Fabulosas.

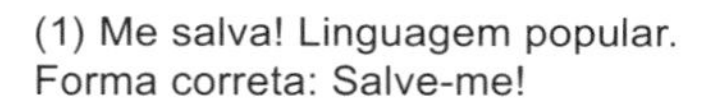

(1) Me salva! Linguagem popular.
Forma correta: Salve-me!

A. Enumere as ações da baratinha

1. Primeiro ela subiu pelo pé do copo.
2. Depois ela desceu pela parte de dentro etc.

B. Enumere as ações do gato.

1. Primeiro ele olhou para dentro do copo e sorriu da aflição da baratinha.
2. Depois ...

C. Responda.

1. A baratinha caiu logo dentro do copo?
2. Por que ela ficou logo tonta?
3. A baratinha ia morrendo sem reagir?
4. Por que o gato, animal tão esperto, foi enganado pela baratinha?
5. Você acha que a baratinha estava mesmo muito bêbada quando falou com o gato? Por quê?

D. Relacione as palavras à direita com a idéia associada a elas à esquerda.

E. Relacione os sinônimos.

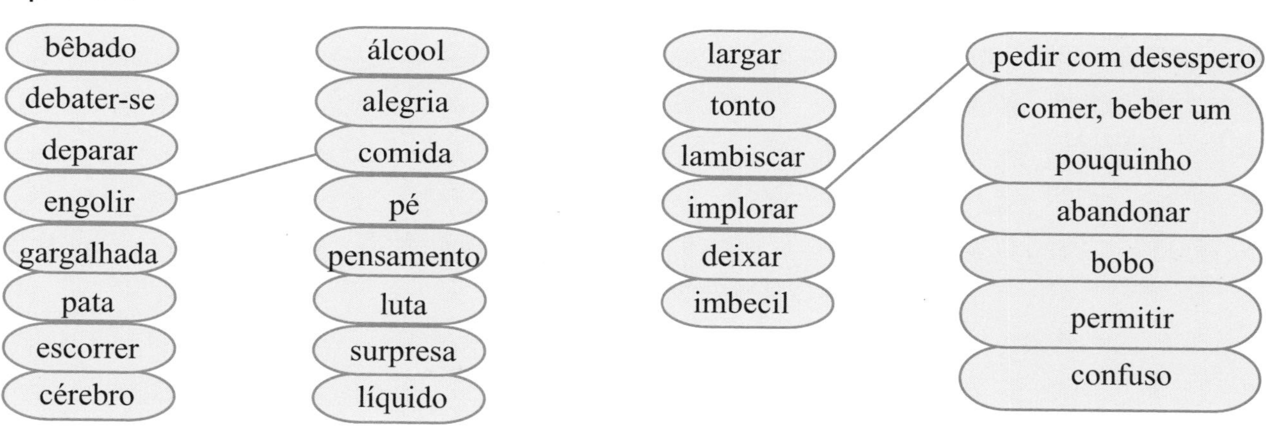

F. Relacione as expressões.

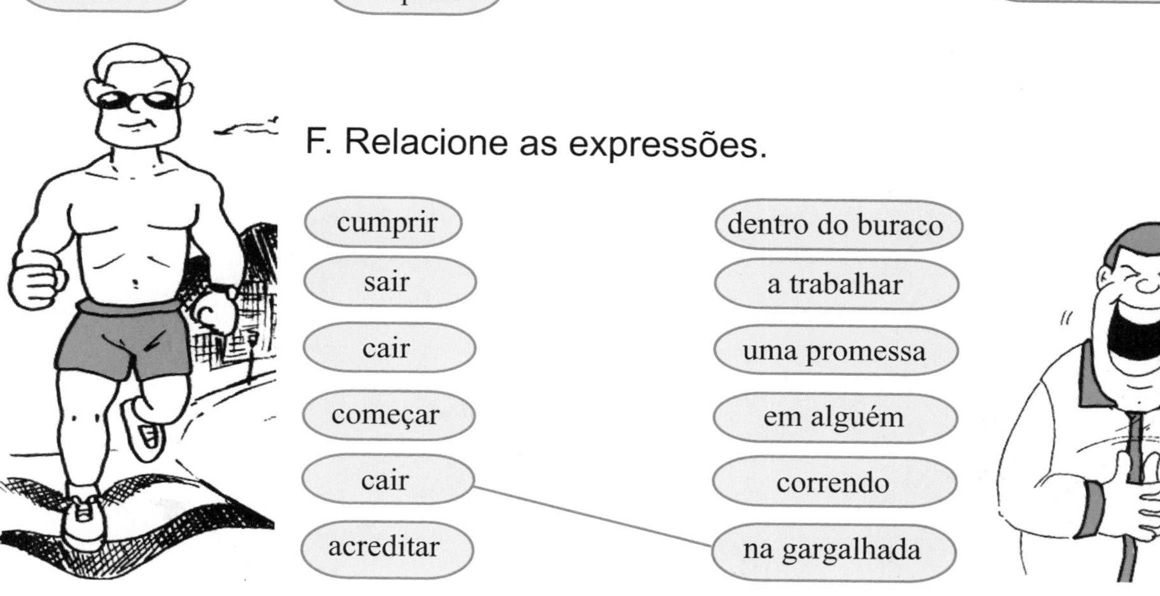

Imperativo (revisão)

Felipe, não tussa durante o concerto porque incomoda o público e o pianista.

A. Diga ao Felipe para...

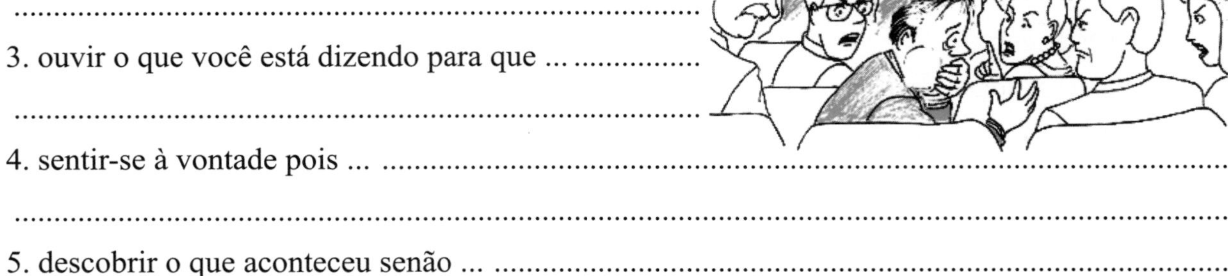

1. abrir a porta porque ... Felipe, por favor, abra a porta porque a sala está abafada.

2. não perder a hora senão .. ..

....

3. ouvir o que você está dizendo para que ... .

....

4. sentir-se à vontade pois ... .

....

5. descobrir o que aconteceu senão ... .

....

6. ficar em casa porque ....

....

7. medir a mesa senão ... .

....

8. não odiar matemática pois ... .

....

9. não mentir senão ... .

....

10. repetir a informação pois ... .

....

11. não fugir senão ... .

....

12. não tossir durante o concerto porque ... .

13. pedir mais ingressos para a palestra pois ... .

....

14. vir mais cedo senão ... .

....

Teatro Amazonas, AM.

B. Leia atentamente o bilhete de Sofia para suas filhas Ângela e Beatriz.

> *Ângela e Beatriz:*
>
> *Vou passar o dia fora. Estou lhes lembrando o que vocês têm para hoje. Primeiro, vocês farão suas lições e só depois brincarão com suas amigas. Às onze e meia vocês almoçarão e à uma hora irão para o colégio. Vocês ficarão atentas e não chegarão atrasadas. Para isto vocês vão vestir-se e sair com antecedência e porão uma blusa limpa. Vocês serão comportadas durante as aulas e terão todos os deveres prontos.*
> *Chegando do colégio, se quiserem, verão televisão.*
> *Até o jantar. Beijos.*
>
> *Mamãe*

Agora, reescreva o bilhete, colocando os verbos no imperativo.

____

____

____

____

____

____

____

C. Você vai viajar. Escreva dois bilhetes.

- O primeiro será para sua secretária. Explique-lhe o que ela deve fazer durante sua ausência (rotinas do escritório).
- O segundo bilhete será para sua empregada. Explique-lhe o que deve fazer. Considere a segurança da casa, os cuidados com o jardim e com o cachorro.
- Use sempre o imperativo.

D. Baseando-se no texto "O gato e a barata", ponha as orações abaixo no imperativo.

1. (subir/descer/lambiscar) — Baratinha, ______________ pelo pé do copo, __________ pela parte de dentro e __________________ o vinho.
2. (salvar) — Gatinho, __________________-me.
3. (sair) — Que é isso, baratinha. __________________ já daí.
4. (ser) — Gatinho, não __________________ tão imbecil.
5. (acreditar) — Gatinho, não __________________ em barata velha e bêbada.

Família de palavras

Complete os quadros.

SUBSTANTIVO	ADJETIVO	ADVÉRBIO
1. **a força**	**forte**	**fortemente**
2. **a dúvida**		
3.	**verdadeiro**	
4. **a saúde**		
5.	**tímido**	
6.	**feliz**	
7.	**largo**	
8. **a altura**		
9.	**bobo**	
10.		**inteligentemente**
11. **a ansiedade**		
12.	**econômico**	
13. **o cuidado**		
14. **o perigo**		
15. **o silêncio**		

SUBSTANTIVO	ADJETIVO	VERBO
1. **a sujeira**		
2.	**mentiroso**	
3.		**permitir**
4.	**proibido**	**proibir**
5.		**confundir**
6.		**viver**
7.	**preocupado**	
8. **a limpeza**		
9.		**prometer**
10. **o cansaço**		

Intervalo

A Banda

Letra e música de Chico Buarque

Estava à toa na vida
o meu amor me chamou,
Pra ver a banda passar
cantando coisas de amor

A minha gente sofrida
despediu-se da dor
Pra ver a banda passar
cantando coisas de amor

O homem sério que contava dinheiro, parou
O faroleiro que contava vantagem, parou
A namorada que contava as estrelas,
parou para ver, ouvir e dar passagem

A moça triste que vivia calada sorriu
A rosa triste que vivia fechada se abriu
E a meninada toda se assanhou
Pra ver a banda passar cantando coisas de amor.

A minha gente sofrida
despediu-se da dor
Pra ver a banda passar
cantando coisas de amor

O velho fraco se esqueceu do cansaço e pensou
Que ainda era moço pra sair no terraço e dançou
A moça feia debruçou na janela
Pensando que a banda tocava pra ela

A marcha alegre se espalhou na avenida e insistiu
A lua cheia que vivia escondida surgiu
Minha cidade toda se enfeitou

Pra ver a banda passar
Cantando coisas de amor

Mas para meu desencanto
O que era doce acabou
Tudo tomou seu lugar
Depois que a banda passou

E cada qual no seu canto
E em cada canto uma dor
Depois da banda passar
Cantando coisas de amor

A. Vocabulário.

1. Relacione.

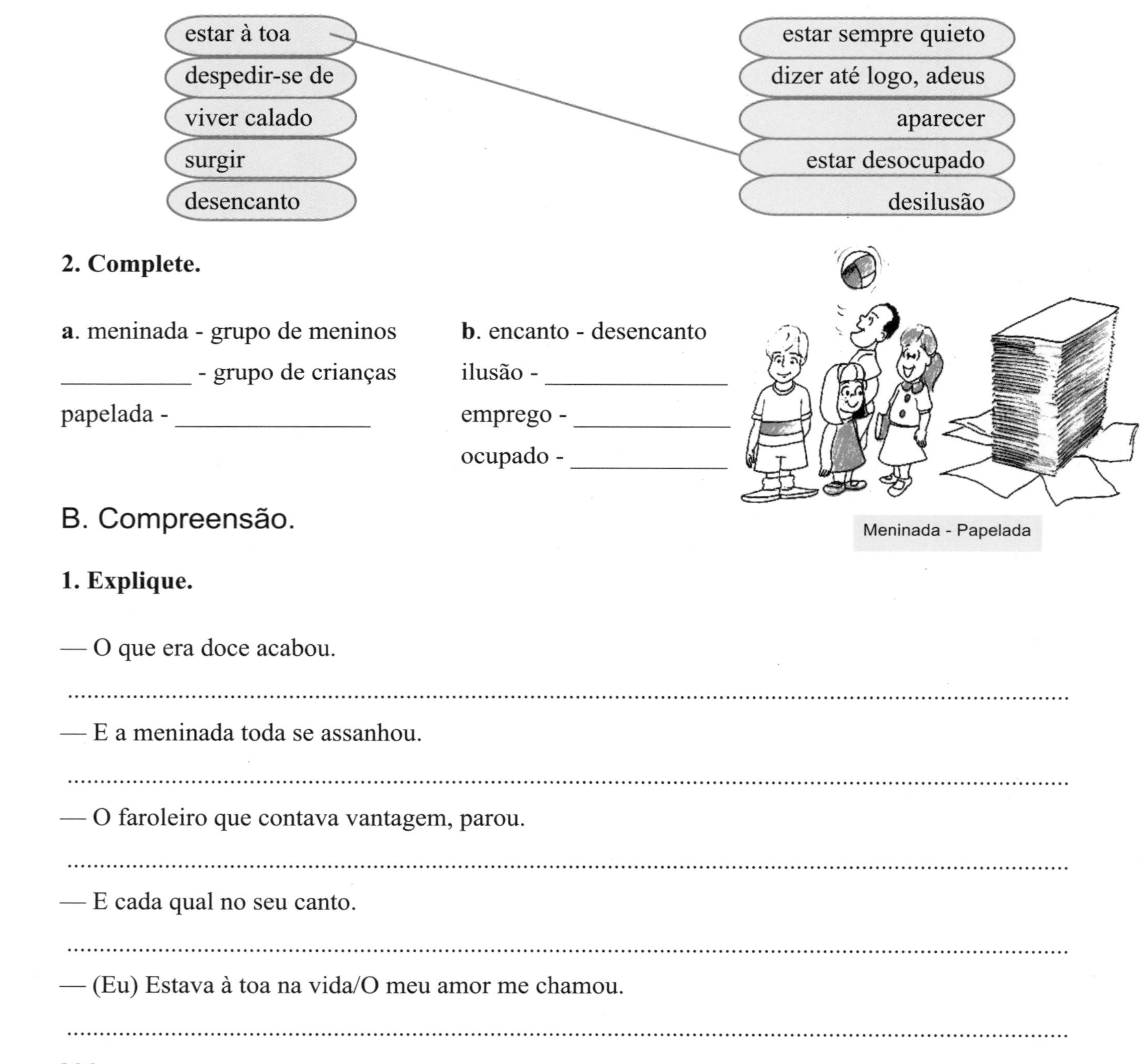

estar à toa	estar sempre quieto
despedir-se de	dizer até logo, adeus
viver calado	aparecer
surgir	estar desocupado
desencanto	desilusão

2. Complete.

a. meninada - grupo de meninos
___________ - grupo de crianças
papelada - _______________

b. encanto - desencanto
ilusão - _______________
emprego - _____________
ocupado - _____________

Meninada - Papelada

B. Compreensão.

1. Explique.

— O que era doce acabou.

....

— E a meninada toda se assanhou.

....

— O faroleiro que contava vantagem, parou.

....

— E cada qual no seu canto.

....

— (Eu) Estava à toa na vida/O meu amor me chamou.

....

2. Ouça a música novamente e responda.

1. Como estava a cidade antes de a banda passar? Considere a população.

o homem sério ....

a namorada ....

a moça triste ....

a rosa triste ....

a lua cheia ....

2. Durante a passagem da banda, o que aconteceu?

com as pessoas em geral ....

....

com o homem sério ....

....

com a namorada ....

....

com a moça triste ....

....

com a rosa triste ....

....

com a meninada ....

....

com o velho fraco ....

com a lua cheia ....

com a moça feia ....

3. Depois que a banda passou e foi embora, o que aconteceu na cidade?

....

A felicidade

(Tom Jobim e Vinícius de Moraes)

Tristeza não tem fim
Felicidade sim

A felicidade é como a pluma
que o vento vai levando pelo ar

voa tão leve, mas tem a vida breve
Precisa que haja vento sem parar
A felicidade do pobre parece
A grande ilusão do carnaval

A gente trabalha o ano inteiro
Por um momento de sonho pra fazer a fantasia
De rei ou de pirata ou jardineira

Pra tudo se acabar na quarta-feira

A felicidade é como a gota de orvalho
Numa pétala de flor
Brilha tranqüila depois de leve oscila
E cai como uma lágrima de amor

A minha felicidade está sonhando
Nos olhos da minha namorada
É como esta noite passando, passando
Em busca da madrugada
Fale baixo por favor
Pra que ela acorde alegre com o dia
Oferecendo beijos de amor.

A. Compreensão. Indique a passagem da música que diz que

1. a felicidade é frágil, imprevisível e dura pouco.

....

....

2. para que não acabe, a felicidade precisa de atenção e cuidados.

....

....

3. o pobre tem trabalho para conquistar a felicidade, mas ela dura pouco.

....

....

4. a felicidade chega, fica um pouco e depois acaba.

....

....

5. a espera pela felicidade é uma espera ansiosa e solitária.

....

....

B. Segundo a música,

Tristeza não tem fim/felicidade sim. Os dois primeiros versos de *A Felicidade* poderiam resumir o tema de *A Banda*? Explique. ....

....

Texto narrativo

O carnaval

Foto: Desfile carnaval 1998, sambista da Escola Unidos do Peruche/RJ.

A maior festa popular brasileira e a mais conhecida mundialmente é, sem dúvida, o carnaval. Oficialmente, o carnaval dura três dias: domingo, segunda-feira e terça-feira. Na realidade, porém, a festa começa já na noite de sábado e só termina na manhã de 4ª feira de Cinzas.

Foto:Sambódromo, de Marluce Balbino, Acervo Riotur.

Alegria ou ilusão?
"A gente trabalha
o ano inteiro,
Por um momento de sonho
Pra fazer a fantasia de rei,
De pirata ou jardineira,
E tudo se acabar
na 4ª-feira".

A tradição dessa festa vem desde os tempos da guerra do Paraguai. No começo era o entrudo, festa de origem européia. Fazendeiros, peões, brancos e pretos brincavam nas ruas, jogando água, farinha de trigo e polvilho uns nos outros. Com o tempo, por causa dos excessos, o entrudo foi proibido em algumas cidades. Acabado o entrudo, apareceram os bailes de salão. O primeiro realizou-se no Rio de Janeiro, em 1840. O povo, no entanto, sem o entrudo, inventou outras formas de mostrar sua alegria nas ruas. Em 1846 surgiu "o cordão do Zé Pereira" — um grupo de pessoas que saíam pelas ruas da cidade, com bumbos e tambores, fazendo um barulho ensurdecedor. Depois, muito depois, apareceram os corsos — um enorme desfile de carros, muitos com capotas de lona abaixadas, levando foliões fantasiados, muito confete, serpentina e alegria. Os corsos ficaram famosos em todo o país e mesmo cidades pequenas do interior costumavam fazê-los.

Várias cidades brasileiras mantêm hoje, por tradição, um carnaval de rua com características bem próprias. Em Salvador, na Bahia, por exemplo, o Trio Elétrico, um caminhão muito iluminado e lento, tocando músicas carnavalescas num volume de som infernal, é seguido pela multidão que, com ou sem fantasia, dança e brinca na maior confusão. Em Recife, capital de Pernambuco, pelas ruas multidões dançam o frevo — música de ritmo muito agitado e alegre.

Os desfiles das escolas de samba são certamente o que há de mais espetacular nos festejos carnavalescos. Embora haja desfiles em várias cidades brasileiras, o Rio de Janeiro é, sem sombra de dúvida, o grande cenário. As escolas de samba cariocas nasceram no morro. A primeira surgiu em 1929. Nessas escolas, compositores, instrumentistas e dançarinos uniam-se para desfilar. As mulheres saíam vestidas de baiana e os homens com roupa colorida, camisa listrada e chapéu de palha, a indumentária típica do malandro carioca.

Só em 1952 as escolas começaram a organizar-se realmente. Hoje, o samba desce o morro e "pede passagem" para entrar na avenida. O espetáculo é quase indescritível. Ao som da batucada, milhares de pessoas, de todas as idades, operários, comerciários, velhas cozinheiras, arrumadeiras, estudantes, costureiras, desocupados, sambando, invadem a cidade, transformados em reis, rainhas, índios, generais, damas antigas, numa grande festa colorida de cetim, plumas e lantejoulas. É o mundo de sonho e fantasia, que, depois de um ano de dura preparação, desfila sob os aplausos do público. E cada uma das escolas espera ansiosamente ganhar o prêmio.

O Rio pára nesses três dias para viver o carnaval. Na quarta-feira tudo é apenas uma lembrança. Os operários voltam para as suas máquinas, as cozinheiras para seu fogão, os comerciários para seu balcão. Mas, enquanto esperam o resultado do julgamento, já pensam no desfile do próximo ano.

Responda.

1. Qual a ligação do entrudo com o carnaval?
2. O entrudo desapareceu naturalmente? Explique.
3. O entrudo - uma manifestação popular de rua foi substituído por outras formas de festa de rua. O texto cita duas que já não mais existem. Quais são?
4. Aponte três manifestações de carnaval de rua dos dias de hoje.
5. Por que se diz que as escolas de samba nasceram do povo?
6. Pense nos desfiles das escolas de samba cariocas. Responda: o que é o carnaval? Alegria ou ilusão? Discuta.

Foto: Sambódromo na quarta-feira de cinzas, Acervo Riotur.

UNIDADE 16

Para você que vai se casar.

Cinco anos depois ...

Taubaté, 10 de março...

Minha querida amiga Laura.

Aqui vão alguns conselhos para você que vai se casar dentro em breve. Seja paciente com seu marido e aprenda a ouvir e a não dizer nada. (É melhor não dizer nada do que criar problemas.) Use suas habilidades para conseguir dele o que você quer sem que ele perceba o que está acontecendo. Quando ele chegar em casa, exausto, irritado, seja agradável, converse, sorria, não discuta. Se ele quiser sair com você, vista sua roupa mais bonita para que ele se sinta feliz. Enquanto ele estiver assistindo ao futebol pela televisão, não o perturbe, mas, sempre que for possível, ofereça-lhe um cafezinho, um suco, talvez uns biscoitinhos...
Aconteça o que acontecer, fique sempre a seu lado. Confie nele. Acredite sempre em tudo o que ele lhe disser. Assim, querida amiga, haverá tranqüilidade em seu lar e ele será um marido feliz. E você, esposa dedicada, com certeza encontrará a sua felicidade. Boa sorte!

Um abraço cheio de amizade,

da Susana.

Florianópolis, 20 de outubro ...

Querida Susana

Guardo bem guardada aquela carta que você me mandou há tanto tempo. Ela é minha Bíblia, minha Tábua dos Dez Mandamentos. Sempre achei que, seguindo os conselhos que você me deu, eu seria feliz. Mas acontece, eu não sei por quê, que meu casamento não está dando certo. O Arnaldo não é o marido com que eu sonhara. Imagine, ele não gosta de televisão e odeia futebol. Quando estou cansada, ele corre para a cozinha e traz um chá para mim! Nunca saímos à noite porque, diz ele, gosta de ficar sozinho comigo, ouvindo música. Dinheiro, Susana, não é problema: desde o início de nosso casamento, tenho uma conta no banco só para mim. Posso fazer o que quiser sem dar explicações a ninguém! Como se isso não bastasse, o Arnaldo pede minha opinião sobre tudo e acha importante tudo o que eu digo. Eu não o entendo ...
Não agüento mais! Digam o que disserem, vou me separar dele. Amanhã mesmo, depois que ele sair para o trabalho, arrumarei minhas malas e abandonarei esta casa. Vou para a casa de mamãe. Não posso mais me sujeitar a viver com um homem que não me trata como esposa! Que desilusão!

Laura

Modo subjuntivo — Futuro

MORAR — Futuro do subjuntivo			
Quando eu	morar	Quando nós	morarmos
Quando você Quando ele Quando ela	morar	Quando vocês Quando eles Quando elas	morarem

VENDER — Futuro do subjuntivo			
Quando eu	vender	Quando nós	vendermos
Quando você Quando ele Quando ela	vender	Quando vocês Quando eles Quando elas	venderem

ABRIR — Futuro do subjuntivo			
Quando eu	abrir	Quando nós	abrirmos
Quando você Quando ele Quando ela	abrir	Quando vocês Quando eles Quando elas	abrirem

Formação

Forma-se o futuro do subjuntivo a partir da 3ª pessoa do plural do perfeito do indicativo.
Eles tiveram — Quando eu tiver.

Emprego

a. Depois das conjunções *quando*, *enquanto*, *logo que*, *assim que*, *depois que*, *se, como, sempre que, a medida que, conforme,* indicando ação no futuro.

Importante: Quando estas conjunções introduzem verbos que indicam ação no presente ou no pretérito, usa-se o Indicativo.

Quando eu *venho* aqui, eu sempre o *vejo*.
Quando eu *vinha* aqui, eu sempre o *via*.

Quando eu *vim* aqui, eu o *vi*.
Quando eu *vier* aqui, eu o *verei*.

Enviarei o dinheiro
- quando quiser.
- enquanto puder.
- logo que (assim que) puder.
- depois que eu receber meu salário.
- se tiver tempo.
- como (= conforme) puder.
- sempre que for possível.
- à medida que for recebendo.

b. Em orações relativas.

Receberei
- quem vier.
- aquele que vier.
- todos os que vierem.
- tudo quanto eles mandarem.
- tudo o que eles mandarem.
- onde você quiser.
- o que vocês mandarem

c. Em orações do tipo:

Ficaremos aqui

aconteça o que acontecer.
haja o que houver.
digam o que disserem.
pensem o que pensarem.
venha quem vier.

A. (beber) Eles **beberam** Quando você **beber**.

1.(beber) Eles	Quando eu
2. (conseguir) Eles	Quando você
3. (sair) Eles	Quando nós
4. (pôr) Eles	Quando eles
5. (dizer) Eles	Quando vocês
6. (ir) Eles	Quando nós
7. (vir) Eles	Quando eu
8. (ver) Eles	Quando eu
9. (acabar) Eles	Quando nós
10. (fazer) Eles	Quando elas

B. (poder) Ele vai telefonar quando **puder**.

1. (entrar) Não gosto dele. Vou sair da sala quando ele ______________.
2. (poder) A situação é difícil, mas agüentaremos enquanto ______________.
3. (estar) O aluno não falará enquanto o professor ______________ explicando a matéria.
4. (ser) O menino disse que será médico quando ______________ grande.
5. (saber) Telefonarei para você se ______________ de alguma novidade.
6. (chegar) João trocará de roupa assim que ______________ em casa.
7. (vender) Teremos mais lucro à medida que ______________ mais.
8. (estar) Venham visitar-me sempre que ______________ livres.
9. (caber) Levarei sua bagagem se ela ____________ no carro.
10. (querer) Se Deus ______________, tudo dará certo.
11. (dar) Sairei logo que o professor ______________ licença.
12. (ter) Avisaremos quando ______________ notícias.
13. (querer) Faça como ______________.
14. (fazer/chover) Se ___________ calor ficaremos na praia, se ____________ ficaremos em casa.

Levarei sua bagagem como puder.

15. (fazer) Conforme o trabalho que nós __________, ganharemos muito dinheiro.

16. (fechar) Depois que nós __________ as janelas, trancaremos todas as portas.

17. (estar) Enquanto o sinal __________ vermelho, não poderemos passar.

18. (ver) Lembrarei o que aconteceu sempre que __________ José.

19. (vir) Quando nós __________, traremos um presente.

20. (pedir) Ajude-os, quando eles __________ auxílio.

21. (poder) Pense em nós sempre que __________.

C. Complete com o Futuro do subjuntivo.

1. (dar) Aquele que __________ informações sobre meu cachorro será bem gratificado.

2. (querer) Todos os que __________ fazer o curso deverão deixar seu nome na secretaria.

3. (chegar) Quem __________ primeiro escolherá o melhor lugar.

4. (estar) Levante a mão quem __________ contra.

5. (estar) Fique sentado quem __________ de acordo.

6. (dizer) Tudo quanto vocês __________ será gravado.

7. (pagar) Todos os que __________ em dia terão um desconto de 10%.

8. (poder) O barco está afundando! Salve-se quem __________.

9. (mandar) Prometo que faremos tudo o que vocês __________.

10. (trazer) Receberemos bem todas as pessoas que eles __________.

D. Complete as sentenças com expressões deste tipo: "Aconteça o que acontecer ..."

1. (ser) __________ quem __________, diga que não estou.

2. (doer) __________ a quem __________, diremos toda a verdade.

3. (haver) __________ o que __________, continuaremos bons amigos.

4. (dar) __________ quanto __________, nunca pagará sua dívida.

5. (ir) __________ aonde __________, ele sempre será reconhecido.

6. (fazer) Não adianta, João. __________ o que ______________, você não resolverá o problema.
7. (estar) Eu o encontrarei algum dia, ______________ onde ______________.
8. (chover) ____________ quanto ____________, o calor não diminuirá.
9. (ser) Diga-me a verdade, ____________ ela qual __________.
10. (dizer) Vocês não me farão mudar de idéia, __________ o que ____________.
11. (custar) Você me ouvirá ____________ o que ____________.

E. Complete o texto.

Querido Arnaldo

Sinto muito, mas esta é uma carta de despedida. Não posso mais continuar a seu lado porque o futuro será igual a todos os dias que passamos juntos até agora. Receio que, haja o que houver, você não mude de atitude. (custar) ______________ o que ______________, você continuará me tratando como se eu fosse apenas uma grande amiga sua, não sua esposa. Mas acredite, (estar) ______________ onde ______________ eu o amarei do mesmo modo.
(ir) ______________ para onde ____________, levarei você comigo, no coração. E eu voltarei correndo,(acontecer) ______________ o que ____________________ se você me quiser de volta.
Basta chamar.

Sua Laura

Colocação do pronome átono
(me, te, se, lhe, o, a, nos, vos, se, lhes, os, as)

1. Regra geral: o pronome átono é colocado *depois* do verbo:

Conte-me tudo.

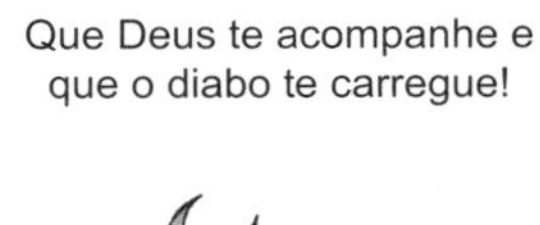

Que Deus te acompanhe e que o diabo te carregue!

2. O pronome átono virá *antes* do verbo quando, antes dele, aparecer:

a. palavra negativa: não, nunca, ninguém, nada, nem etc.
Ninguém me viu.
Nada me fará mudar de idéia.

b. pronomes indefinidos: tudo, vários, pouco, muito etc.
Alguém me disse que você estava aqui.
Tudo se esquece.

c. pronomes relativos: que, quem, onde, o qual, cujo etc.
A pessoa **que** nos atendeu estava ...

d. conjunções subordinativas: embora, para que, quando, se etc.:
Vou esperar **até que** você me diga o que aconteceu.

e. certos advérbios: sempre, já, bem, aqui, mais etc.
Já lhe expliquei tudo.

f. orações que indicam desejo, do tipo: Deus me livre!
Deus te acompanhe!
O diabo te carregue!

g. orações iniciadas por palavra interrogativa ou exclamativa:
Quem lhe disse isso? | **Como** eles se amam!
Como você se chama? | **Quanto** tempo me custou este trabalho!

3. O pronome átono pode vir *no meio* do verbo quando o verbo estiver no futuro do presente ou no futuro do pretérito. Nunca se coloca o pronome átono depois destes tempos.

Dar-lhe-ei notícias. Dir-lhe-ia tudo se pudesse.

Observações

— Na linguagem formal, não se começa oração com o pronome átono.
— A colocação do pronome átono no meio do verbo é exclusiva da linguagem formal escrita.
— No Brasil, é generalizada a tendência de se colocar o pronome átono antes do verbo:

Eu me chamo Maria.
Mariana nos visitou.

A. Coloque o pronome átono e explique.

(lhe) Não lhe disse nada. (por causa da palavra negativa *não*)

1. (lhe) Não telefonei ontem. ....
2. (me) Diga o que sabe. ....
3. (as) Dei para meu melhor amigo. ....
4. (se/lhe) Nunca esqueça do que dissemos. ....
5. (se) Alguém sentou na minha cadeira. ....
6. (me) Quando chamaram, já era tarde. ....
7. (lhe) Daria tudo para que dissesse a verdade. ....
8. (lhe/me) Tudo daria para que dissesse a verdade. ....
9. (lhes) Farei alguns favores. ....
10. (lhes) Não farei nenhum favor. ....
11. (nos/nos) Embora conte muita coisa, ele não conta tudo. ....
12. (lhe/me) Peço que ouça. ....

Recorde (Consulte a Unidade 6).

Quebraram esta cadeira → Quebraram-*na*.
Preciso pagar a conta → Preciso pagá-*la*.

Aprenda.

Bebem*os* o vinho → Bebem*o-lo*.
Mandam*os* a carta → Mandam*o-la*.

B. Substitua as palavras indicadas por um pronome e coloque-o corretamente na frase.

1. Infelizmente não podemos ajudar *nosso amigo*. ....
2. Fiz tudo para destruir *as suspeitas*. ....
3. Veremos *nosso filho* alegre. ....

4. Levarei *a mala* comigo. Levá-la-ei comigo.

Levá-la-ei comigo.

5. Deixaremos *os documentos* na gaveta. ....

6. Escreveremos *a carta* amanhã. ....

7. Não mandaremos *estas notícias* hoje. ....

8. Você sabia que recusei *a oferta?* ....

9. Se levarmos *as crianças*, não teremos sossego. ....

10. Conte tudo *para nós*. ....

11. Tudo será negado *aos nossos inimigos*. ....

12. Nada posso dizer *a você*. ....

13. Queremos *as informações* agora. ....

14. Vimos *os rapazes* correndo. ....

15. Escutamos *a mesma música* três vezes. ....

16. Os convidados beberam toda *a cerveja*. ....

17. Vocês deram *os bilhetes* a João? ....

18. Consegui trocar *a blusa*. ....

19. Quero ler *o relatório* mais uma vez. ....

20. Precisamos completar *o exercício* agora. ....

Contexto

Natal

É noite de Natal, e estou sozinho na casa de um amigo, que foi para a fazenda. Mais tarde talvez saia. Mas vou me deixando ficar sozinho, numa confortável melancolia, na casa quieta e cômoda. Dou alguns telefonemas, abraço à distância alguns amigos. Essas poucas vozes, de homem e mulher, que respondem alegremente à minha, são quentes, e me fazem bem. "Feliz Natal, muitas felicidades!";

dizemos essas coisas simples com afetuoso calor; dizemos e creio que sentimos; e como sentimos, merecemos. Feliz Natal!

Desembrulho a garrafa que um amigo teve a lembrança de me mandar ontem; vou lá dentro, abro a geladeira, preparo um uísque, e venho me sentar no jardinzinho, perto das folhagens úmidas. Sinto-me bem, oferecendo-me este copo, na casa silenciosa, nessa noite de rua quieta. Este jardinzinho tem o encanto sábio e agreste da dona de casa que o formou. É um espaço folhudo e florido de cores, que parece respirar; tem a vida misteriosa das moitas perdidas, um gosto de roça, uma alegria meio caipira de verdes, vermelhos e amarelos.

Penso, sem saudade nem mágoa, no ano que passou. Há nele uma sombra dolorosa; evoco-a neste momento, sozinho, com uma espécie de religiosa emoção. Há também, no fundo da paisagem escura e desarrumada desse ano, uma clara mancha de sol. Bebo silenciosamente a essas imagens da morte e da vida; dentro de mim elas são irmãs. Penso em outras pessoas. Sinto uma grande ternura pelas pessoas; sou um homem sozinho, numa noite quieta, junto de folhagens úmidas bebendo gravemente em honra de muitas pessoas. De repente um carro começa a buzinar com força, junto ao meu portão. Talvez seja algum amigo que venha me desejar Feliz Natal ou convidar para ir a algum lugar. Hesito ainda um instante; ninguém pode pensar que eu esteja em casa a esta hora. Mas a buzina é insistente. Levanto-me com certo alvoroço, olho a rua, e sorrio: é um caminhão de lixo. Está tão carregado, que nem se pode fechar: tão carregado como se trouxesse todo o lixo do ano que passou, todo o lixo da vida que se vai vivendo. Bonito presente de Natal! O motorista buzina ainda algumas vezes, olhando uma janela do sobrado vizinho. Lembro-me de ter visto naquela janela uma jovem mulata de vermelho sempre a cantarolar e a espiar a rua. É certamente ela quem procura o motorista retardatário: mas a janela permanece fechada e escura. Ele movimenta com violência seu grande carro negro e sujo; parte com ruído, estremecendo a rua.

Volto à minha paz, e ao meu uísque. Mas a frustração do lixeiro e a minha também quebraram o encanto solitário da noite de Natal. Fecho a casa e saio devagar; vou humildemente filar uma fatia de presunto e de alegria na casa de uma família amiga.

(Rubem Braga, A Borboleta Amarela)

A. Responda.

1. Por que o Natal é uma "noite de rua quieta"?
2. Por que ele foi até a geladeira?
3. No final, o autor e o lixeiro ficaram frustrados. Qual foi a frustração do autor? E a do lixeiro?

B. Escolha a melhor alternativa.

1. No início o autor não sai porque

- ❑ a) não tem nenhuma intenção de sair
- ❑ b) está com preguiça e a casa é confortável
- ❑ c) a casa é quieta e cômoda e a rua está vazia
- ❑ d) se sente bem assim sozinho na casa quieta e cômoda

Foto: Rubem Braga

2. O autor levanta-se com alvoroço porque

- ☐ a) alguém está buzinando junto ao portão
- ☐ b) a idéia de que um amigo venha visitá-lo o alegra
- ☐ c) quer ver o caminhão de lixo tão carregado
- ☐ d) quer espiar a mulata que está sempre cantarolando

3. Bonito presente de Natal! O autor

- ☐ a) acha que o presente é realmente bonito
- ☐ b) imagina que o caminhão, simbolicamente, vai levar embora todas as tristezas do ano e, por isso, se alegra
- ☐ c) está ironizando
- ☐ d) agradece o presente

C. Descubra no texto as passagens que afirmam que

1. o ano que está chegando ao fim foi um ano difícil para o autor.
2. a lembrança dos acontecimentos do ano não entristece o autor.
3. o caminhão de lixo está atrasado.
4. a mulata é pessoa alegre.
5. por um momento o caminhão destrói o sossego da rua.
6. durante o ano, um fato alegre, provavelmente um nascimento, trouxe felicidade para o autor.
7. o caminhão de lixo está completamente cheio.
8. para o autor, o caminhão destruiu a emoção daquela noite de Natal.
9. o autor brinda diversas pessoas.
10. a mulata não está em casa.
11. o autor está em paz com o mundo.

D. Explique.

1. ... abraço à distância alguns amigos ....
2. É um espaço folhudo e florido de cores. ....
3. caipira ....
4. ... uma alegria meio caipira de verdes, vermelhos e amarelos. ....
5. Essas poucas vozes ... são quentes ....
6. Vou lá dentro ....
7. vou ... filar uma fatia de presunto e de alegria. ....

Se desarrumou então arrume!

Prefixo <u>des.</u>

Desembrulho a garrafa que um amigo teve a lembrança de me mandar.

(arrumar) Se **desarrumou** o quarto, então **arrume**!

1. (embrulhar) Se ______________, então ______________!
2. (amarrar) Se ______________, então ______________!
3. (fazer) Se ______________, então ______________!
4. (aparecer) Se ______________, então ______________!
5. (cobrir) Se ______________, então ______________!
6. (pentear) Se ______________, então ______________!
7. (montar) Se ______________, então ______________!

Embrulhar — Desembrulhar

Preposições

1. Penso *sem* saudade, nem mágoa ...
2. Sou um homem sozinho ... *junto* de folhagens úmidas
3 ... *numa* confortável melancolia, *na* casa quieta.

a. Preposições simples

a	**ante**	**após**	**até**
com	**contra**		
de	**desde**		
em	**entre**		
para	**perante**	**por**	
sem	**sob**	**sobre**	

Outras preposições

Segundo = conforme
durante
exceto etc.

O navio partiu sob uma chuva forte de confetes.

A. Complete.

O navio partiu sem mim.

1. O navio partiu

______________ a tripulação completa.

______________ mim.

______________ muita demora.

______________ uma chuva de confetes.

______________ Lisboa.

2. Os convidados estão chegando

__________ pé.

__________ automóvel.

__________ avião.

__________ atraso.

__________ ontem.

__________ forte chuva.

3. Ele ficará aqui

__________ amanhã.

__________ 3 semanas, __________ o contrato.

__________ mim.

__________ toda a família.

__________ trabalhar.

__________ silêncio.

__________ minha vontade.

__________ a família.

B. Complete com uma preposição simples.

Ele falou para todos.

1. Ele falou __________ todos.
2. Não venho aqui __________ os 10 anos.
3. Só vamos jantar __________ o cinema.
4. O prisioneiro fugiu __________ a noite.
5. O réu apresentou-se __________ o júri.
6. Todos chegaram na hora, __________ ele.
7. Comprei este presente __________ Mário.
8. O ator deixou o palco __________ aplausos.
9. Infelizmente nada pudemos fazer __________ ele.
10. Temos que agir _______________ o regulamento.
11. Não posso comprar este livro, estou __________ dinheiro.
12. Nossos atletas receberam a medalha __________ ouro.
13. Há muitos buracos na rua. Ande __________ cuidado.
14. Ela merece o prêmio: estudou __________ muita dificuldade e lutou __________ muitos obstáculos.
15. Margarida, só a aceitaremos __________ uma condição: não converse no telefone __________ seus amigos.

b. Locuções prepositivas

ao lado de
através de
apesar de
além de
a fim de
antes de
atrás de
junto a
junto de
longe de
perto de
depois de
em vez de
em cima de
embaixo de
em lugar de
por causa de
de acordo com
por trás de ...

Complete com uma das locuções prepositivas dadas.

1. Ele passou ________________ (os) carros para chegar mais depressa.
2. ________________ sair, fechou as janelas e apagou as luzes.
3. ________________ o nosso regulamento, ninguém pode ficar com as chaves das salas.
4. Já procurei por toda a parte, ________________ (a) mesa, ________________ (os) armários, ________________ (o) telefone, mas não acho o caderno de endereços.
5. Tudo deve estar pronto ________________ (o) convidado chegar.
6. Não gostei do jantar porque, ________________ vinho ou cerveja, serviram água.
7. ________________ (a) minha dor de cabeça, vou sair com você.
8. Ele gastou uma fortuna com a festa: ________________ vinho, havia também champanhe.
9. Eles brigaram ________________ dinheiro.
10. Ontem ela passou ________________ mim e nem me cumprimentou.

Ele gastou uma fortuna com a festa: além de vinho, havia também champagne.

Ontem ela passou por mim e nem me cumprimentou.

Contração das preposições com outras palavras

a + o = ao
a + a = à

de + o = do
de + ele = dele
de + este = deste
de + aquele = daquele
de + isto = disto
de + aqui = daqui

em + o = no
em + esse = nesse
em + um = num
em + aquele = naquele
por + o = pelo

Crase

Vou ao banco e depois *à* escola.

A crase é a contração da preposição *a* introduzida pelo verbo mais o artigo definido feminino que antecede o substantivo.

I. Quando não há preposição ou o artigo, não há crase.

(ir a)	Ele vai a	a escola	=	Ele vai	à escola.
(escrever a)	Ele escreve a	as amigas	=	Ele escreve	às amigas.
(dizer a)	Ele disse isto a	alguém	=	Ele disse isto	a alguém.
(entender)	Ele entendeu	a explicação	=	Ele entendeu	a explicação.
(escrever a)	Ele escreveu a	elas	=	Ele escreveu	a elas.

Craseie se necessário.

1. Dei o livro a menina.
2. Dei o livro a uma menina.
3. Ele foi a festa do amigo ontem.
4. Ele sempre vai a festas.
5. Ninguém entregou nada a ela.
6. Mostre a casa a pessoas amigas!
7. Não tenho nada a dizer a vocês, só a Mônica.
8. Ele se referiu a alguém, talvez a pessoa com quem ele trabalha.
9. Ele começou a conversar enquanto nos dirigíamos a porta de saída.
10. Ele explicou os problemas as alunas, mas nada disse a diretora.

II. Há crase nas locuções adverbiais formadas com substantivos femininos

PARE 16-8

TEMPO:		MODO:		LUGAR:	
Ele vinha	à tarde à noite às sete à hora certa às vezes	**Ele saiu**	às claras às escondidas às pressas à francesa	**Ele estava**	à margem do rio à direita do presidente à porta, à janela

Craseie se necessário.

1. Gosto de sair a noite. A noite, nesta época do ano, é muito agradável.
2. Ele estava a espera do amigo que chegaria as 8.
3. Eles conversaram a beira da piscina antes de ir a sauna.
4. As vezes fico triste com ele. Em todas as vezes que estive em casa dele, não consegui conversar com ele.
5. Minha sala fica a esquerda do elevador. A direita é a sala do meu chefe.
6. Comprei um barco a motor e um carro a álcool.

Frutas e árvores

A árvore da laranja
é a laranjeira

A árvore da maçã
é a macieira

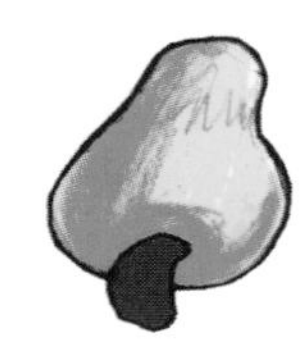

A árvore do caju
é o

A árvore da manga
é a

A árvore da pêra é a

A árvore do pêssego é o

A árvore da banana é a

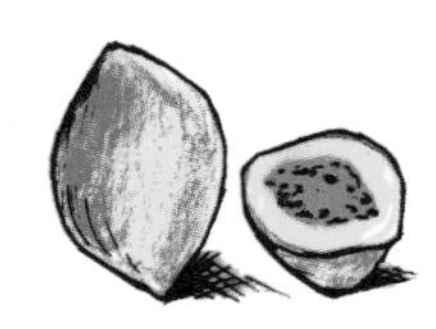

A árvore da goiaba é a

A árvore da ameixa é a

A árvore do coco é o

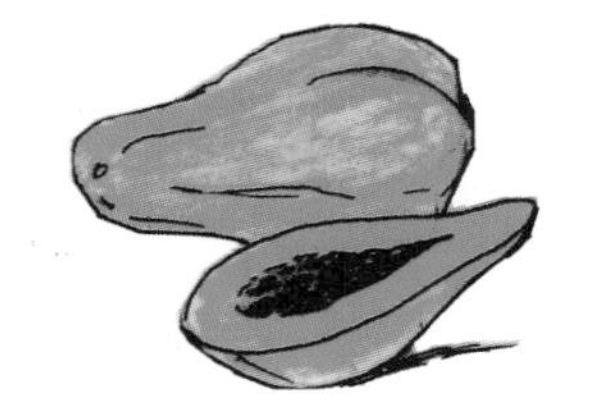

A árvore do mamão é
o mamoeiro

A árvore do abacate é o

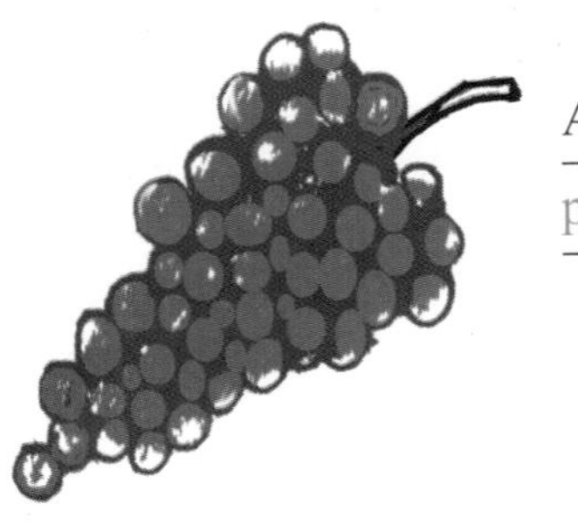

A árvore da uva é a
parreira

A árvore do figo é a

A árvore do limão é o limoeiro

A árvore da jabuticaba é a

Frutas brasileiras vendidas na feira livre

Fruta do Conde

Carambola

Maracujá

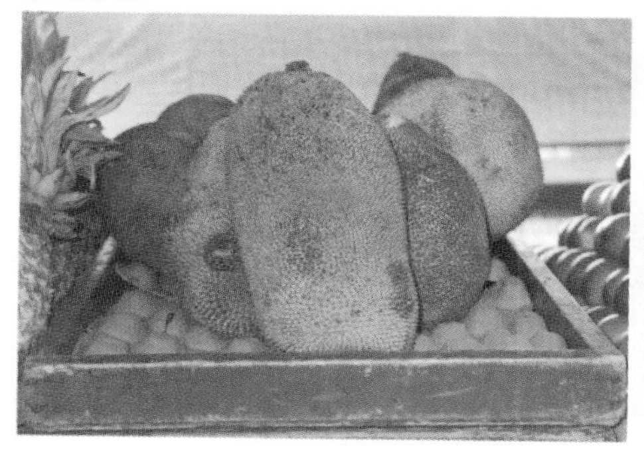

Jaca

Abacate

Abacaxi

Intervalo

Procissão

Era um homem bem vestido
Foi beber no botequim
Bebeu muito, bebeu tanto
Que saiu de lá assim

As casas passavam em volta
Numa procissão sem fim
As coisas todas rodando

A Escada

O moço entra apressado
Pra ver a namorada
E é da seguinte forma

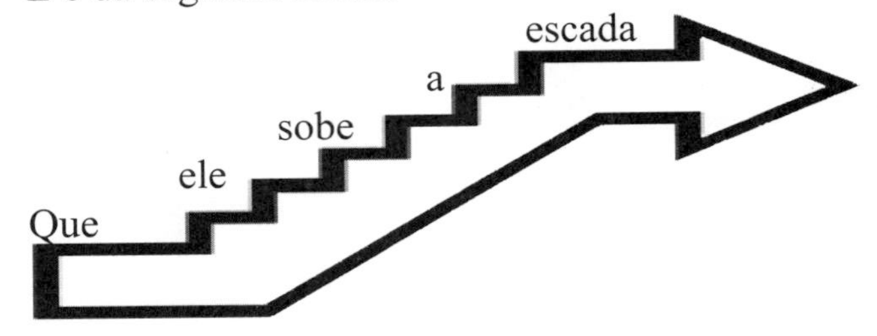

Mas lá em cima está o pai
Da pequena que ele adora
E por isso pela escada

Assim
ele
vem
embora.

(Millôr Fernandes)

Preste atenção à forma como estão escritos os poemas e responda. Explique sua resposta.

1. Procissão — Certo ou errado? Pinte a taça.

a. Havia uma escada na frente do botequim.

b. O homem saiu do bar andando com passos regulares.

c. O homem estava com soluço provavelmente por causa da bebida.

d. Quando o homem chegou à rua, a rua era plana.

e. As casas e as coisas rodavam em volta dele.

B. A Escada. Certo ou errado? Pinte a seta.

a. O moço subiu a escada de dois em dois degraus.

b. Quando chegou ao alto da escada, ele percorreu um corredor.

c. Ele começou a descida em pé.

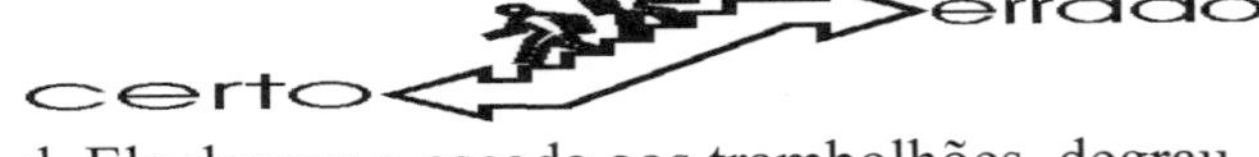

d. Ele desceu a escada aos trambolhões, degrau por degrau.

e. Quando o moço chegou à rua, saiu andando.

f. Ele foi embora com passo firme.

Texto narrativo

Riquezas do Brasil: o pau-brasil e o açúcar (1)

Desde seu descobrimento, o Brasil explorou suas riquezas naturais e viveu grandes épocas graças à sua agricultura.

A primeira riqueza natural a ser explorada foi o pau-brasil — um tipo de árvore assim chamado porque de sua madeira se extraía uma tinta vermelha como brasa, muito utilizada na Europa quinhentista para a produção de tecidos vermelhos, de alto preço. O Brasil possuía esta árvore em abundância - por isso ficou conhecido como Terra do Brasil, nome que substituiu Terra de Santa Cruz. Atraídos pelo pau-brasil, para cá vieram os europeus, principalmente espanhóis e franceses. Com a ajuda dos índios, os europeus desenvolveram uma exploração sistemática do pau-brasil e, em poucas décadas, devastaram a Mata Atlântica, embora esta cobrisse nossa costa do norte ao sul.

A segunda riqueza brasileira foi o açúcar. Sua produção deu início ao processo de colonização do Brasil, primeiramente no litoral da região nordestina, onde se estendiam as vastas terras dos engenhos — as fazendas que cultivavam a cana e produziam o açúcar. As condições de solo e clima, a presença de matas das quais se extraíam madeiras para as construções e a fornalha, e de cursos d'água que funcionavam como vias de transporte, faziam dessa região a região ideal para a atividade açucareira.

O cultivo da cana nos engenhos estabeleceu uma organização social rígida e bem característica. Havia a casa-grande, a residência do senhor de engenho e de sua família. Era uma construção resistente, de onde o senhor de engenho governava a propriedade. O Brasil possui ainda magníficos exemplos dessas construções. A capela era o local onde se reuniam as pessoas para as cerimônias religiosas: missas, batizados, casamentos e funerais.

A senzala, a habitação dos escravos, em geral constituía-se numa única peça, onde se amontoavam todos, sem distinção de idade e de sexo. A casa do engenho, local onde se produzia o açúcar, era formada pela moenda, pelas fornalhas e caldeiras e pela casa de purgar (limpar o açúcar).

Foto: Refinaria de açúcar, fazenda Bocaina, Barra Mansa, RJ.

Os empregados assalariados eram poucos.
Faziam parte da propriedade, ainda, o canavial, as áreas da mata e uma pequena área para a plantação de gêneros como a mandioca, o milho e o feijão.
Os escravos, que viviam nas senzalas, trabalhavam desde o nascer do sol até a noite, tanto no cultivo da cana como na fabricação do açúcar. O negro, na verdade, foi o grande elemento que sustentou a economia açucareira nordestina por mais de 300 anos. O jesuíta Antonil deixou-nos um testemunho de seu trabalho:
"Os escravos são as mãos e os pés do senhor do engenho."
Por causa dessa vida difícil e dura, o negro cometia suicídios e empreendia fugas para a floresta, onde formava os quilombos (aglomerações de negros fugitivos).

Responda.

1. Por que acabou a exploração do pau-brasil?
2. Por que o Nordeste brasileiro foi grande produtor de açúcar?
3. Quais são as partes de um engenho de açúcar típico (casa grande etc.)
4. Explique a organização do engenho (organização social e de trabalho).
5. Não se pode falar da produção de açúcar sem considerar a presença do negro escravo. Explique.
Fale sobre a qualidade de vida desse elemento no engenho.

UNIDADE 17

Desastre!

— Meu Deus! O que foi que aconteceu?
— Um desastre! Bati o carro.
— Mas como?
— Na hora H, o freio falhou.
— Alguém se machucou?
— Não, ninguém. Foi só o susto. Mas meu carro acabou.
— Ninguém? Ainda bem! Então não se aborreça. A gente, que anda o dia inteiro de carro, para cima e para baixo, está sujeito a essas coisas. A batida parece que foi feia, mas talvez você tenha tido sorte. Poderia ter sido pior. E o seu seguro, naturalmente, vai pagar o prejuízo ...
— É aí que está o problema. Sempre tive seguro. Mas ultimamente tenho tido problemas no escritório. Poucos clientes, pouco dinheiro, você sabe como é. Por isso deixei de pagar o seguro. Anos e anos pagando e nenhum acidente. Agora ...
— Que situação! Garanto que se você tivesse pago o seguro direitinho, você não teria batido. É sempre assim.
— É, eu sei. Azar meu!

Tempos compostos do indicativo

MORAR — Perfeito composto			
Eu	tenho morado	Nós	temos morado
Você / Ele / Ela	tem morado	Vocês / Eles / Elas	têm morado

ABRIR — Futuro do presente composto			
Eu	terei aberto	Nós	teremos aberto
Você / Ele / Ela	terá aberto	Vocês / Eles / Elas	terão aberto

VENDER — Mais-que-perfeito composto			
Eu	tinha vendido	Nós	tínhamos vendido
Você / Ele / Ela	tinha vendido	Vocês / Eles / Elas	tinham vendido

PARTIR — Futuro do pretérito composto			
Eu	teria partido	Nós	teríamos partido
Você / Ele / Ela	teria partido	Vocês / Eles / Elas	teriam partido

Emprego

— *Tenho tido* problemas ultimamente.
O Perfeito Composto expressa uma ação que se iniciou no passado e continua no presente.

Eu já *tinha parado* de pagar o seguro quando bati o carro.
Mais-Que Perfeito-Composto (consulte a unidade 11).

— Quando ele chegar, já *terei saído*.
O Futuro do Presente Composto expressa uma ação terminada em algum ponto do futuro.

— Eu também *teria desistido*.
O Futuro do Pretérito Composto indica uma ação que poderia ter acontecido no passado.

Perfeito composto (tenho falado)

A. Responda à pergunta. Complete sua resposta **livremente**.

(viajar muito) O que você tem feito ultimamente?
Ultimamente eu tenho viajado muito, por isso hoje quero ficar em casa.
ou... **por isso não tenho visto meus colegas.** ou ...

1. (trabalhar muito) Ultimamente eu ....
2. (ficar em casa) ....
3. (dormir até tarde) ....
4. (descansar) ....
5. (ir ao cinema) ....
6. (não fazer nada) ....
7. (gastar muito dinheiro) ....
8. (não vir aqui) ....
9. (não telefonar) ....
10. (comer fora) ....

B. Responda à pergunta. Complete sua resposta livremente.

(trabalhar) O que vocês têm feito desde que chegaram?
Desde que chegamos, nós só temos trabalhado porque nosso trabalho está atrasado.
ou... **e não temos tido tempo para mais nada** ou ...

1. (só estar doente) ....
2. (só ter problemas) ....
3. (só falar em vocês) ....
4. (só escrever cartas) ....

5. (só comer e dormir) ....

6. (só ouvir bobagens) ....

7. (só ficar em casa) ....

8. (só chover) ....

9. (só fazer frio) ....

10. (não fazer sol) ....

C. Perfeito simples ou perfeito composto? (falei — tenho falado)

1. (vir) Ontem nós ________________ aqui mas não havia ninguém.
2. (vir) Ultimamente Manoel ___________________ aqui duas vezes por semana.
3. (perder) Eu __________________ muito tempo com você desde que você chegou.
4. (fazer) Depois que ___________________ fortuna, ele não trabalhou mais.
5. (fazer) O rapaz está feliz porque __________________ bons negócios ultimamente.
6. (ter) Desde o início do mês, eles __________________ reuniões diariamente porque estão preparando um grande projeto.
7. (perder) Ele ___________________ o relógio no cinema.
8. (telefonar) Desculpe, eu não __________________ porque estava muito ocupado.
9. (fazer) Eles _____________________ muita economia ultimamente porque querem comprar uma casa maior.
10. (ver) Eu não o ____________________ nas nossas festas ultimamente. Por onde ele anda?

O rapaz está feliz porque tem feito bons negócios ultimamente.

D. Ela está muito nervosa. Ela **tem tido** problemas no escritório ultimamente.

Ela tem estado muito ocupada.

Ela está mais magra.

....

Ela está sem dinheiro.

....

Ela está pensando em viajar.

....

Ela vai receber um aumento de salário.

....

Ela vai se casar no mês que vem.

....

E. Fale sobre estes últimos meses. O que você tem feito ultimamente.

Eu tenho ... ____________________

____

____

____

Você precisa devolver o livro no dia 18.

Futuro do presente composto (terei falado)

A. Você vai estar livre às 11?
(a reunião — acabar)
Vou. Até lá, a reunião já **terá acabado**.

1. Você precisa devolver o livro no dia 18.
(ler) Sem problema, ...
2. Você vai estar livre às 6?
(terminar meu trabalho). Vou. Até lá, eu já ....
3. Você pode me dar uma resposta até 5ª feira?
(falar com os diretores) Posso. Até 5ª feira, ...
4. Vamos jantar fora? Lá pelas 8 horas?
(dar a última aula) Ótimo! Até lá, eu já ....
5. O que você acha? Vamos fechar o negócio na 4ª feira?
(advogado - ler o contrato) Claro! ....

B. Pense em você daqui a 5 anos. O que você terá feito até lá?
Eu terei ....

....

....

C. Complete.

1. (conhecer) Até o fim do ano eu ____________________ todos os estados brasileiros.
2. (receber) Até amanhã ele ____________________ as informações que pediu.
3. (fazer) Até o fim da semana ela ____________________ todo o trabalho.
4. (recuperar) Daqui a dois anos nós ____________________ nosso capital.
5. (ver) Até o fim do dia nós ____________________ todos os documentos.
6. (aprender) Até o fim do curso eles ____________________ todos os verbos.

7. (conseguir) Daqui a um ano eu ____________________ o que desejo.

8. (gastar) Até o dia 15 ela ____________________ todo o seu salário.

Até o fim do curso ele terá aprendido todos os verbos.

9. (vir) Até o fim do mês eles ____________________ aqui dez vezes.

10. (chegar) Amanhã a estas horas ele já ______________ lá.

11. (ler) Daqui a dois dias eu ____________________ o livro todo.

12. (pôr) Até 2ª feira eu ____________________ tudo em ordem.

Futuro do pretérito composto (teria falado)

A. (achar) Sem você, eu não **teria achado** o caminho.

1. (chegar) Sem você, eu não ____________________ até aqui.
2. (ficar) Com um bom contrato, nós ____________________ ricos.
3. (ser) Com ela, ele ____________________ mais feliz.
4. (fazer) Com mais tempo, eu ______________ um trabalho melhor.
5. (conseguir) Com paciência, Joana ____________________ fazê-lo.
6. (abrir) Com medo, eu não ____________________ aquela porta.
7. (sair) Dependendo de mim, ela não ____________________ da firma.
8. (convencer) Com diplomacia, você o ____________________.
9. (sarar) Com tratamento adequado, Jorge já ____________________.
10. (obedecer) Sem ameaças, eles não me ____________________.
11. (perder) Sem nossa ajuda, todos vocês ____________________ essa oportunidade.
12. (sair) Com chuva, ninguém ____________________.
13. (ver) Sem óculos, eu não ____________________ nada.
14. (viajar) Com mais dinheiro, nós ____________________ mais tempo.
15. (descobrir) Acho que, com jeito, você ____________________ a verdade.

Com mais tempo, teria feito um trabalho melhor.

B. Responda.

1. Ontem foi domingo e você ficou em casa porque estava chovendo. Mas, com um belo dia de sol, o que você teria feito? (Dê 5 ações)

____

____

____

____

____

2. Pense na sua família, no seu trabalho, no tipo de vida que você leva. Você está contente com tudo? No passado, o que você teria feito de forma diferente?

___

___

Contexto

SUA MELHOR VIAGEM DE FÉRIAS COMEÇA EM CASA

Não tenha medo de sair por este vasto Brasil, não tenha surpresas desagradáveis, não perca tempo com atrações secundárias, não gaste dinheiro em voltas inúteis: planeje sua viagem de férias.

Planejar a viagem é tão importante quanto viajar. Suponha que você tenha entrado em férias e, logo na manhã seguinte, sai a esmo. Como não planejou, no meio do engarrafamento você se descobre acompanhando a multidão que vai sempre ao mesmo lugar, ao mesmo tempo, por uma estrada que não é a melhor.

Cansado e aborrecido, você se hospeda naquele hotel caríssimo de que lhe falou um amigo, para logo descobrir que nem sempre os preços indicam qualidade. E assim, de engano em engano, você volta para casa para descobrir que deixou de aproveitar o melhor da viagem.

Nada do que você leu é exagero. Se você tivesse planejado todos os passos da viagem, com certeza não teria tido nenhuma dificuldade. Nos países de melhor infra-estrutura turística, os guias de viagem são sofisticados e detalhados, porque há uma relação direta entre planejar e aproveitar a viagem, válida sobretudo neste país de grandes distâncias. Se não planejar, você não terá tempo para aproveitar as melhores atrações, gastará excessivamente com combustível, e desperdiçará a vantagem única da diversidade de lugares. Planejando, você poderá optar pelo tipo de praia a seu gosto. Ou talvez prefira uma estância hidromineral com clima de tipo europeu ou a excitação da floresta, do rio caudaloso. É possível que você deixe de conhecer um lugar maravilhoso porque lhe disseram que o acesso era o pior possível e que não havia hotel algum.

Planejando, você saberá que a estrada foi asfaltada e que um hotel foi construído na cidadezinha próxima - mudanças rápidas são freqüentes no turismo brasileiro. É, portanto, fundamental que você se prepare para sua viagem. Assim, quando suas férias tiverem chegado ao fim, você voltará tranqüilo e refeito ao trabalho.

A. Diga de outra forma.

1. Não tenha medo de sair. ....
2. Não tema surpresas. ....
3. Não perca tempo. ....
4. Não gaste dinheiro. ....
5. Planeje sua viagem. ....
6. Prepare sua viagem com cuidado. ....

O acesso era o pior

B. Explique.

1. atrações secundárias ....
2. voltas inúteis ....
3. desperdiçar a vantagem única da diversidade de lugares ....
....
4. o acesso era o pior possível ....
5. de engano em engano ....
6. válida sobretudo neste país de grandes distâncias ....
....

nenhuma dificuldade - dificuldade alguma

PARE 17-3

Transforme as orações.

1. Você não teve nenhuma dificuldade. ....
2. Ele não convidou nenhum amigo. ....
3. Nós não tivemos nenhuma chance no concurso. ....
4. Meus parentes não me mandaram nenhuma notícia. ....
5. Fiz tudo sem nenhuma ajuda. ....
6. Nenhum sócio teve lucro neste negócio. ....
7. Hoje não atenderei nenhum cliente. ....
8. Nenhum jornal deu a notícia. ....
9. Nenhuma resposta está certa. ....
10. Nenhum plano deu certo. ....

Deixar

1. Esta música me deixa triste (me torna triste)

2. Ele deixou o emprego. (Ele saiu do emprego)

3. Ele não me deixou falar. (Ele não permitiu que eu falasse)

4. Deixe tudo como está. (Não mexa em nada.)

Faça uma frase para cada figura, usando o verbo **deixar**.

Deixar de

1. Você deixou de aproveitar o melhor da viagem (Você não **aproveitou.)**

2. Não deixe de ir à festa (Vá **à festa!)**

3. Ele deixou de fumar (Ele parou **de fumar.)**

A. Explique o sentido.

deixar — deixar de

1. Não deixe de assistir ao filme. ....
2. Se você quiser ter saúde, deixe de fumar. ....
3. Ele não deixou ninguém entrar. ....
4. Ele não me deixa falar. ....
5. Não deixe de me telefonar! ....
6. Deixe o rapaz ir embora. ....
7. Ele deixou a sala quando eu entrei. ....
8. Deixe o livro em cima da mesa, por favor. ....
9. Não deixe de falar com ele. É importante. ....
10. Deixe de falar sobre seus problemas! Pense em outra coisa! ....

B. É a primeira vez que seu amigo vai fazer uma viagem internacional. Dê-lhe conselhos. Substitua as palavras sublinhadas por formas do verbo ***deixar*** e ***deixar de***.

Caro Dalton

É esta sua primeira viagem internacional. Permita-me dar-lhe alguns conselhos. Não saia do hotel sem seus documentos. Não ***os*** *largue em lugar algum. Cuidado com seu dinheiro. A língua estranha pode fazer você ficar confuso, mas não perca a calma. Aproveite tudo o que o país lhe oferecer. Viajar é sempre uma grande experiência.*

Pare de trabalhar um ou dois dias antes da partida. Assim você terá tempo de tomar as últimas providências com alguma tranqüilidade.

Mande notícias.

Meu abraço.

Felipe

Tempos compostos do subjuntivo

MORAR — Perfeito			
Que eu	**tenha morado**	**Que nós**	**tenhamos morado**
Que você Que ele Que ela	**tenha morado**	**Que vocês Que eles Que elas**	**tenham morado**

MORAR — Mais-que-perfeito			
Se eu	**tivesse morado**	**Se nós**	**tivéssemos morado**
Se você Se ele Se ela	**tivesse morado**	**Se vocês Se eles Se elas**	**tivessem morado**

MORAR — Futuro composto			
Quando eu	**tiver morado**	**Quando nós**	**tivermos morado**
Quando você Quando ele Quando ela	**tiver morado**	**Quando vocês Quando eles Quando elas**	**tiverem morado**

Emprego

Os tempos compostos do subjuntivo indicam ações terminadas.
Eles são usados nas mesmas condições dos tempos simples do subjuntivo.
Exemplo:

Duvido que ele *tenha vendido* a casa.
Duvidei que ele *tivesse vendido* a casa.
Ele comprará uma fazenda quando *tiver vendido* suas ações.

Os tempos compostos do Modo subjuntivo, perfeito (tenha falado), mais-que-perfeito (tivesse falado) e futuro composto (teria falado) correspondem aos mesmos tempos do Modo indicativo. Eles são introduzidos apenas porque a estrutura da frase exige o subjuntivo. Se não fosse assim, o indicativo seria usado.

— Ele *foi*?
— Duvido que *tenha ido*

— Ele disse que *tinha tido* problemas.
— Eu sei. Lamentei que ele *tivesse tido* problemas
— Até lá *terei terminado* isto.
— Ótimo. Daremos uma festa quando você *tiver terminado*

A. — Quem disse isto?
— Eu não disse. Talvez ele tenha dito.

1. — Quem trouxe essas coisas? — ....
2. — Quem escreveu esta carta? — ....
3. — Quem levou minhas chaves? — ....
4. — Quem pagou a conta? — ....
5. — Quem viu o ladrão? — ....

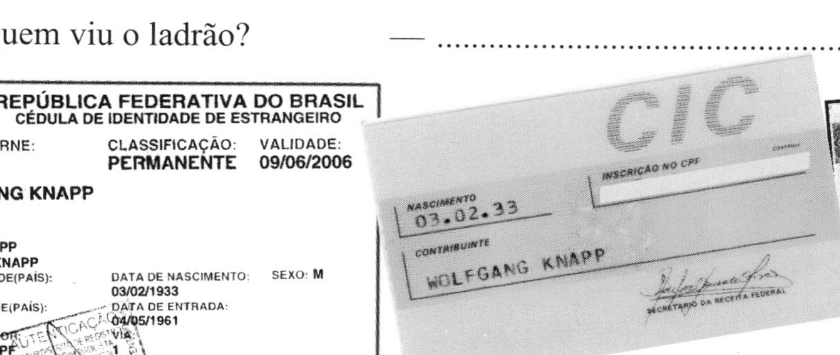

B. — Ele perdeu todos os documentos.
— Não é possível! Não acredito que ele tenha perdido todos os documentos!

1. — Eles saíram de casa tarde. Não sei se chegaram ao aeroporto na hora.
   — Tomara que ....
2. — Imagine! Ele convidou todo mundo para a festa!
   — Todo mundo?!
   Não é possível que .... É muita gente!
3. — Ele teve problemas, mas não desistiu.
   — Eu sei. Embora ele ....
4. — Mônica disse que Luciana desistiu da idéia.
   — Não acredito. Duvido que Luciana ....
5. — Ele vendeu a fazenda. Você acha que foi bobagem?
   — Acho. Receio que ....

C. Eles prepararam a reunião com cuidado, mas a reunião não foi boa.

Embora eles tivessem preparado a reunião com cuidado, ela não foi boa.

Agora, transforme as frases abaixo. Comece o texto assim:

Estou desanimado! Acho que ela não me ama. Embora eu lhe tivesse escrito cartas de amor, nada.... ....

....

....

....

Eu lhe escrevi cartas de amor, mas nada mudou

Eu compus um lindo poema, mas nada mudou

Eu a levei aos melhores restaurantes, mas nada mudou

Embora eu ...

Eu lhe dei presentes caros, mas nada mudou

Eu a convidei para um cruzeiro no Caribe, mas nada mudou

Eu lhe mandei flores, mas nada mudou

D. Você disse aquilo. Lamentei que **você tivesse dito aquilo.**

1. Você teve coragem de protestar, mas ninguém acreditou. Todo mundo duvidou que ....

....

2. Vocês só chegaram às 7? Pensei que vocês .... às 6.
3. Você trabalhou mesmo no domingo? Eu não acreditei que você ....
4. Eles foram de ônibus? Pensei que eles .... de avião.
5. Ele fez o trabalho em três horas, mas eu não acreditei. Eu duvidei que ele ....

....

E. Desenvolva a parte sublinhada da frase, usando o mais-que-perfeito do Subjuntivo.

1. **Com tempo**, eu o teria convencido. Se eu tivesse tido tempo, eu o teria convencido.
2. **Falando com** ele, a gente teria resolvido o problema.
Se a gente ....
3. **Sem autorização**, não teríamos entrado.
....
4. **Sem sua ajuda**, eu não teria feito o que fiz.
....
5. **De avião**, você já estaria lá.
....
6. **Com sol**, a gente teria ido ao clube.
....
7. **Com chuva**, o piquenique teria sido um fracasso.
....
8. **Com jeito**, teríamos conseguido um desconto. ....
9. **Com um bom xarope**, ele já teria acabado com esta tosse.
....
10. **Dependendo de nós**, tudo teria sido diferente. ....
....

F. Quando eu vou poder sair?

— Só depois que você tiver terminado seu trabalho.

— Quando eles vão se casar?
(alugar uma casa) — Só depois que tiverem alugado uma casa.

Só vou poder sair depois que tiver terminado o trabalho.

(comprar móveis)
— Só depois que ....

(ter aumento de salário)
— Só depois que ....

(conseguir uma promoção)
— Só depois que ....

(fazer um bom pé de meia)
— Só depois que ....

G. Lida a carta, eu a responderei. Quando eu tiver lido a carta, eu a responderei.

1. Lido o livro, você farão um resumo.
Quando vocês tiverem ....
2. Escrita a carta, eu a mandarei.
Quando ....
3. Feitas as compras, poderemos ir para casa.
Assim que ....
4. Feitas as contas, você verá que nosso lucro é pequeno.
Depois que ....
5. Acabada a reunião, a gente irá embora.
Logo que ....
6. Compradas as passagens, poderemos tomar o trem.
Logo que ....
7. Feitos os cálculos, poderemos dar nosso preço.
Assim que ....
8. Posta a mesa, poderemos almoçar.
Depois que ....
9. Atendido o último cliente, o dentista fechará o consultório.
Assim que ....
10. Terminados os exames, terei tempo para viajar.
Depois que ....

H. Relacione e complete as frases com os verbos no tempo adequado.

— Nossa casa está pronta. Quando poderemos nos mudar?

— Logo que	a loja	pintar a casa
	o jardineiro	fazer os armários
		tiver feito os armários.
	o marceneiro	pôr a casa em ordem
	os pintores	entregar o fogão
	a Companhia de Energia Elétrica	plantar a grama
	a faxineira	ligar a luz

— Nossa casa está pronta. Quando poderemos nos mudar?

— Logo que os pintores tiverem pintado a casa.

— Nossa casa está pronta. Quando poderemos nos mudar?

— Logo que ______________________________

____

____

____

— Nossa casa está pronta. Quando poderemos nos mudar?

— Logo que ______________________________

____

____

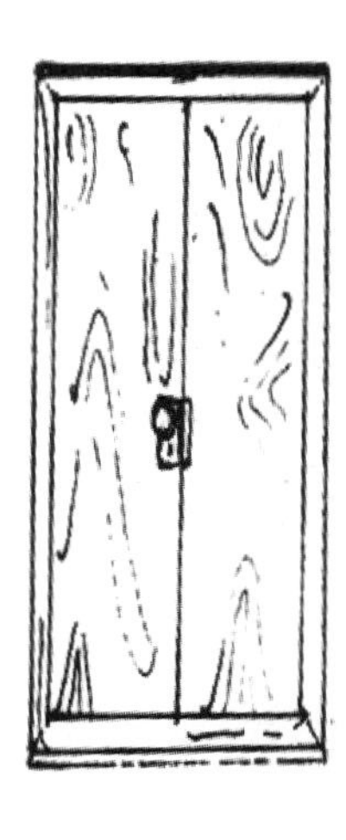

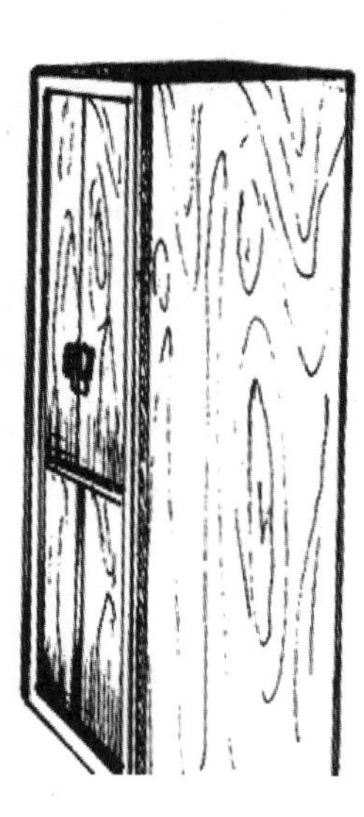

— Nossa casa está pronta. Quando poderemos nos mudar?

— Logo que ______________________________

____

____

I. Complete as frases com o **perfeito, mais-que-perfeito** ou **futuro composto do subjuntivo** (tenha, tivesse ou tiver falado).

(acabar) Quando eu *tiver acabado* meu trabalho, *falarei* com ele.

1. (insistir) Eu não teria vindo se você não ______________________________
2. (terminar) Logo que eu ____________________, falarei com ele.
3. (receber) Embora não ____________________, fiquei contente.
4. (conseguir) Embora ____________________, não vou desistir.
5. (insistir) Mesmo que ____________________, não teria conseguido nada.
6. (chegar) Tomara que____________________.
7. (ver) Era possível que ____________________.
8. (concluir) Volte para casa assim que ________________.
9. (ser) Embora ________________, ninguém a reconheceu.
10. (distribuir) Quando ________________, irei embora.
11. (receber) Telefone-me quando ________________.
12. (entender) Embora já __________, ela continuou fazendo perguntas.
13. (perder) Senti que ________________.
14. (fazer) Embora ____________________, ninguém se lembrava dele.

Quando você tiver me dado seu endereço, eu o levarei para casa.

Família de palavras

Complete

1. cantar	cantor
2. escrever	escritor
3. traduzir	
4. pintar	
5. inventar	
6. esculpir	
7. administrar	
8. dirigir	
9. cobrar	
10. comprar	
11. vender	
12. pagar	
13. ganhar	
14. perder	

1. cabelo — cabeleireiro
2. leite— leiteiro
3. carta
4. banco
5. jornal
6. fazenda
7. pedra
8. sapato
9. cozinha
10. costurar
11. hotel
12. porta

1. jornal — jornalista
2. dente
3. tênis
4. piano
5. violino
6. violão
7. arte
8. massagem
9. motor
10. samba

Intervalo

Asa-Branca

(Luís Gonzaga/ Humberto Teixeira)

Quando olhei a terra ardendo
Qual fogueira de São João

Eu perguntei a Deus do céu
Ah! Por que tamanha judiação } bis

Que braseiro, que fornalha
Nem um pé de plantação
Por falta d'água, perdi meu gado
Morreu de sede meu alazão } **bis**

Até mesmo a asa-branca
Bateu asas do sertão
Então eu disse:
— Adeus, Rosinha, guarda contigo
Meu coração } **bis**

Hoje longe muitas léguas
Numa triste solidão
Espero a chuva cair de novo
Pra eu voltar pro meu sertão } **bis**

Quando o verde dos teus olhos
Se espalhar na plantação
Eu te asseguro, não chore não, viu
Que eu voltarei, viu, meu coração } **bis**

Asa-Branca é um clássico popular brasileiro, conhecido e cantado pelo país afora. É música típica do Nordeste, tanto pelo ritmo quanto pelo tema - a seca, drama que atinge, periodicamente, extensa área dessa região.

Responda.

1. Aponte, na letra, as palavras ligadas à idéia de sol e de falta de chuva.
2. "Até mesmo a asa branca / Bateu asas do sertão" . Este fato é significativo. Por quê?
3. Apesar de muito triste, o sertanejo está otimista. Explique.

Garota de Ipanema

(Vinícius de Moraes - Antonio Carlos Jobim)

Olha que coisa mais linda
Mais cheia de graça
É ela a menina que vem e que passa
Num doce balanço a caminho do mar

Moça do corpo dourado
Do sol de Ipanema
O seu balançado
É mais que um poema
É a coisa mais linda que eu já vi passar

Foto: Antonio Carlos Jobim.

Ah! Por que estou tão sozinho?
Ah! Por que tudo é tão triste?
Ah! A beleza que existe
A beleza que não é só minha
Que também passa sozinha

Ah! Se ela soubesse
que quando ela passa
O mundo inteirinho
Se enche de graça
e fica mais lindo por causa do amor.

Foto: Vinícius de Moraes.

Responda.

Fotos: Avenida Paulista antigamente e nos dias atuais.

1. Como você imagina a garota de Ipanema? Justifique.
2. Fale sobre o poeta. O que você sabe sobre ele? Justifique.
3. Indique a passagem da canção que diz que
   a. o poeta vê a garota vindo em sua direção e, depois, indo embora.
   b. a garota anda calmamente em direção à praia.
   c. a garota está sozinha. O poeta também.
   d. a garota não tem idéia do efeito que sua passagem provoca.
   e. a passagem da garota, tão linda, transforma o mundo.

Texto narrativo

Riquezas do Brasil: o café (2)

Depois dos engenhos de açúcar no Norte e Nordeste, foi a vez da mineração do ouro no século XVIII em Minas Gerais. Em meados do século XIX, no entanto, com as minas já decadentes, surgiu, na região Sudeste, a cultura do café. Esta seria uma fonte de riqueza tão grande ou maior ainda que as anteriores. Iniciando sua marcha no Rio de Janeiro, a cultura cafeeira foi se estendendo em direção a São Paulo pelas fazendas do Vale do Paraíba, dando origem, nessa região, a diversas cidades como Pindamonhangaba, Taubaté, Guaratinguetá, São José dos Campos. Mais tarde, descobriu-se, no interior paulista, a terra roxa*, fertilíssima para o plantio de café e a marcha tomou esse rumo. As fazendas do Vale do Paraíba, que já apresentavam terras cansadas, entraram, então, em decadência.
O interior paulista cobriu-se de fazendas. Apareceram as estradas-de-ferro e cidades como Campinas e Ribeirão Preto cresceram rapidamente.
Até aquele tempo a mão-de-obra era escrava, mas a abolição ia chegar e seria preciso substituir os escravos por outros trabalhadores. Era necessária a imigração e ela veio. Os italianos, "os colonos",

invadiram São Paulo com suas tradições, costumes e língua, introduzindo novos hábitos na vida dos paulistas.
O café, já anos antes, tinha feito nascer uma nova "aristocracia" — a dos "barões do café"— constituída de grandes fazendeiros brasileiros, do Vale do Paraíba, que acumularam fortunas fabulosas e viviam como verdadeiros nobres abastados.
Com a riqueza trazida pelo café, São Paulo, cidade provinciana, acanhada, começou a se transformar, abrindo novas ruas, avenidas e bairros, por onde corria muito dinheiro.
Uma avenida tornou-se o símbolo de toda esta riqueza, a Avenida Paulista, com suas mansões e palacetes.
Hoje estas residências cederam lugar a imensos edifícios, muitos deles sedes de bancos, que continuam, por assim dizer, símbolos de poder e riqueza.

* Terra de cor vermelha, em italiano "terra rossa".
Daí veio a expressão deturpada em português, terra-roxa.

Responda.

1. Por que se fala em "marcha do café"?
2. A abolição da mão-de-obra escrava não abalou a produção do café. Por quê?
3. Como era São Paulo antes do café? Qual foi a influência do café sobre o desenvolvimento de São Paulo?
4. O que você sabe sobre "os barões do café"?
5. Que efeito teve sobre São Paulo a vinda em massa de imigrantes italianos?
6. Em cem anos, a Avenida Paulista foi construída duas vezes. Explique.

UNIDADE 18

Como? Fale mais alto!

Beatriz: — Então ele me perguntou:
— Você quer sair comigo à noite?
Cecília: — Não consigo ouvi-la, Beatriz. Fale mais alto.
Beatriz: — Então ele me perguntou se eu queria sair com ele à noite.
Cecília: — E o que foi que você respondeu?
Beatriz: — Eu lhe respondi:
— Sinto muito, mas não dá.
Cecília: — O que foi que você lhe respondeu, Beatriz?
Beatriz: — O telefone está uma droga. Eu lhe respondi que sentia muito, mas não dava.
Cecília: — E daí?
Beatriz: — Eu lhe expliquei:
— É que fui convidada para uma festa e não posso deixar de ir.
Cecília: — Como? Fale mais alto.
Beatriz: — Eu lhe disse que tinha sido convidada para uma festa e não podia deixar de ir.
Cecília: — E era verdade?
Beatriz: — Não. Depois fiquei com pena dele e lhe disse:
— Não me leve a mal. Telefone-me um dia desses.
Cecília: — Como?
Beatriz: — Eu lhe disse para não me levar a mal e telefonar-me um dia qualquer.
Cecília: — E agora?
Beatriz: — Agora estou sozinha aqui em casa, sentada ao lado do telefone, à espera de que ele se lembre de mim. Sou mesmo uma boba, Cecília!

Discurso indireto

I. Reprodução posterior.

Discurso direto	Discurso indireto
Declarações — Eu estou cansado porque trabalhei muito hoje. Amanhã trabalharei menos.	Ele disse que estava cansado porque tinha trabalhado muito naquele dia, mas que trabalharia menos no dia seguinte.
Perguntas Onde você mora? Você pode me ajudar?	Ela perguntou onde eu morava e se eu podia ajudá-la.
Ordens Fique quieto! Não diga nada sobre isto!	Ele mandou-me ficar quieto e não dizer nada sobre aquilo. **ou** Ele mandou que eu ficasse quieto e não dissesse nada sobre aquilo.

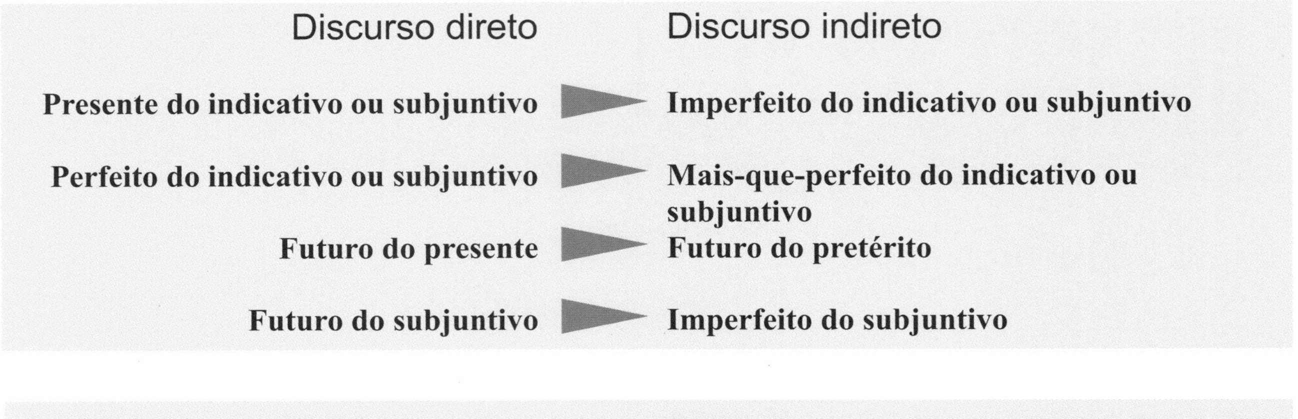

Discurso direto	Discurso indireto
Presente do indicativo ou subjuntivo	**Imperfeito do indicativo ou subjuntivo**
Perfeito do indicativo ou subjuntivo	**Mais-que-perfeito do indicativo ou subjuntivo**
Futuro do presente	**Futuro do pretérito**
Futuro do subjuntivo	**Imperfeito do subjuntivo**

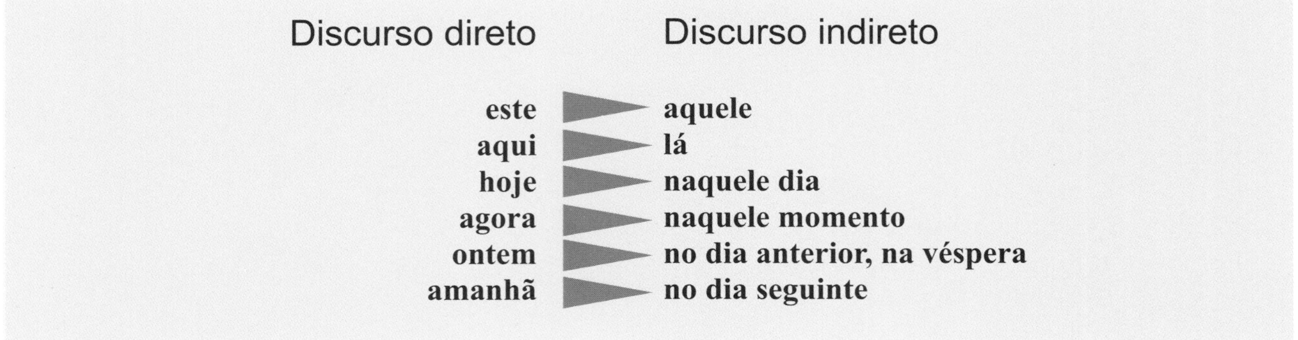

Discurso direto	Discurso indireto
este	**aquele**
aqui	**lá**
hoje	**naquele dia**
agora	**naquele momento**
ontem	**no dia anterior, na véspera**
amanhã	**no dia seguinte**

A. — Eu estou contente porque terminei este trabalho, disse ele.
— Ele disse que estava contente porque tinha terminado aquele trabalho.

1. — Eu moro num apartamento perto do centro e vou para o escritório a pé, explicou-me ela.

....

2. — Meu telefone está quebrado, por isso não pude telefonar-lhe ontem, disse-me ele.

....

3. — Amanhã sairemos bem cedo e só voltaremos no fim do dia, avisou-me ela.

....

4. — Não quero que você fale sobre isto com ninguém, advertiu-me ela.

....

5. — Quando eu tiver mais dinheiro, comprarei uma chácara. Adoro a vida no campo, disse ela.

....

B. — Você sabe o endereço dele? perguntou-me ela.
— Ela me perguntou se eu sabia o endereço dele.

1. — Quanto custou o conserto da máquina?, quis saber o marido.

....

2. Meu filho perguntou: — A gente vai a pé até lá? Você sabe quando a gente vai chegar lá?

....

3. — Vocês viram meu guarda-chuva?, perguntou Mariana.

....

4. — A moça quis saber: — O que vocês farão agora?

....

5. — Você quer que eu fique?, perguntou ela.

....

O dentista falou para a mocinha: — Fique quieta e não feche a boca!

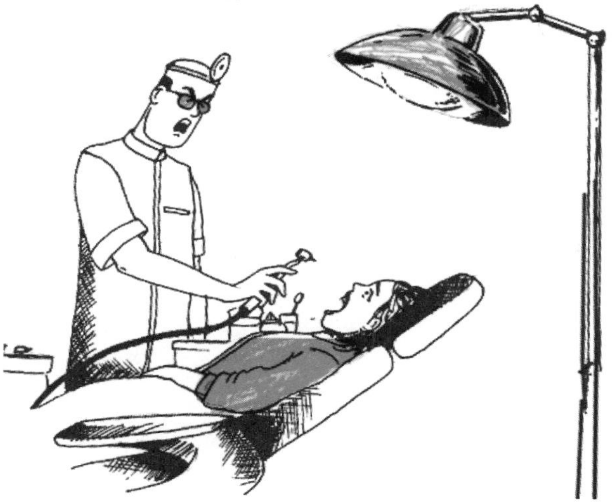

— Tenha paciência! Não perca a cabeça!, aconselhou-me Virgínia.

C. — Espere um pouco! disse-me ela.
Ela me disse para esperar um pouco.
Ela me disse que esperasse um pouco.

1. A mãe disse para o menino: — Tire o cotovelo da mesa!

....

2. O dentista falou para a mocinha: — Fique quieta e não feche a boca!

....

3. Esteja aqui às 5 horas!, disse-me Carolina.

....

4. — Tenha paciência! Não perca a cabeça!, aconselhou-me Virgínia.

....

5. — João chamou a mulher: — Veja o que fiz!

....

II. Reprodução imediata

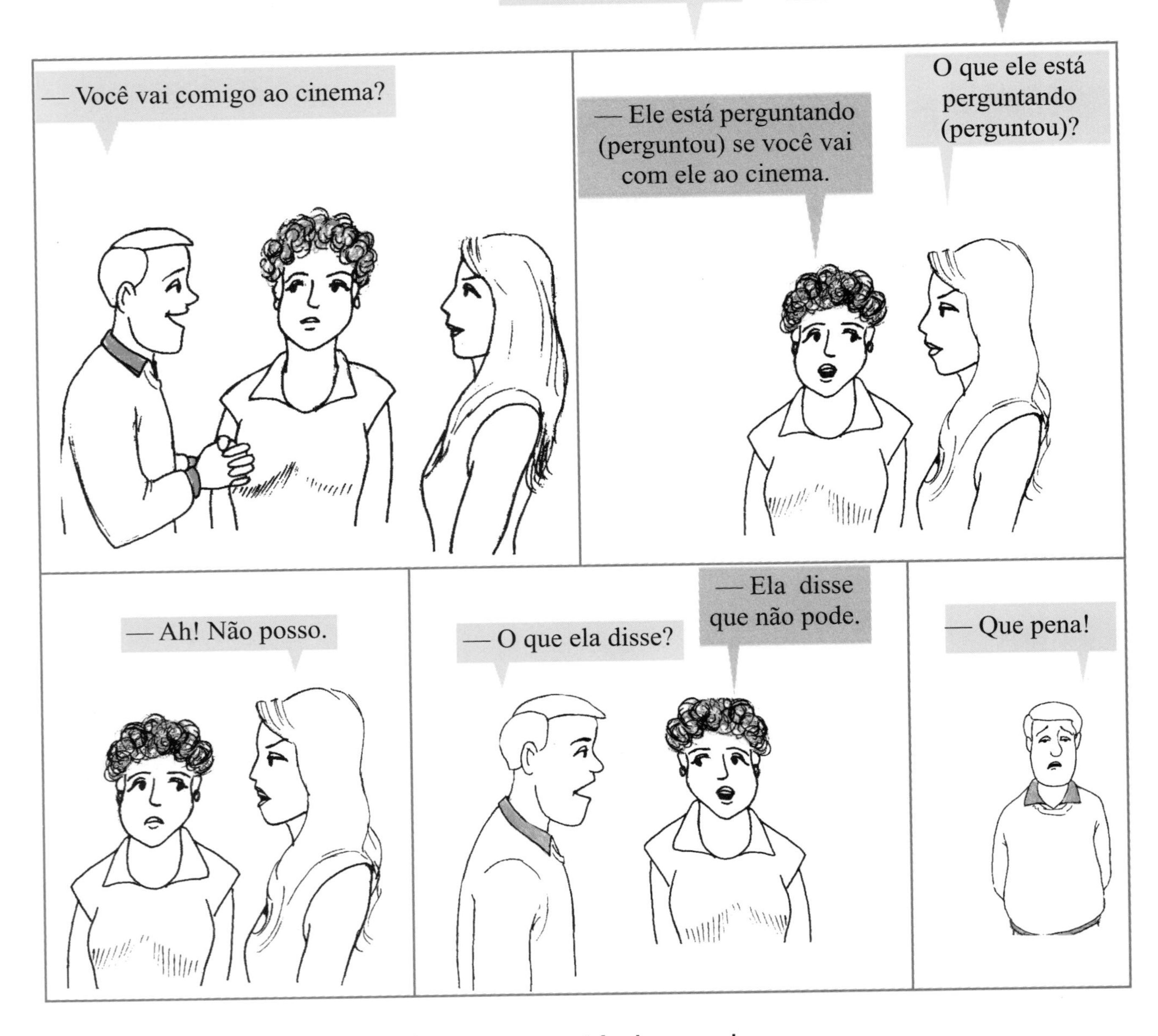

A. — Não vamos sair hoje porque está chovendo.
Eles disseram que não vão sair hoje porque está chovendo.

Você fez tudo errado.

1. — Não estou entendendo nada, diz o aluno.

....

2. — Você fez tudo errado, está reclamando meu chefe.

....

3. — Vocês fizeram tudo errado, está reclamando nosso chefe.

....

4. — Amanhã vocês farão tudo de novo, disse ele.

....

8. — Por favor, tenha paciência. Não fique bravo comigo, pediu-me ela.

....

5. — Isso vai dar certo?, ele perguntou.

....

6. — Você não tem uma idéia melhor?, perguntou-me ele.

....

7. — Vamos ter problemas amanhã, avisou o zelador.

— Vamos ter problemas amanhã, avisou o zelador.

....

9. — Ele está preocupado porque até agora ninguém telefonou, diz a secretária.

....

10. — Não tive tempo para nada, por isso ainda não lhe escrevi, explica-me o rapaz.

....

B. Leia o diálogo e depois passe-o para o discurso indireto.

O capitão Rodrigo, tomando seu terceiro copo, disse:
— Pois garanto que estou gostando deste lugar. Quando entrei em Santa Fé, pensei cá comigo: Capitão, pode ser que você só passe aqui uma noite, mas também pode ser que passe o resto da vida ...
Um cheiro de lingüiça frita espalhava-se no ar.
Rodrigo sorriu e começou a bater com a mão no balcão:
— Como é, amigo Nicolau, essa lingüiça vem ou não vem?
Do fundo da casa, o vendeiro respondeu:
— Tenha paciência, patrão.

(*Um Certo Capitão Rodrigo* de Erico Veríssimo em *O Tempo e o Vento*. Editora Globo S.A.)

O capitão Rodrigo, tomando o seu terceiro copo, disse que...

____

____

____

____

____

____

____

____

____

C. Leia a história e narre-a em discurso indireto. Comece assim: Ontem...

D. Leia os quadrinhos. Depois, conte a história, usando sempre o discurso indireto, começando assim: Ontem, ...

As Aventuras da Família Brasil

Fonte: Luis Fernando Veríssimo.

Voz passiva

I. Voz passiva com ser: Eu fui convidada para uma festa.

Formação

Forma-se a voz passiva com o verbo auxiliar ser, conjugado em todas as suas formas, seguido do particípio do verbo principal. Este particípio concorda em gênero e número com o sujeito.

Voz ativa	Voz passiva
Todo mundo lê este jornal.	Este jornal *é lido* por todo mundo.
Todo mundo lia este jornal.	Este jornal *era lido* por todo mundo.
Todo mundo leu esta notícia.	Esta notícia *foi lida* por todo mundo.
Todo mundo lerá esta notícia.	Esta notícia *será lida* por todo mundo.
Todo mundo leria esta notícia.	Esta notícia *seria lida* por todo mundo.
Todo mundo está lendo estes artigos.	Estes artigos *estão sendo lidos* por todo mundo.
Todo mundo estava lendo estes artigos.	Estes artigos *estavam sendo lidos* por todo mundo.
Todo mundo tem lido estes artigos.	Estes artigos *têm sido lidos* por todo mundo.
Todo mundo tinha lido estas cartas.	Estas cartas *tinham sido lidas* por todo mundo.
Quero que os alunos leiam este livro.	Quero que este livro *seja lido* pelos alunos.
Eu quis que meus amigos lessem este livro.	Eu quis que este livro *fosse lido* pelos meus amigos.
Vocês entenderão tudo quando lerem estas cartas.	Vocês entenderão tudo quando estas cartas *forem lidas*.

Observação: **O agente da passiva pode ou não aparecer.**
Ex.: Os homens demoliram a casa. **Ex.: A casa foi demolida.**

Ela faz tudo. **Tudo é feito por ela.**

1. Ele ouve este programa. ....
2. Nós pomos as chaves na gaveta. ....
3. Nós pusemos os papéis no armário. ....
4. O Presidente dava entrevistas às 4ªs. feiras. ....
5. Escreveremos o relatório amanhã. ....
6. Farei o possível. ....
7. Até agora não recebemos nenhuma notícia. ....
8. Não cobrei as horas extras. ....
9. Ninguém entenderia o problema. ....
10. Quero que vocês entendam o problema. ....
11. A polícia tem procurado o criminoso. ....
12. Os médicos de plantão estão atendendo os feridos. ....
13. Não quero que vocês comentem este assunto. ....
14. Lamentei que ele não entendesse minhas palavras. ....
15. Os diretores ainda não tinham discutido a proposta quando a reunião começou.

....

Verbos abundantes — Particípios com duas formas

prender — prendido/preso **aceitar — aceitado/aceito** **acender — acendido/aceso**	**entregar — entregado /entregue** **limpar — limpado/limpo**	**matar — matado/morto** **pegar — pegado/pego** **soltar — solto**

A polícia já *tinha prendido* dois ladrões à tarde.
O terceiro ladrão só *foi preso* à noite.

O particípio regular dos verbos abundantes é usado na voz ativa (auxiliares *ter* e *haver*). O irregular, na voz passiva (auxiliar *ser*)

(aceitar) O convite *foi aceito* com alegria.
Ela já **tinha aceitado** a nossa oferta quando lhe fizeram outra.

— Odete, por que você não acendeu as luzes das vitrinas?
(acender) — Eu já tinha ________________, mas o Renato veio e apagou.
— Mas você sabe que as luzes são __________ às 6 horas e não podem ser apagadas.

— Eu sei, mas parece que o Renato não sabe.
— E a loja? Por que você não limpou a loja hoje?
(limpar) — Eu não limpei a loja hoje porque eu já tinha ________________ ontem
— Mas a loja tem que ser ________________ todo dia. É novidade para você?
— Bom ...
(entregar) — E as encomendas? Foram ________________?
— Foram, faz tempo. Nós já tínhamos ________________ todas quando a senhora chegou.
— Ótimo.

II. Voz passiva com verbos auxiliares poder, precisar, dever, ter que, ter de.

— Não *podemos comprar* esta casa.
— Eu *devo pagar* as contas hoje.
— Eu *preciso dizer* a verdade.
— Eu *tenho de resolver* o problema .

— Esta casa não pode *ser comprada* por nós.
— As contas *devem ser pagas* hoje.
— A verdade *precisa ser dita.*
— O problema *tem de ser resolvido.*

Vocês têm de recebê-lo bem.

A. Eu preciso dizer a verdade.
A verdade precisa ser dita.

1. Sinto muito. Nada pude fazer. ....
2. Vocês têm de recebê-lo bem. ....
3. Não devemos enganar estas crianças. ....
4. Precisamos fazer o trabalho rapidamente. ....
5. O povo deve proteger as árvores. ....
6. Temos que pintar o escritório amanhã. ....
7. Tomara que ele possa ler o bilhete. ....
8. Você deve trancar a porta. ....
9. Talvez ele pudesse explicar o acidente. ....
10. Duvido que você precise assinar o contrato. ....

B. Complete com o tempo adequado. Use a voz passiva.

1. (contratar) Ontem eles ________________ pela companhia.
2. (fazer) Antigamente o pão ________________ em casa.
3. (dar) Ouça! A notícia ________________ agora.
4. (fazer) Que pena que descontos não ________________.

5. (fazer) Este contrato ________________ há dois anos.
6. (ver) Ultimamente o Jorge ________________ por aqui.
7. (vender) No ano que vem todo o nosso estoque ________________.
8. (receber) Ele não ________________ pelo diretor se não fosse amigo dele.
9. (aumentar) Nossos salários ________________ uma vez por ano.
10. (sacudir) Ontem à noite a cidade ________________ por um terremoto.
11. (informar) Escreva-me logo que ________________.
12. (avisar) Ele me disse que já sabia de tudo. Ele ________________ por Eduardo um dia antes.
13. (pôr) No momento em que cheguei, a mesa ________________ para o jantar.
14. (resolver) Se o problema ________________ ontem, não teríamos dor-de-cabeça agora.
15. (dar) Quando a notícia ________________, estaremos longe daqui.

III. Voz passiva com se

Formação

Usa-se a 3ª pessoa verbal, singular ou plural,
concordando com o sujeito, mais a partícula *se*.

Vende-se um apartamento = (Um apartamento é vendido)
Vendem-se casas = (Casas são vendidas)

A. Uma loja *é alugada* na rua principal. **Aluga-se uma loja na rua principal.**

1. Uma casa é alugada na praia. ....
2. Motoristas são admitidos. ....
3. Informação é dada. ....
4. Informações são dadas. ....
5. Uma datilógrafa é procurada. ....
6. Duas salas são alugadas. ....
7. Um cão foi perdido. ....
8. Todos os documentos foram perdidos. ....
9. Silêncio é pedido. ....
10. Português é falado aqui. ....
11. Cartas são mandadas pelo Correio. ....
12. Móveis são consertados. ....

13. Os clientes são atendidos às 7 horas. ....
14. Português foi ensinado. ....
15. Daqui tudo foi visto. ....

B. Sublinhe o verbo na frase e classifique-o no quadro ao lado, como se pede.

voz passiva

voz ativa

	MODO	TEMPO
1. Nesta cidade **vêem-se** muitas casas antigas.	Indicativo	Presente
2. Todos tinham lido a notícia.		
3. Calculara-se o custo da obra.		
4. A Prefeitura teria desapropriado toda esta rua.		
5. Do trem, avistavam-se as árvores da cidade.		
6. Plantou-se café em todo o Estado de São Paulo.		
7. Aceitaram-me como representante da classe.		
8. Ele se vestiu rapidamente.		
9. Necessita-se de muita mão-de-obra para a colheita do café.		
10. Observem-se as normas de trânsito.		
11. Todos os aparelhos tinham sido desligados.		
12. Talvez ela não tenha entendido.		

C. Tomando a palavra **televisão** como centro de ação, faça uma série de frases, nas vozes ativa e passiva, empregando os seguintes verbos: **comprar, ver, vender, ligar, desligar, consertar, trocar, regular**.

Exemplo: Ontem o técnico *consertou* nossa televisão.
Esta televisão *foi comprada* com garantia de um ano.

Faça outras frases com as palavras.

livro

ler ____________________

escrever ____________________

comprar ____________________

emprestar ____________________

vender ____________________

publicar ____________________

guardar ____________________

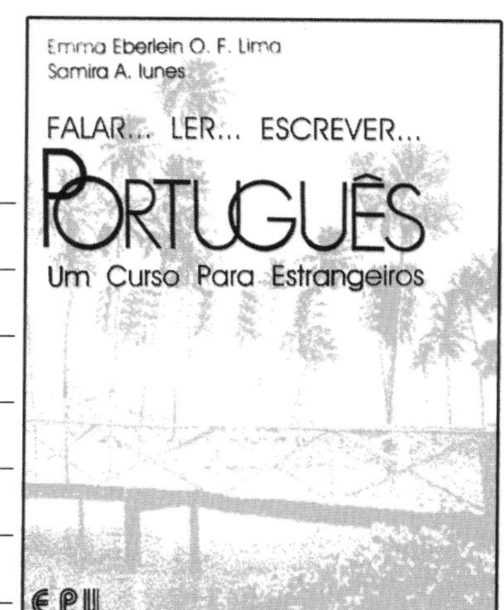

perder ____________________

dar ____________________

criticar ____________________

e *casa*

comprar ____________________

alugar ____________________

vender ____________________

pintar ____________________

reformar ____________________

aumentar ____________________

construir ____________________

decorar ____________________

D. Tudo foi feito por ela.
Ela fez tudo.

1. As condições propostas foram aceitas por todos os presentes. ....
2. Fomos acolhidos carinhosamente por eles, na festa. ....
3. O trabalho será feito por um grupo de especialistas. ....
4. A situação seria considerada pelo chefe do departamento. ....
5. A notícia tinha sido publicada por todos os jornais. ....
6. Todos os candidatos poderão ser aceitos. ....
7. Não fomos vistos por ninguém. ....
8. O livro foi traduzido por um jornalista. ....
9. Você será orientado por qualquer pessoa daqui. ....
10. Muitos livros foram vendidos ontem. ....
11. Iniciou-se a reunião com muito atraso. ....
12. Vendem-se estas lojas. ....
13. Encerraram-se as inscrições ontem à tarde. ....
14. Depois da festa, recolheu-se todo o material jogado no chão. ....
15. Naquele dia entrevistar-se-iam os últimos candidatos. ....

Contexto

Segurança

Foto: Luís Fernando Veríssimo, com o troféu Juca Pato, entregue na Academia Paulista de Letras.

O ponto de venda mais forte do condomínio era a sua segurança. Havia as belas casas, os jardins, os play-grounds, as piscinas, mas havia, acima de tudo, segurança. Toda a área era cercada por um muro alto. Havia um portão principal com guardas que controlavam tudo por um circuito fechado de TV. Só entravam no condomínio os proprietários e visitantes devidamente identificados e crachados.
Mas os assaltos começaram assim mesmo. Ladrões pulavam muros e assaltavam as casas.
Os condôminos decidiram colocar torres com guardas ao longo do muro alto. Nos quatro lados. As inspeções tornaram-se mais rigorosas no portão de entrada. Agora não só os visitantes eram obrigados a usar crachá. Os proprietários e seus familiares também. Não passava ninguém pelo portão sem se identificar para o guarda. Nem as babás. Nem os bebês.
Mas os assaltos continuaram.
Decidiram eletrificar os muros. Houve protestos, mas no fim todos concordaram. O mais importante era a segurança, Quem tocasse no fio de alta tensão em cima do muro morreria eletrocutado. Se não morresse, atrairia para o local um batalhão de guardas com ordens de atirar para matar.
Mas os assaltos continuaram.
Grades nas janelas de todas as casas. Era o jeito. Mesmo se os ladrões ultrapassassem os altos muros, e o fio de alta tensão, e as patrulhas, e os cachorros, e a segunda cerca de arame farpado, erguida dentro do perímetro, não conseguiriam entrar nas casas. Todas as janelas foram engradadas.
Mas os assaltos continuaram.
Foi feito um apelo para que as pessoas saíssem o mínimo possível. Dois assaltantes tinham entrado no condomínio no banco de trás do carro de um proprietário, com um revólver apontado para sua nuca. Assaltaram a casa, depois saíram no carro roubado, com crachás roubados. Além do controle das entradas, passou a ser feito um rigoroso controle das saídas. Para sair, só com um exame demorado do crachá e com autorização expressa da guarda, que não queria conversa nem aceitava suborno.
Mas os assaltos continuaram.
Foi reforçada a guarda. Construíram uma terceira cerca. As famílias de mais posses, com mais coisas para serem roubadas, mudaram-se para uma chamada área de segurança máxima. E foi tomada uma medida extrema. Ninguém pode entrar no condomínio. Ninguém. Visitas, só num local predeterminado pela guarda, sob sua severa vigilância e por curtos períodos.

E ninguém pode sair.
Agora a segurança é completa. Não tem havido mais assaltos. Ninguém precisa temer pelo seu patrimônio. Os ladrões que passam pela calçada só conseguem espiar através do grande portão de ferro e talvez avistar um ou outro condômino agarrado às grades da sua casa, olhando melancolicamente para a rua.
Mas surgiu outro problema.
As tentativas de fuga. E há motins constantes de condôminos que tentam de qualquer maneira atingir a liberdade.
A guarda tem sido obrigada a agir com energia.

Luís Fernando Veríssimo

A. Certo ou errado ?

De acordo com o texto,

[.......] 1) no começo, a segurança que o condomínio oferecia era, comercialmente falando, uma vantagem.

[.......] 2) depois de certo tempo, só os bebês do condomínio não foram submetidos às exigências das medidas de segurança.

[.......] 3) todos os condôminos receberam com entusiasmo a idéia de eletrificar o muro. Afinal, segurança era o objetivo...

[.......] 4) os guardas que cuidavam da segurança eram honestos.

[.......] 5) os condôminos, no início, podiam sair do condomínio. Depois, não.

[.......] 6) os condôminos mais ricos receberam tratamento especial.

[.......] 7) no final, as visitas aos condôminos foram totalmente proibidas.

B. Responda.

1. Com o tempo, as medidas de segurança foram aumentando. No final, quais eram todas elas?
2. No fim, os ladrões, de fora, observavam o interior do condomínio. Que viam eles?
3. No final, os guardas tinham de vigiar os moradores. Por quê?

C. Qual é a diferença?

o guarda	**a guarda**
a segurança	**o segurança**
a visita	**o visitante**
o condomínio	**o condômino**
a família	**os familiares**

D. Passe para a voz passiva com **ser**. Faça as modificações necessárias.

1. É aconselhável que controlem tudo por um circuito fechado de televisão.

....

2. Se alguém tocasse o fio de alta tensão, morreria eletrocutado.

....

3. Haverá sossego só quando o condomínio tomar medidas de segurança.

....

4. Os guardas devem sempre fazer um exame demorado dos crachás.

....

5. No condomínio, os guardas faziam, periodicamente, inspeções rigorosas.

....

E. Passe para a voz passiva com **se**.

1. Construíram uma terceira cerca. ....
2. Pulavam os muros e assaltavam as casas...
3. Decidiram eletrificar os muros. ....

F. Passe para a voz ativa.

1. Toda a área era cercada por um muro alto. ....
2. Foi feito um apelo e reforçada a guarda. ....
3. Além do controle das entradas, passou a ser feito um rigoroso controle das saídas.

....

Infinitivo pessoal

É o Infinitivo que tem sujeito.

Formação

Forma-se o infinitivo pessoal a partir do infinitivo impessoal. Ele é regular para todos os verbos.

MORAR — Infinitivo pessoal			
Morar	**eu**	**Morarmos**	**nós**
Morar	**você / ele / ela**	**Morarem**	**vocês / eles / elas**

VENDER — Infinitivo pessoal			
Vender	**eu**	**Vendermos**	**nós**
Vender	**você / ele / ela**	**Venderem**	**vocês / eles / elas**

PARTIR — Infinitivo pessoal			
Partir	**eu**	**Partirmos**	**nós**
Partir	**você / ele / ela**	**Partirem**	**vocês / eles / elas**

PÔR — Infinitivo pessoal			
Pôr	**eu**	**Pormos**	**nós**
Pôr	**você / ele / ela**	**Porem**	**vocês / eles / elas**

Emprego

1. O uso do infinitivo pessoal é obrigatório quando

a. os sujeitos das duas orações são diferentes.
Ela pediu para (nós) *esperarmos*.

b. o sujeito do Infinitivo está expresso, não importando se é igual ou diferente do sujeito da oração principal.
Por eles *precisarem* de dinheiro, trabalharam mais.
Para nós *podermos* chegar na hora, precisaremos tomar um táxi.

2. O uso do infinitivo pessoal é facultativo quando o sujeito do infinitivo pessoal não é expresso e é o mesmo da oração principal.

Por não termos tempo, não fomos lá.
ou
Por não ter tempo, não fomos lá.

A. Uso obrigatório.

(ter) É necessário (nós) *termos* paciência.

1. (dizer) Ele pediu para nós ______________ tudo.
2. (ficar) É melhor vocês ___________________.
3. (ir) Para eu _____________ até lá, tomarei um táxi.
4. (ser) Eles nos criticaram por (nós) ______________ exigentes.
5. (ter) Basta vocês ______________ paciência e tudo se resolverá.
6. (pôr) Para nós _______________ a casa em ordem, trabalhamos o dia inteiro.

Para nós colocarmos a casa em ordem, trabalhamos o dia inteiro.

B. Uso facultativo.

Para fazer o conserto, cobraram um absurdo.
Para *fazerem* o conserto, cobraram um absurdo.

1. (querer) Eles complicaram a situação por não _________________ dar explicações.
2. (estar) Por _____________________ sem dinheiro, ficaram em casa no domingo.
3. (fazer) Para _____________________ nosso trabalho, nós vamos pedir sua ajuda.

4. (ter) Sem ____________________ certeza, vocês não poderão decidir nada.
5. (ter) Para não ____________________ problemas, desistiram do plano.
6. (dar) Sem ____________________ ajuda, não vamos receber ajuda.

C. Ela pediu para ele ficar. **Elas pediram para eles ficarem.**

Ela pediu para ele ficar.

1. Ela pediu para eu ficar. Elas pediram para nós ....
2. Ele disse para você telefonar. ....
3. Eu pedi para ele chegar logo. ....
4. Ela sempre pede para eu ajudar. ....
5. É bom você ir embora. ....
6. O ônibus parou para o passageiro descer. ....
7. O carro parou para eu passar. ....
8. Ela chorou por estar triste. ....
9. Vi o acidente sem poder ajudar. ....
10. Antes de fechar o negócio, converse comigo. ....

A oração com infinitivo pessoal pode ser transformada numa oração com conjunção e verbo no indicativo ou subjuntivo.

Ele deu o livro para eu ler. **Ele deu o livro para que eu lesse.**

1. Ela explicou de novo para ele compreender. Ela explicou de novo para que ....
2. Eu ri por estar alegre. Eu ri porque ....
3. Eu tomei um táxi por estar atrasado. Eu tomei um táxi porque ....
4. Ele insiste para eu aceitar. ....
5. Vou trancar as portas por estar com medo. ....
6. Ela mudou de idéia sem me consultar. ....

Regência

I. Verbos seguidos de Infinitivo (sem preposição).

Eu *odeio* trabalhar. Ele *tentou* ajudar.

Complete o balão.

Faça frases com os verbos seguintes.

conseguir ______

preferir ______

saber ______

decidir ______

pretender ______

tencionar ______

desejar ______

procurar ______

tentar ______

dever ______

querer ______

precisar ______

evitar ______

odiar ______

poder ______

II. Verbos seguidos de preposição + Infinitivo.

Ele *aprendeu a* dirigir em 3 dias. Eles *insistiram em* esperar.

Faça frases com os verbos seguintes.

acabar de, por, com, em ______

começar a ______

deixar de ______

aconselhar a ______

concordar em ______

gostar de ______

acostumar(-se) a ______

consentir em ______

pedir para ______

esquecer-se de ______

obrigar a ______

ajudar a ______

continuar a ______

insistir em ______

pensar em ______

recusar-se a ______

aprender a ______

ensinar a ______

lembrar-se de ______

sonhar em ______

terminar de ______

arriscar-se a ______

desistir de ______

morrer de ______

cansar-se de ______

parar de ______

preparar-se para ______

discordar de ______

mudar de ______

III. Verbos seguidos de preposição + substantivos.

Ele *desistiu* da viagem. Ele *sonhou com* você.

Faça frases com os verbos seguintes.

acreditar em ____________________

agradar a ____________________

andar de ____________________

cansar(-se) de ____________________

casar(-se) com ____________________

concordar com ____________________

contar com ____________________

cuidar de ____________________

depender de ____________________

desistir de ____________________

discordar de ____________________

falar com, de, sobre ____________________

fugir de ____________________

gostar de ____________________

interessar-se por ____________________

lutar com ____________________

morrer de ____________________

pensar em ____________________

responder a ____________________

sonhar com ____________________

viver de ____________________

IV. Adjetivos seguidos de preposição + Infinitivo.

Estou contente em poder ajudar vocês. Ele não é capaz de fazer o trabalho.

Faça frases com os adjetivos seguintes.

agradável de ____________________

alegre em, por ____________________

ansioso por, de, para ____________________

apto a ____________________

contente em, por ____________________

contrário a ____________________

difícil de ____________________

duro de ____________________

fácil de ____________________

favorável a ____________________

igual a ____________________

interessado em ____________________

satisfeito por, em ____________________

triste por, em ____________________

V. Adjetivos seguidos de preposição + substantivo.
Faça frases com os adjetivos seguintes.

agradável para, a ____________________

alegre com, por ____________________

ansioso por, de ____________________

apto a ____________________

contente com, por ____________________

contrário a ____________________

favorável para, a ____________________

igual a ____________________

interessado em ____________________

parecido com ____________________

prejudicial para, a ____________________

satisfeito com ____________________

semelhante a ____________________

triste com, por ____________________

A. Ele nos ajudou **a** fazer as malas.

Todos começaram a falar ao mesmo tempo.

1. Todos começaram __________ falar ao mesmo tempo.
2. Ele ajudou-me ____________ colocar tudo na estante.
3. Não gosto _____________ viajar com estranhos.
4. Não podemos deixar ____________ ir à sua festa.
5. O diretor, afinal, consentiu ___________ nos receber.
6. Estas crianças não gostam ____________ trabalhar.
7. O público morreu ____________ rir com as piadas deste cômico.
8. Temos ______ ensinar os novos funcionários _________ trabalhar com estas máquinas.
9. Já era tarde quando nos lembramos _____________ enviar-lhes um telegrama.
10. Ele cansou-se ___________ ajudar-nos ___________ fazer nosso trabalho.

B. Tudo depende **de** você.

1. Este trabalho depende ________ nós. Não podemos desistir ___________ (ele)
2. Ela só pensa _________ (ele) porque gosta muito ______ (ele). Ela sonha ________ ele todas as noites.
3. Luiz se interessa __________ tudo.
4. Eu conto ____________ você. Não fuja ____________ mim!
5. Não pude responder ___________ sua carta antes.
6. Ontem sonhei ____________ você e hoje só estou pensando ________ você.
7. Preciso falar __________ você __________ aquele problema.
8. Espero que ele se lembre __________ mim.
9. Pode viajar tranqüila. Nós cuidaremos __________ (a) casa e _________ (os) garotos.
10. Minha filha vai se casar ___________ um rapaz de muito futuro.

Ela ficou contentíssima com sua carta.

C. Ele está apto **a** trabalhar.

1. Estamos ansiosos _______________ conhecer o país.
2. Não sei se já estamos aptos _______________ prestar o exame.
3. Ela ficou contentíssima _______________ receber sua carta.
4. Eu estou interessada _______________ aprender japonês.
5. Fiquei triste _______________ ter de ir embora.

6. Se a experiência não for bem sucedida, ele é capaz _____________ abandonar tudo.
7. Ele é contrário _____________ viajarmos agora.
8. Não estou interessado _____________ participar deste projeto.
9. Ele está satisfeito _____________ mudar para outro país.
10. Este trabalho não é difícil _____________ fazer. Quando as instruções são claras, qualquer trabalho é fácil _____________ fazer.

D. Fiquei alegre **com** a notícia.

1. Ela ficou muito contente __________ sua carta.
2. Neste ponto, ele é parecido __________ a mãe.
3. Eles estão aptos __________ (o) cargo.
4. Estou ansioso __________ notícias deles.
5. Esta fotografia é igual __________ (a) outra.
6. Esta notícia não foi agradável __________ ninguém.
7. Nosso chefe não é favorável __________ mudanças.
8. Estamos interessados __________ livros antigos.
9. Eles são sempre contrários __________ nossas sugestões e __________ nossos planos.
10. Será que o público ficará satisfeito __________ as medidas do governo?

Nosso chefe não é favorável a mudanças.

E. Complete com preposição, se necessário.

Depois que Marta aprendeu _____ falar inglês e francês, achou que estava apta ______ trabalhar. Decidiu _______ arranjar um emprego.

Estava ansiosa ______ ganhar seu próprio dinheiro. Ela não queria nem ______ pensar _________ trabalhar num escritório. Ela não _______ gostava ______ ficar horas e horas sentada numa sala fechada batendo relatórios. Ela sonhava _______ um trabalho sem rotina e morria ______ medo de não o encontrar.

Então ela começou _______ ler anúncios de jornal. Como os anúncios eram muitos, Marta pediu _____ Mônica, sua irmã, _________ ajudar ______ selecionar os anúncios mais interessantes. Às vezes Mônica ficava cansada ______ (a) tarefa e reclamava. Marta tentava ______ compreendê-la.

Intervalo

Provérbios

A. Examine o desenho e escolha o provérbio que se aplica à situação.

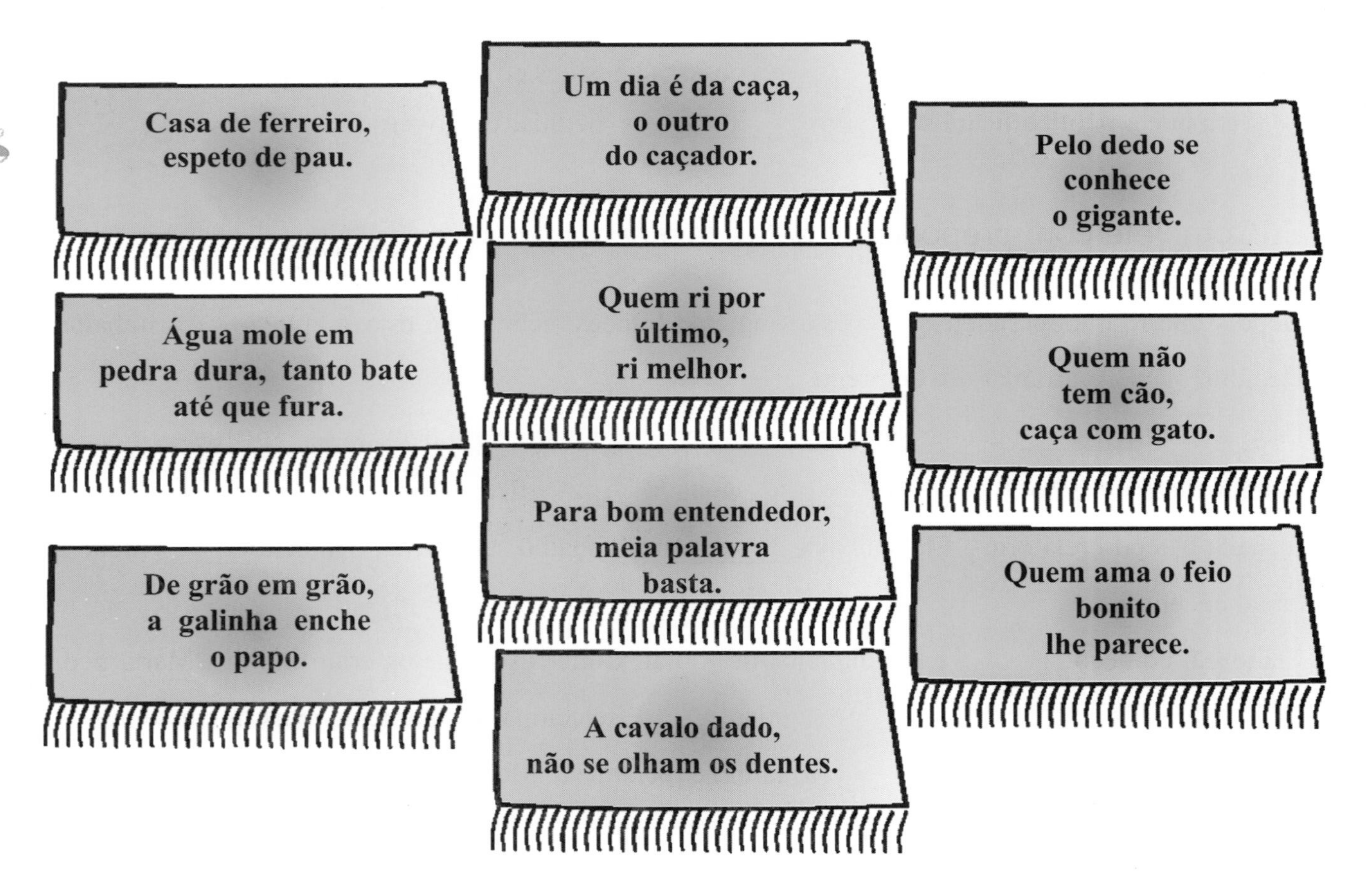

B. Considere os provérbios acima, um a um. Imagine situações às quais eles se aplicariam.

Símiles

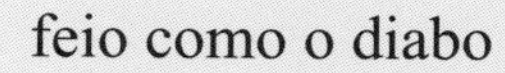
feio como o diabo

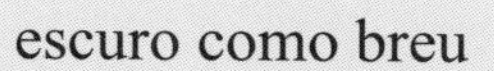
escuro como breu

surdo como uma porta

rápido como um raio

preto como carvão

doce como mel

amargo como fel

magro como um palito

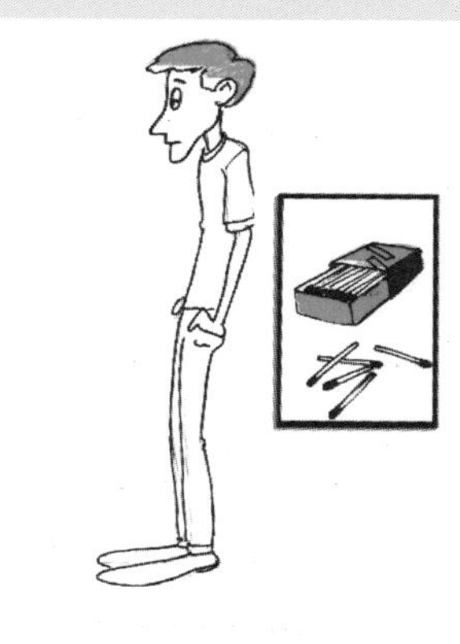

pesado como chumbo

leve como uma pluma

certo como dois e dois são cinco

2+2=5

dormir como uma pedra

tremer como vara verde

A. Relacione.

1. leve como uma pluma ( ) noite sem lua
2. rápido como um raio ( ) uma pedra grande
3. preto como carvão ( ) grande cansaço
4. pesado como chumbo ( ) piche
5. escuro como breu ( ) uma flecha
6. feio como o diabo ( ) seda
7. dormir como uma pedra ( ) urubu

B. Relacione.

1. surdo como uma porta ( ) depois do dia vem a noite
2. tremer como vara verde ( ) quindim
3. doce como mel ( ) Olívia, a mulher do Popeye
4. certo como dois e dois são quatro ( ) café sem açúcar
5. amargo como fel ( ) ver um fantasma
6. magro como um palito ( ) Hein? O que foi que você disse? Hein?

C. Complete as frases com símiles.

1. Ele estava tão cansado que caiu na cama e ....
2. Ela fez regime rigoroso e agora ....
3. Não consegui enxergar nada. A rua estava ....
4. Eu nem o vi direito. Ele passou por aqui ....
5. Fale mais alto. Ele não a está escutando. Ele é ....
6. O susto foi tão grande que meia hora depois eu ainda ....
7. Não consigo carregar sua mala, João. Ela ....
8. Preciso tirar outra fotografia. Nesta eu estou ....
9. Não tenho dúvidas. É isso mesmo o que vai acontecer. É tão ....
10. Depois do trabalho as mãos do mecânico ficam ....

D. Faça frases, usando os símiles dados.

____

____

____

____

____

____

Texto narrativo — A imigração e o povoamento do sul do Brasil

Foto: Imigrantes italianos no RS.

Enquanto o Rio de Janeiro, Minas Gerais e São Paulo davam ocupação ou trabalho para o imigrante italiano, os estados do Sul, Santa Catarina e Rio Grande do Sul, davam-lhe possibilidade de tornar-se pequeno proprietário. No Rio Grande do Sul, os imigrantes italianos dedicavam-se à cultura da uva e fundaram cidades como Bento Gonçalves, Caxias e Garibaldi, famosas por seu vinho.

Em 1824, chegaram os primeiros alemães ao Rio Grande do Sul, dando origem à cidade de São Leopoldo. Em 1850, Dr. Hermann Blumenau fundou, às margens do Rio Itajaí, em Santa Catarina, uma colônia que apresentou grande desenvolvimento. Atualmente, a cidade de Blumenau é um grande centro comercial e industrial. Em 1851 surgiu Joinville, outra cidade de origem alemã. Desde sua chegada, os alemães, e depois seus descendentes, participaram ativamente do desenvolvimento econômico e cultural do Brasil. Os japoneses só começaram a vir para cá em 1908, mas já constituem um dos maiores grupos de imigração. Estabeleceram-se, predominantemente, nas áreas rurais. No Estado de São Paulo, os japoneses concentraram-se ao redor da capital, dedicando-se à cultura das hortaliças. Esta horticultura forma o "cinturão verde", responsável pelo abastecimento da população da Grande São Paulo. No vale do Paraíba, na região alagadiça, desenvolveram a cultura do arroz, usando a mesma técnica aplicada em sua terra natal. Demonstrando espírito pioneiro, os japoneses deram impulso, também, à cultura do chá e da pimenta-do-reino.

Há ainda outros grupos de imigrantes no Brasil. Os eslavos fixaram-se no Estado do Paraná. Os sírios-libaneses, desde o fim do século passado, já vinham para o Brasil. Como a Síria e o Líbano estavam sob o domínio da Turquia, eram registrados como turcos. Distribuíram-se por todo o território brasileiro, assimilando-se facilmente. Não sendo agricultores, fixaram-se, principalmente, nas cidades e dedicaram-se ao comércio.

Os imigrantes fazem parte integrante da população brasileira. Desde os portugueses, que se confundem com nossa história, até os chineses, que, vieram recentemente, passando pelos espanhóis, americanos, franceses, ingleses, austríacos, suecos e holandeses, o Brasil deve à imigração grande parte de seu desenvolvimento.

Os imigrantes que para cá vieram adotaram a nova terra e construíram nela sua nova vida.

Responda.

1. Que fator atraiu os imigrantes para as terras do sul?
2. De que nacionalidade eram os imigrantes que se dirigiram para o Rio Grande do Sul? A que tipo de trabalho se dedicaram?
3. Quem povoou o vale do Rio Itajaí? O que construíram aí?
4. O que é o "cinturão verde"?
5. O que sabe sobre a imigração no Paraná?
6. Pode-se dizer que houve uma imigração turca no Brasil? Explique.
7. Diga o que sabe sobre a imigração portuguesa para o Brasil.
8. Conte-nos sobre os movimentos de imigração e emigração de seu país.

APÊNDICE GRAMATICAL

1. ARTIGOS

1.1. Formas

	Definidos		Indefinidos	
	Masculino	Feminino	Masculino	Feminino
Singular	o	a	um	uma
Plural	os	as	uns	umas

1.2. Emprego - Artigo Definido

Nomes de países - com artigo: o Brasil, a Itália, os Estados Unidos.
Algumas exceções: Portugal, Angola, Israel, São Salvador.
Nomes de cidades e de ilhas- sem artigos: Paris, Roma, Brasília, Cuba.
Algumas exceções: o Rio de Janeiro, o Cairo, o Porto, o Havre, a Córsega.

1.3. Contrações e Combinações com Preposições

Preposições +	**Artigo definido** o - a - os - as	**Artigo Indefinido** um uns uma umas
de	do -da - dos - das	dum - duma - duns - dumas
em	no - na - nos- nas	num - numa - nuns - numas
por	pelo - pela - pelos - pelas	X

2. CRASE

Contração da preposição **a** com o artigo definido **a / as**

2.1. Formas

Preposição +	**Artigo definido**
a	= - o - a - os - as (- ao) - à (- aos) - às

2.2. Emprego

Com nomes femininos:
Vou à farmácia (Ir a + a farmácia)

3. DEMONSTRATIVOS

3.1. Formas

	Singular / Plural
Masculino	este(s) aqui / esse(s) aí / aquele(s) ali, lá
Feminino	esta(s) aqui / essa(s) aí / aquela(s) ali, lá
Neutro	isto aqui - isso aí - aquilo ali, lá

3.2. Contrações com preposições

Preposições +	**Demonstrativos**
de	deste(s) / desse(s) / daquele(s) desta(s / dessa(s) / daquela(s) disto - disso - daquilo
em	neste(s) / nesse(s) / naquele(s) nesta(s) / nessa(s) / naquela(s) nisto - nisso - naquilo

4. PALAVRAS INTERROGATIVAS

4.1. Formas

Variáveis masculino/feminino		**Invariáveis**
quanto(s) qual quais	quanta(s) qual quais	quem o que? por que? quando? como? onde?

4.2. Emprego

Quanto custa o livro?
Quantos funcionários vieram?
Qual candidato você prefere?
Quais livros devo comprar?
Quem chegou? (= que pessoa...)
Por que estes livros estão aqui?
O que ele quer?
Quando o avião chegou?
Quando você chegou?
Onde está Pedro e onde está meu carro?
Como ele veio?

5. POSSESSIVOS

5.1. Formas

Pessoa	Possessivos
eu	meu, minha, meus, minhas
você	seu, sua, seus, suas
ele ela	dele dela } seu, sua, seus, suas
nós	nosso, nossa, nossos, nossas
vocês	seu, sua, seus, suas
eles elas	deles delas } seu, sua, seus, suas

5.2 Emprego

seu amigo / sua amiga
seus amigos / suas amigas
o amigo dele = seu amigo / o amigo dela = seu amigo
os amigos dele = seus amigos / os amigos dela = seus amigos
a amiga dele = sua amiga / a amiga dela = sua amiga
as amigas dele = suas amigas / as amigas dela = suas amigas

seu amigo / sua amiga
seus amigos / suas amigas
o amigo deles = seu amigo / o amigo dela = seu amigo
os amigos deles = seus amigos / os amigos dela = seus amigos
a amiga deles = sua amiga / a amiga delas = sua amiga
as amigas deles = suas amigas / as amigas delas = sua amigas

6.1. GÊNERO - SUBSTANTIVOS E ADJETIVOS

6.1. Formação

masculino	feminino	masculino	feminino
o médic**o** famos**o** o profess**or** encantad**or** ingl**ês** alem**ão**	a médic**a** famos**a** a professor**a** encantador**a** ingles**a** alem**ã**	o jornal**ista** o art**ista**	a jornal**ista** a art**ista**
		o estuda**nte** intelige**nte**	a estuda**nte** intelige**nte**
		industri**al** difíc**il** simple**s** comum feliz	industri**al** difíc**il** simple**s** comum feliz
espanhol	espanhol**a**		
bom mau	boa má		

Observações:

a) **Sempre feminino**
a viag**em**, a paisag**em**
a cidade, a idade

b) **Sempre masculino**
o cin**ema**, o sist**ema**, o probl**ema**, o poema, **o programa**, o mapa, o clima, o sofá, o dia

7. NÚMERO

7.1. Formas

			Singular	Plural
-a,-ã, -e,			irmã	irmãs
-i, -o, -u →		+ -s	tatu	tatus
-al, -el, →	-~~l~~	+ is	papel	papéis
-ol, -ul →	-~~l~~	+ is	azul	azuis
-il →	-~~il~~	+ -eis	**fá**cil	**fá**ceis
-il →	-~~il~~	+ -s	gent**il**	gent**is**
-r -z } → -ês		+ es	mulher rapaz francês	mulheres rapazes franceses
-ão } →	-	+ -s	mão	mãos
	-~~ão~~	+ -ões	estação	estações
	-~~ão~~	+ -ães	pão	pães
-m →	~~m~~	+ ns	homem	homens
-s →	-s		lápis	lápis

8. PRONOMES PESSOAIS

8.1. Formas 8.2. Emprego

Sujeito	Objeto direto	Objeto indireto	Reflexivo
eu	me Pedro me conhece	me, mim, comigo Pedro me telefonou Ele telefonou para mim Ele falou comigo	me Eu me visto
você ele ela	o, a,-lo,-la, -no, -na Pedro o conhece Pedro quer conhecê-lo Pagaram-na à vista.	lhe Pedro lhe telefonou	se Você/ ele/ ela se veste
nós	nos Pedro nos conhece	nos, conosco Pedro nos telefonou. Ele falou conosco .	nos Nós nos vestimos
vocês eles elas	os, as, -los, -las, -nos, nas Pedro os conhece. Pedro quer conhecê-los. Viram-nos ontem.	lhes Pedro lhes telefonou.	se Vocês/ eles / elas se vestem

9. COMPARATIVO
9.1. Formas

Igualdade tão, tanto, -a, -os, -as, ... como / quanto
A casa é tão confortável como / quanto o apartamento.
Ele tem tantos problemas quanto eu.
Superioridade mais ... (do) que
A casa é mais confortavel (do) que o apartamento.
Inferioridade menos ... (do) que
A casa é menos confortável (do) que o apartamento.

9.2. Formas especiais

(mais)	grande	maior
(mais)	pequeno(a)	menor
(mais)	bom / boa	melhor
(mais)	mau, má, ruim	pior

10. SUPERLATIVO
10.1. Relativo

Superioridade
o mais ... do /da
A casa mais antiga da rua.
A melhor casa da rua.
a mais ... do /da
Esta casa é a mais antiga da rua.
Esta é a melhor casa da rua.

Inferioridade
o menos ... do / da
A casa menos antiga da rua.
A pior casa da rua.
a menos ... do / da
Esta é a casa menos antiga da rua.
Esta é a pior casa da rua.

10.2. Absoluto

-o—>	o + -íssimo	belo	- belíssimo
-e —>	e + - íssimo	leve	- levíssimo
-vel —>	-vel + -bilíssimo	agradável	- agradabilíssimo

10.3. Formas especiais

fácil - - facílimo
difícil - - dificílimo
bom/ boa - - ótimo(a)
mau/ má - - ruim - péssimo(a)
grande - - máximo
pequeno - - mínimo

11. DIMINUTIVO
11.1. Formas

Palavras em	**Terminação -inho, -inha**
-a	escola - escolinha
-e	sorvete - sorvetinho
-o	livro - livrinho
-z	rapaz - rapazinho

Palavras em	**Terminação -zinho, -zinha**
a) sílaba final tônica:	
caf**é**	cafezinho
pa**pel**	papelzinho
mu**lher**	mulherzinha
b) sílaba final com 2 vogais	
pai	paizinho
boa	boazinha
c) sílaba final nasal	
ir**mão**	irmãozinho
maçã	maçãzinha

12. PRONOMES INDEFINIDOS
12.1. Formas

	Variáveis		**Invariáveis**
	singular	**plural**	
masculino	todo o outro qualquer nenhum ———	todos os outros quaisquer ——— vários	tudo nada alguém ninguém algo cada
feminino	toda a outra qualquer nenhuma ———	todas as outras quaisquer ——— várias	

13. PREPOSIÇÕES
LOCUÇÕES PREPOSITIVAS
13.1. Preposições simples

a	com	de	em	para	sem
ante	contra	desde	entre	perante	sob
após				por	sobre
até					

13.2. Locuções prepositivas

ao lado de, através de, apesar de, além de, a fim de, antes de, atrás de, junto a, junto de, longe de, perto de, depois de, em vez de, em cima de, embaixo de, em lugar de, por causa de, de acordo com, por trás de...

14. ADVÉRBIOS EM - mente

14.1. Formação

adjetivo masculino	adjetivo feminino	= advérbio
lento	lenta	lentamente
atencioso	atenciosa	atenciosamente
superficial	superficial	superficialmente

14.3. Outros advérbios

De modo:

Ele fala bem, mal, demais, muito, pouco, bastante, alto, baixo, rápido...

De tempo:

Ele vai vir logo, já, ainda, na semana que vem, de manhã, de noite ...
Ele veio na semana passada, de (à) noite, de (à) tarde...

15. Conjunções com subjuntivo

15.1. Com presente e imperfeito do subjuntivo

para que a fim de que mesmo que embora contanto que desde que (condicional)	até que antes que sem que caso a não ser que mesmo que	ele venha ele viesse

15.2. Com o futuro do subjuntivo

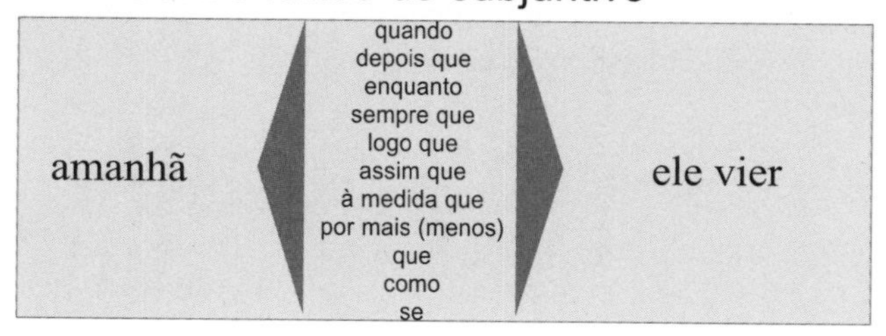

16. Orações condicionais com **se**

Se ele vier, ficarei feliz.
Se ele viesse, eu ficaria feliz.
Se ele tivesse vindo, eu teria ficado feliz.

CONJUGAÇÃO VERBAL

Verbos regulares

Primeira conjugação:

Morar

	Modo indicativo		Modo subjuntivo	
	Tempos **simples**	Tempos compostos	Tempos simples	Tempos compostos
Presente	Eu moro		Que eu more	
	Tu moras		Que tu mores	
	Ele mora		Que ele more	
	Nós moramos		Que nós moremos	
	Vós morais		Que vós moreis	
	Eles moram		Que eles morem	
Pretérito **imperfeito**	Eu morava		Que ele morasse	
	Tu moravas		Que tu morasses	
	Ele morava		Que ele morasse	
	Nós morávamos		Que nós morássemos	
	Vós moráveis		Que vós morásseis	
	Eles moravam		Que eles morassem	
Pretérito perfeito	Eu morei	tenho morado		tenha morado
	Tu moraste	tens morado		tenhas morado
	Ele morou	tem morado		tenha morado
	Nós moramos	temos morado		tenhamos morado
	Vós morastes	tendes morado		tenhais morado
	Eles moraram	têm morado		tenham morado
Pretérito mais-que-perfeito	Eu morara	tinha morado		tivesse morado
	Tu moraras	tinhas morado		tivesses morado
	Ele morara	tinha morado		tivesse morado
	Nós moráramos	tínhamos morado		tivéssemos morado
	Vós moráreis	tínheis morado		tivésseis morado
	Eles moraram	tinham morado		tivessem morado
Futuro do presente	Eu morarei	terei morado	Quando eu morar	tiver morado
	Tu morarás	terás morado	Quando tu morares	tiverdes morado
	Ele morará	terá morado	Quando ele morar	tiver morado
	Nós moraremos	teremos morado	Quando nós morarmos	tivermos morado
	Vós morareis	tereis morado	Quando vós morardes	tiverdes morado
	Eles morarão	terão morado	Quando eles morarem	tiverem morado
Furuto do pretérito	Eu moraria	teria morado		
	Tu morarias	terias morado		
	Ele moraria	teria morado		
	Nós moraríamos	teríamos morado		
	Vós moraríeis	teríeis morado		
	Eles morariam	teriam morado		

Modo imperativo

Afirmativo
mora (tu)
more (você)
moremos (nós)
morai (vós)
morem (vocês)

Negativo
não mores (tu)
não more (você)
não moremos (nós)
não moreis (vós)
não morem (vocês)

Formas nominais

Infinitivo impessoal
morar

Infinitivo pessoal
morar eu
morares tu
morar ele
morarmos nós
morardes vós
morarem eles

Inf. impessoal (pretérito)
ter morado

Inf. pessoal (pretérito)
ter morado
teres morado
ter morado
termos morado
terdes morado
terem morado

Gerúndio

Presente
morando

Pretérito
tendo morado

Particípio
morado

Conjugação verbal

Verbos regulares
Segunda conjugação: Atender

	Modo indicativo		Modo subjuntivo	
	Tempos **simples**	Tempos compostos	Tempos simples	Tempos compostos
Presente	Eu atendo Tu atendes Ele atende Nós atendemos Vós atendeis Eles atendem		Que eu atenda Que tu atendas Que ele atenda Que nós atendamos Que vós atendais Que eles atendam	
Pretérito **imperfeito**	Eu atendia Tu atendias Ele atendia Nós atendíamos Vós atendíeis Eles atendiam		Que ele atendesse Que tu atendesses Que ele atendesse Que nós atendêssemos Que vós atendêsseis Que eles atendessem	
Pretérito perfeito	Eu atendi Tu atendeste Ele atendeu Nós atendemos Vós atendestes Eles atenderam	tenho atendido tens atendido tem atendido temos atendido tendes atendido têm atendido		tenha atendido tenhas atendido tenha atendido tenhamos atendido tenhais atendido tenham atendido
Pretérito mais-que-perfeito	Eu atendera Tu atenderas Ele atendera Nós atendêramos Vós atendereis Eles atenderam	tinha atendido tinhas atendido tinha atendido tínhamos atendido tínheis atendido tinham atendido		tivesse atendido tivesses atendido tivesse atendido tivéssemos atendido tivésseis atendido tivessem atendido
Futuro do presente	Eu atenderei Tu atenderás Ele atenderá Nós atenderemos Vós atendereis Eles atenderão	terei atendido terás atendido terá atendido teremos atendido tereis atendido terão atendido	Quando eu atender Quando tu atenderes Quando ele atender Quando nós atendermos Quando vós atenderdes Quando eles atenderem	tiver atendido tiverdes atendido tiver atendido tivermos atendido tiverdes atendido tiverem atendido
Furuto do pretérito	Eu atenderia Tu atenderias Ele atenderia Nós atenderíamos Vós atenderíeis Eles atenderiam	teria atendido terias atendido teria atendido teríamos atendido teríeis atendido teriam atendido		

Modo imperativo

Afirmativo
atende (tu)
atenda (você)
atendamos (nós)
atendei (vós)
atendam (vocês)

Negativo
não atendas (tu)
não atenda (você)
não atendamos (nós)
não atendais (vós)
não atendam (vocês)

Formas nominais

Infinitivo impessoal
atender

Infinitivo pessoal
atender eu
atenderes tu
atender ele
atendermos nós
atenderdes vós
atenderem eles

Infinitivo impessoal (pretérito)
ter atendido

Infinitivo pessoal (pretérito)
ter atendido
teres atendido
ter atendido
termos atendido
terdes atendido
terem atendido

Gerúndio

Presente
atendendo

Pretérito
tendo atendido

Particípio
atendido

Conjugação verbal

Verbos regulares
Terceira conjugação: Abrir

	Modo indicativo		Modo subjuntivo	
	Tempos **simples**	Tempos compostos	Tempos simples	Tempos compostos
Presente	Eu abro Tu abres Ele abre Nós abrimos Vós abris Eles abrem		Que eu abra Que tu abras Que ele abra Que nós abramos Que vós abrais Que eles abram	
Pretérito **imperfeito**	Eu abria Tu abrias Ele abria Nós abríamos Vós abríeis Eles abriam		Que ele abrisse Que tu abrisses Que ele abrisse Que nós abríssemos Que vós abrísseis Que eles abrissem	
Pretérito perfeito	Eu abri Tu abriste Ele abriu Nós abrimos Vós abristes Eles abriram	tenho aberto tens aberto tem aberto temos aberto tendes aberto têm aberto		tenha aberto tenhas aberto tenha aberto tenhamos aberto tenhais aberto tenham aberto
Pretérito mais-que-perfeito	Eu abrira Tu abriras Ele abrira Nós abríramos Vós abríreis Eles abriram	tinha aberto tinhas aberto tinha aberto tínhamos aberto tínheis aberto tinham aberto		tivesse aberto tivesses aberto tivesse aberto tivéssemos aberto tivésseis aberto tivessem aberto
Futuro do presente	Eu abrirei Tu abrirás Ele abrirá Nós abriremos Vós abrireis Eles abrirão	terei aberto terás aberto terá aberto teremos aberto tereis aberto terão aberto	Quando eu abrir Quando tu abrires Quando ele abrir Quando nós abrirmos Quando vós abrirdes Quando eles abrirem	tiver aberto tiverdes aberto tiver aberto tivermos aberto tiverdes aberto tiverem aberto
Furuto do pretérito	Eu abriria Tu abririas Ele abriria Nós abriríamos Vós abriríeis Eles abririam	teria aberto terias aberto teria aberto teríamos aberto teríeis aberto teriam aberto		

Modo imperativo

Afirmativo
abre (tu)
abra (você)
abramos (nós)
abri (vós)
abram (vocês)

Negativo
não abras (tu)
não abra (você)
não abramos (nós)
não abrais (vós)
não abram (vocês)

Formas nominais

Infinitivo impessoal
abrir

Infinitivo pessoal
abrir eu
abrires tu
abrir ele
abrimos nós
abrirdes vós
abrirem eles

Infinitivo impessoal (pretérito)
ter aberto

Infinitivo pessoal (pretérito)
ter aberto
teres aberto
ter aberto
termos aberto
terdes aberto
terem aberto

Gerúndio

Presente
abrindo

Pretérito
tendo aberto

Particípio
aberto

Conjugação dos verbos auxiliares mais comuns

Modo indicativo

	Ser	Estar	Ter	Haver
Presente	Eu sou	Eu estou	Eu tenho	Eu hei
	Tu és	Tu estás	Tu tens	Tu hás
	Ele é	Ele está	Ele tem	Ele há
	Nós somos	Nós estamos	Nós temos	Nós havemos
	Vós sois	Vós estais	Vós tendes	Vós haveis
	Eles são	Eles estão	Eles têm	Eles hão
Pretérito imperfeito	Eu era	Eu estava	Eu tinha	Eu havia
	Tu eras	Tu estavas	Tu tinhas	Tu havias
	Ele era	Ele estava	Ele tinha	Ele havia
	Nós éramos	Nós estávamos	Nós tínhamos	Nós havíamos
	Vós éreis	Vós estáveis	Vós tínheis	Vós havíeis
	Eles eram	Eles estavam	Eles tinham	Eles haviam
Pretérito perfeito	Eu fui	Eu estive	Eu tive	Eu houve
	Tu foste	Tu estiveste	Tu tiveste	Tu houveste
	Ele foi	Ele esteve	Ele teve	Ele houve
	Nós fomos	Nós estivemos	Nós tivemos	Nós houvemos
	Vós fostes	Vós estivestes	Vós tivestes	Vós houvestes
	Eles foram	Eles estiveram	Eles tiveram	Eles houveram
Pretérito mais-que-perfeito	Eu fora	Eu estivera	Eu tivera	Eu houvera
	Tu foras	Tu estiveras	Tu tiveras	Tu houveras
	Ele fora	Ele estivera	Ele tivera	Ele houvera
	Nós fôramos	Nós estivéramos	Nós tivéramos	Nós houvéramos
	Vós fôreis	Vós estivéreis	Vós tivéreis	Vós houvéreis
	Eles foram	Eles estiveram	Eles tiveram	Eles houveram
Futuro do presente	Eu serei	Eu estarei	Eu terei	Eu haverei
	Tu serás	Tu estarás	Tu terás	Tu haverás
	Ele será	Ele estará	Ele terá	Ele haverá
	Nós seremos	Nós estaremos	Nós teremos	Nós haveremos
	Vós sereis	Vós estareis	Vós tereis	Vós havereis
	Eles serão	Eles estarão	Eles terão	Eles haverão
Furuto do pretérito	Eu seria	Eu estaria	Eu teria	Eu haveria
	Tu serias	Tu estarias	Tu terias	Tu haverias
	Ele seria	Ele estaria	Ele teria	Ele haveria
	Nós seríamos	Nós estaríamos	Nós teríamos	Nós haveríamos
	Vós seríeis	Vós estaríeis	Vós teríeis	Vós haveríeis
	Eles seriam	Eles estariam	Eles teriam	Eles haveriam

Modo subjuntivo

	Ser	Estar	Ter	Haver
Presente	que eu seja	esteja	tenha	haja
	que tu sejas	estejas	tenhas	hajas
	que ele seja	esteja	tenha	haja
	que nós sejamos	estejamos	tenhamos	hajamos
	que vós sejais	estejais	tenhais	hajais
	que eles sejam	estejam	tenham	hajam
Pretérito **imperfeito**	que eu fosse	estivesse	tivesse	houvesse
	que tu fosses	estivesses	tivesses	houvesses
	que ele fosse	estivesse	tivesse	houvesse
	que nós fôssemos	estivéssemos	tivéssemos	houvéssemos
	que vós fôsseis	estivésseis	tivésseis	houvésseis
	que eles fossem	estivessem	tivessem	houvessem
Futuro do presente	quando eu for	estiver	tiver	houver
	quando tu fores	estiveres	tiveres	houveres
	quando ele for	estiver	tiver	houver
	quando nós formos	estivermos	tivermos	houvermos
	quando vós fordes	estiverdes	tiverdes	houverdes
	quando eles forem	estiverem	tiverem	houverem

Modo Imperativo

Afirmativo

sê (tu)	está	tem	há
seja (você)	esteja	tenha	haja
sejamos (nós)	estejamos	tenhamos	hajamos
sede (vós)	estai	tende	havei
sejam (vocês)	estejam	tenham	hajam

Negativo

não sejas (tu)	não estejas	não tenhas	não hajas
não seja (você)	não esteja	não tenha	não haja
não sejamos (nós)	não estejamos	não tenhamos	não hajamos
não sejais (vós)	não estejais	não tenhais	não hajais
não sejam (vocês)	não estejam	não tenham	não hajam

Formas Nominais

Infinitivo impessoal

ser	estar	ter	haver

Infinitivo pessoal

ser eu	estar	ter	haver
seres tu	estares	teres	haveres
ser ele	estar	ter	haver
sermos nós	estarmos	termos	havermos
serdes vós	estardes	terdes	haverdes
serem eles	estarem	terem	haverem

Gerúndio

sendo
estando
tendo
havendo

Particípio

sido
estado
tido
havido

Conjugação dos verbos irregulares caber, cobrir, construir e dar

Modo indicativo

	Caber	Cobrir	Construir	Dar
Presente	Eu caibo	cubro	construo	dou
	Tu cabes	cobres	constróis	dás
	Ele cabe	cobre	constrói	dá
	Nós cabemos	cobrimos	construimos	damos
	Vós cabeis	cobris	construís	dais
	Eles cabem	cobrem	constroem	dão
Pretérito imperfeito	Eu cabia	cobria	construía	dava
	Tu cabias	cobrias	construías	davas
	Ele cabia	cobria	construía	dava
	Nós cabíamos	cobríamos	construíamos	dávamos
	Vós cabíeis	cobríeis	construíeis	dáveis
	Eles cabiam	cobriam	construíam	davam
Pretérito perfeito	Eu coube	cobri	construí	dei
	Tu coubeste	cobriste	construíste	deste
	Ele coube	cobriu	construiu	deu
	Nós coubemos	cobrimos	construímos	demos
	Vós coubestes	cobristes	construístes	destes
	Eles couberam	cobriram	construíram	deram
Pretérito mais-que-perfeito	Eu coubera	cobrira	construíra	dera
	Tu couberas	cobriras	construíras	deras
	Ele coubera	cobrira	construíra	dera
	Nós coubéramos	cobríramos	construíramos	déramos
	Vós coubéreis	cobríreis	construíreis	déreis
	Eles couberam	cobriram	construíram	deram
Futuro do presente	Eu caberei	cobrirei	construirei	darei
	Tu caberás	cobrirás	construirás	darás
	Ele caberá	cobrirá	construirá	dará
	Nós caberemos	cobriremos	construiremos	daremos
	Vós cabereis	cobrireis	construireis	dareis
	Eles caberão	cobrirão	construirão	darão
Furuto do pretérito	Eu caberia	cobriria	construiria	daria
	Tu caberias	cobririas	construirias	darias
	Ele caberia	cobriria	construiria	daria
	Nós caberíamos	cobriríamos	construiríamos	daríamos
	Vós caberíeis	cobriríeis	construiríeis	daríeis
	Eles caberiam	cobririam	construiriam	dariam

Modo subjuntivo

	Caber	Cobrir	Construir	Dar
Presente	que eu caiba	cubra	construa	dê
	que tu caibas	cubras	construas	dês
	que ele caiba	cubra	construa	dê
	que nós caibamos	cubramos	construamos	demos
	que vós caibais	cubrais	construais	deis
	que eles caibam	cubram	construam	dêem
Pretérito **imperfeito**	que eu coubesse	cobrisse	construísse	desse
	que tu coubesses	cobrisses	construísses	desses
	que ele coubesse	cobrisse	construísse	desse
	que nós coubéssemos	cobríssemos	construíssemos	déssemos
	que vós coubésseis	cobrísseis	construísseis	désseis
	que eles coubessem	cobrissem	construíssem	dessem
Futuro do presente	quando eu couber	cobrir	construir	der
	quando tu couberes	cobrires	construíres	deres
	quando ele couber	cobrir	construir	der
	quando nós coubermos	cobrirmos	construirmos	dermos
	quando vós couberdes	cobrirdes	construirdes	derdes
	quando eles couberem	cobrirem	construírem	derem

Modo Imperativo

Afirmativo			
cabe (tu)	cobre	constrói	dá
caiba (você)	cubra	construa	dê
caibamos (nós)	cubramos	construamos	demos
cabei (vós)	cobri	construí	dai
caibam (vocês)	cubram	construam	dêem
Negativo			
não caibas (tu)	não cubras	não construas	não dês
não caiba (você)	não cubra	não construa	não dê
não caibamos (nós)	não cubramos	não construamos	não demos
não caibais (vós)	não cubrais	não construais	não dêis
não caibam (vocês)	não cubram	não construam	não dêem

Formas Nominais

Infinitivo impessoal			
caber	cobrir	construir	dar
Infinitivo pessoal			
caber eu	cobrir	construir	dar
caberes tu	cobrires	construíres	dares
caber ele	cobrir	construir	dar
cabermos nós	cobrirmos	construírmos	darmos
caberdes vós	cobrirdes	construírdes	dardes
caberem eles	cobrirem	construírem	darem

Gerúndio

cabendo
cobrindo
construindo
dando

Particípio

cabido
coberto
construído
dado

Conjugação dos verbos irregulares divertir, dizer, dormir e fazer

Modo indicativo

	Divertir	Dizer	Dormir	Fazer
Presente	Eu divirto	digo	durmo	faço
	Tu divertes	dizes	dormes	fazes
	Ele diverte	diz	dorme	faz
	Nós divertimos	dizemos	dormimos	fazemos
	Vós divertis	dizeis	dormis	fazeis
	Eles divertem	dizem	dormem	fazem
Pretérito imperfeito	Eu divertia	dizia	dormia	fazia
	Tu divertias	dizias	dormias	fazias
	Ele divertia	dizia	dormia	fazia
	Nós divertíamos	dizíamos	dormíamos	fazíamos
	Vós divertíeis	dizíeis	dormíeis	fazíeis
	Eles divertiam	diziam	dormiam	faziam
Pretérito perfeito	Eu diverti	disse	dormi	fiz
	Tu divertiste	disseste	dormiste	fizeste
	Ele divertiu	disse	dormiu	fez
	Nós divertimos	dissemos	dormimos	fizemos
	Vós divertistes	dissestes	dormistes	fizestes
	Eles divertiram	disseram	dormiram	fizeram
Pretérito mais-que-perfeito	Eu divertira	dissera	dormira	fizera
	Tu divertiras	disseras	dormiras	fizeras
	Ele divertira	dissera	dormira	fizera
	Nós divertíramos	disséramos	dormíramos	fizéramos
	Vós divertíreis	disséreis	dormíreis	fizéreis
	Eles divertiram	disseram	dormiram	fizeram
Futuro do presente	Eu divertirei	direi	dormirei	farei
	Tu divertirás	dirás	dormirás	farás
	Ele divertirá	dirá	dormirá	fará
	Nós divertiremos	diremos	dormiremos	faremos
	Vós divertireis	direis	dormireis	fareis
	Eles divertirão	dirão	dormirão	farão
Furuto do pretérito	Eu divertiria	diria	dormiria	faria
	Tu divertirias	dirias	dormirias	farias
	Ele divertiria	diria	dormiria	faria
	Nós divertiríamos	diríamos	dormiríamos	faríamos
	Vós divertiríeis	diríeis	dormiríeis	faríeis
	Eles divertiriam	diriam	dormiriam	fariam

Modo subjuntivo

	Divertir	Dizer	Dormir	Fazer
Presente	que eu divirta	diga	durma	faça
	que tu divirtas	digas	durmas	faças
	que ele divirta	diga	durma	faça
	que nós divirtamos	digamos	durmamos	façamos
	que vós divirtais	digais	durmais	façais
	que eles divirtam	digam	durmam	façam
Pretérito imperfeito	que eu divertisse	dissesse	dormisse	fizesse
	que tu divertisses	dissesses	dormisses	fizesses
	que ele divertisse	dissesse	dormisse	fizesse
	que nós divertíssemos	disséssemos	dormíssemos	fizéssemos
	que vós divertísseis	dissésseis	dormísseis	fizésseis
	que eles divertissem	dissessem	dormissem	fizessem
Futuro do presente	quando eu divertir	disser	dormir	fizer
	quando tu divertires	disseres	dormires	fizeres
	quando ele divertir	disser	dormir	fizer
	quando nós divertirmos	dissermos	dormirmos	fizermos
	quando vós divertirdes	disserdes	dormirdes	fizerdes
	quando eles divertirem	disserem	dormirem	fizerem

Modo Imperativo

Afirmativo

diverte (tu)	dize	dorme	faze
divirta (você)	diga	durma	faça
divirtamos (nós)	digamos	durmamos	façamos
diverti (vós)	dizei	dormi	fazei
divirtam (vocês)	digam	durmam	façam

Negativo

não divirtas (tu)	não digas	não durmas	não faças
não divirta (você)	não diga	não durma	não faça
não divirtamos (nós)	não digamos	não durmamos	não façamos
não divirtais (vós)	não digais	não durmais	não façais
não divirtam (vocês)	não digam	não durmam	não façam

Formas Nominais

Infinitivo impessoal

divertir	dizer	dormir	fazer

Infinitivo pessoal

divertir eu	dizer	dormir	fazer
divertires tu	dizeres	dormires	fazeres
divertir ele	dizer	dormir	fazer
divertirmos nós	dizermos	dormirmos	fazermos
divertirdes vós	dizerdes	dormirdes	fazerdes
divertirem eles	dizerem	dormirem	fazerem

Gerúndio

divertindo
dizendo
dormindo
fazendo

Particípio

divertido
dito
dormido
feito

Conjugação dos verbos irregulares ir, ler, medir e odiar

Modo indicativo

	Ir	Ler	Medir	Odiar
Presente	Eu vou	leio	meço	odeio
	Tu vais	lês	medes	odeias
	Ele vai	lê	mede	odeia
	Nós vamos	lemos	medimos	odiamos
	Vós ides	ledes	medis	odiais
	Eles vão	lêem	medem	odeiam
Pretérito imperfeito	Eu ia	lia	media	odiava
	Tu ias	lias	medias	odiavas
	Ele ia	lia	media	odiava
	Nós íamos	líamos	medíamos	odiávamos
	Vós íeis	líeis	medíeis	odiáveis
	Eles iam	liam	mediam	odiavam
Pretérito perfeito	Eu fui	li	medi	odiei
	Tu foste	leste	mediste	odiaste
	Ele foi	leu	mediu	odiou
	Nós fomos	lemos	medimos	odiamos
	Vós fostes	lestes	medistes	odiastes
	Eles foram	leram	mediram	odiaram
Pretérito mais-que-perfeito	Eu fora	lera	medira	odiara
	Tu foras	leras	mediras	odiaras
	Ele fora	lera	medira	odiara
	Nós fôramos	lêramos	medíramos	odiáramos
	Vós fôreis	lêreis	medíreis	odiáreis
	Eles foram	leram	mediram	odiaram
Futuro do presente	Eu irei	lerei	medirei	odiarei
	Tu irás	lerás	medirás	odiarás
	Ele irá	lerá	medirá	odiará
	Nós iremos	leremos	mediremos	odiaremos
	Vós ireis	lereis	medireis	odiareis
	Eles irão	lerão	medirão	odiarão
Furuto do pretérito	Eu iria	leria	mediria	odiaria
	Tu irias	lerias	medirias	odiarias
	Ele iria	leria	mediria	odiaria
	Nós iríamos	leríamos	mediríamos	odiaríamos
	Vós iríeis	leríeis	mediríeis	odiaríeis
	Eles iriam	leriam	mediriam	odiariam

Modo subjuntivo

	Ir	Ler	Medir	Odiar
Presente	que eu vá	leia	meça	odeie
	que tu vás	leias	meças	odeies
	que ele vá	leia	meça	odeie
	que nós vamos	leiamos	meçamos	odiemos
	que vós vades	leiais	meçais	odieis
	que eles vão	leiam	meçam	odeiem
Pretérito imperfeito	que eu fosse	lesse	medisse	odiasse
	que tu fosses	lesses	medisses	odiasses
	que ele fosse	lesse	medisse	odiasse
	que nós fôssemos	lêssemos	medíssemos	odiássemos
	que vós fôsseis	lêsseis	medísseis	odiásseis
	que eles fossem	lessem	medissem	odiassem
Futuro do presente	quando eu for	ler	medir	odiar
	quando tu fores	leres	medires	odiares
	quando ele for	ler	medir	odiar
	quando nós formos	lermos	medirmos	odiarmos
	quando vós fordes	lerdes	medirdes	odiardes
	quando eles forem	lerem	medirem	odiarem

Modo Imperativo

Afirmativo

vai (tu)	lê	mede	odeia
vá (você)	leia	meça	odeie
vamos (nós)	leiamos	meçamos	odiemos
ide (vós)	lede	medi	odiai
vão (vocês)	leiam	meçam	odeiem

Negativo

não vás (tu)	não leias	não meças	não odeies
não vá (você)	não leia	não meça	não odeie
não vamos (nós)	não leiamos	não meçamos	não odiemos
não vades (vós)	não leiais	não meçais	não odeies
não vão (vocês)	não leiam	não meçam	não odeiem

Formas Nominais

Infinitivo impessoal

ir	ler	medir	odiar

Infinitivo pessoal

ir eu	ler	medir	odiar
ires tu	leres	medires	odiares
ir ele	ler	medir	odiar
irmos nós	lermos	medirmos	odiarmos
irdes vós	lerdes	medirdes	odiardes
irem eles	lerem	medirem	odiarem

Gerúndio

indo
lendo
medindo
odiando

Particípio

ido
lido
medido
odiado

Conjugação dos verbos irregulares ouvir, passear, pedir e perder

Modo indicativo

	Ouvir	Passear	Pedir	Perder
Presente	Eu ouço	passeio	peço	perco
	Tu ouves	passeias	pedes	perdes
	Ele ouve	passeia	pede	perde
	Nós ouvimos	passeamos	pedimos	perdemos
	Vós ouvis	passeais	pedis	perdeis
	Eles ouvem	passeiam	pedem	perdem
Pretérito imperfeito	Eu ouvia	passeava	pedia	perdia
	Tu ouvias	passeavas	pedias	perdias
	Ele ouvia	passeava	pedia	perdia
	Nós ouvíamos	passeávamos	pedíamos	perdíamos
	Vós ouvíeis	passeáveis	pedíeis	perdiéis
	Eles ouviam	passeavam	pediam	perdiam
Pretérito perfeito	Eu ouvi	passeei	pedi	perdi
	Tu ouviste	passeaste	pediste	perdeste
	Ele ouviu	passeou	pediu	perdeu
	Nós ouvimos	passeamos	pedimos	perdemos
	Vós ouvistes	passeastes	pedistes	perdestes
	Eles ouviram	passearam	pediram	perderam
Pretérito mais-que-perfeito	Eu ouvira	passeara	pedira	perdera
	Tu ouviras	passearas	pediras	perderas
	Ele ouvira	passeara	pedira	perdera
	Nós ouvíramos	passeáramos	pedíramos	perdêramos
	Vós ouvíreis	passeáreis	pedíreis	perdêreis
	Eles ouviram	passearam	pediram	perderam
Futuro do presente	Eu ouvirei	passearei	pedirei	perderei
	Tu ouvirás	passearás	pedirás	perderás
	Ele ouvirá	passeará	pedirá	perderá
	Nós ouviremos	passearemos	pediremos	perderemos
	Vós ouvireis	passeareis	pedireis	perdereis
	Eles ouvirão	passearão	pedirão	perderão
Furuto do pretérito	Eu ouviria	passearia	pediria	perderia
	Tu ouvirias	passearias	pedirias	perderias
	Ele ouviria	passearia	pediria	perderia
	Nós ouviríamos	passearíamos	pediríamos	perderíamos
	Vós ouviríeis	passearíeis	pediríeis	perderíeis
	Eles ouviriam	passeariam	pediriam	perderiam

Modo subjuntivo

	Ouvir	Passear	Pedir	Perder
Presente	que eu ouça	passeie	peça	perca
	que tu ouças	passeies	peças	percas
	que ele ouça	passeie	peça	perca
	que nós ouçamos	passeemos	peçamos	percamos
	que vós ouçais	passeeis	peçais	percais
	que eles ouçam	passeiem	peçam	percam
Pretérito **imperfeito**	que eu ouvisse	passeasse	pedisse	perdesse
	que tu ouvisses	passeasses	pedisses	perdesses
	que ele ouvisse	passeasse	pedisse	perdesse
	que nós ouvíssemos	passeássemos	pedíssemos	perdêssemos
	que vós ouvísseis	passeásseis	pedísseis	perdêsseis
	que eles ouvissem	passeassem	pedissem	perdessem
Futuro do presente	quando eu ouvir	passear	pedir	perder
	quando tu ouvires	passeares	pedires	perderes
	quando ele ouvir	passear	pedir	perder
	quando nós ouvirmos	passearmos	pedirmos	perdermos
	quando vós ouvirdes	passeardes	pedirdes	perderdes
	quando eles ouvirem	passearem	pedirem	perderem

Modo Imperativo

Afirmativo

ouve (tu)	passeia	pede	perde
ouça (você)	passeie	peça	perca
ouçamos (nós)	passeemos	peçamos	percamos
ouvi (vós)	passeai	peçais	perdei
ouçam (vocês)	passeiem	peçam	percam

Negativo

não ouças (tu)	não passeies	não peças	não percas
não ouça (você)	não passeie	não peça	não perca
não ouçamos (nós)	não passeemos	não peçamos	não percamos
não ouçais (vós)	não passeeis	não peçais	não percais
não ouçam (vocês)	não passeiem	não peçam	não percam

Formas Nominais

Infinitivo impessoal

ouvir	passear	pedir	perder

Infinitivo pessoal

ouvir eu	passear	pedir	perder
ouvires tu	passeares	pedires	perderes
ouvir ele	passear	pedir	perder
ouvirmos nós	passearmos	pedirmos	perdermos
ouvirdes vós	passeardes	pedirdes	perderdes
ouvirem eles	passearem	pedirem	perderem

Gerúndio

ouvindo
passeando
pedindo
perdendo

Particípio

ouvido
passeado
pedido
perdido

Conjugação dos verbos irregulares poder, pôr, preferir e querer

Modo indicativo

	Poder	Pôr	Preferir	Querer
Presente	Eu posso	ponho	prefiro	quero
	Tu podes	pões	preferes	queres
	Ele pode	põe	prefere	quer
	Nós podemos	pomos	preferimos	queremos
	Vós podeis	pondes	preferis	quereis
	Eles podem	põem	preferem	querem
Pretérito imperfeito	Eu podia	punha	preferia	queria
	Tu podias	punhas	preferias	querias
	Ele podia	punha	preferia	queria
	Nós podíamos	púnhamos	preferíamos	queríamos
	Vós podíeis	púnheis	preferíeis	queríeis
	Eles podiam	punham	preferiam	queriam
Pretérito perfeito	Eu pude	pus	preferi	quis
	Tu pudeste	puseste	preferiste	quiseste
	Ele pôde	pôs	preferiu	quis
	Nós pudemos	pusemos	preferimos	quisemos
	Vós pudestes	pusestes	preferistes	quisestes
	Eles puderam	puseram	preferiram	quiseram
Pretérito mais-que-perfeito	Eu pudera	pusera	preferira	quisera
	Tu puderas	puseras	preferiras	quiseras
	Ele pudera	pusera	preferira	quisera
	Nós pudéramos	puséramos	preferíramos	quiséramos
	Vós pudéreis	puséreis	preferíreis	quiséreis
	Eles puderam	puseram	preferiram	quiseram
Futuro do presente	Eu poderei	porei	preferirei	quererei
	Tu poderás	porás	preferirás	quererás
	Ele poderá	porá	preferirá	quererá
	Nós poderemos	poremos	preferiremos	quereremos
	Vós podereis	poreis	preferireis	querereis
	Eles poderão	porão	preferirão	quererão
Furuto do pretérito	Eu poderia	poria	preferiria	quereria
	Tu poderias	porias	preferirias	quererias
	Ele poderia	poria	preferiria	quereria
	Nós poderíamos	poríamos	preferiríamos	quereríamos
	Vós poderíeis	poríeis	preferiríeis	quereríeis
	Eles poderiam	poriam	prefeririam	quereriam

Modo subjuntivo

	Poder	Pôr	Preferir	Querer
Presente	que eu possa	ponha	prefira	queira
	que tu possas	ponhas	prefiras	queiras
	que ele possa	ponha	prefira	queira
	que nós possamos	ponhamos	prefiramos	queiramos
	que vós possais	ponhais	prefirais	queirais
	que eles possam	ponham	prefiram	queiram
Pretérito **imperfeito**	que eu pudesse	pusesse	preferisse	quisesse
	que tu pudesses	pusesses	preferisses	quisesses
	que ele pudesse	pusesse	preferisse	quisesse
	que nós pudéssemos	puséssemos	preferíssemos	quiséssemos
	que vós pudésseis	pusésseis	preferísseis	quisésseis
	que eles pudessem	pusessem	preferissem	quisessem
Futuro do presente	quando eu puder	puser	preferir	quiser
	quando tu puderes	puseres	preferires	quiseres
	quando ele puder	puser	preferir	quiser
	quando nós pudermos	pusermos	preferirmos	quisermos
	quando vós puderdes	puserdes	preferirdes	quiserdes
	quando eles puderem	puserem	preferirem	quiserem

Modo Imperativo

Afirmativo

não há	põe (tu)	prefere	quere
não há	ponha (você)	prefira	queira
não há	ponhamos (nós)	prefiramos	queiramos
não há	ponde (vós)	preferi	querei
não há	ponham (vocês)	prefiram	queiram

Negativo

não há	não ponhas (tu)	não prefiras	não queiras
não há	não ponha (você)	não prefira	não queira
não há	não ponhamos (nós)	não prefiramos	não queiramos
não há	não ponhais (vós)	não prefirais	não queirais
não há	não ponham (vocês)	não prefiram	não queiram

Formas Nominais

Infinitivo impessoal

poder	pôr	preferir	querer

Infinitivo pessoal

poder eu	pôr	preferir	querer
poderes tu	pores	preferires	quereres
poder ele	pôr	preferir	querer
podermos nós	pormos	preferirmos	querermos
poderdes vós	pordes	preferirdes	quererdes
poderem eles	porem	preferirem	quererem

Gerúndio
podendo
pondo
preferindo
querendo

Particípio
podido
posto
preferido
querido

Conjugação dos verbos irregulares saber, sair, seguir e sentir

Modo indicativo

	Saber	Sair	Seguir	Sentir
Presente	Eu sei	saio	sigo	sinto
	Tu sabes	sais	segues	sentes
	Ele sabe	sai	segue	sente
	Nós sabemos	saímos	seguimos	sentimos
	Vós sabeis	saís	seguis	sentis
	Eles sabem	saem	seguem	sentem
Pretérito imperfeito	Eu sabia	saía	seguia	sentia
	Tu sabias	saías	seguias	sentias
	Ele sabia	saía	seguia	sentia
	Nós sabíamos	saíamos	seguíamos	sentíamos
	Vós sabíeis	saíeis	seguíeis	sentíeis
	Eles sabiam	saíam	seguiam	sentiam
Pretérito perfeito	Eu soube	saí	segui	senti
	Tu soubeste	saíste	seguiste	sentiste
	Ele soube	saiu	seguiu	sentiu
	Nós soubemos	saímos	seguimos	sentimos
	Vós soubestes	saístes	seguistes	sentistes
	Eles souberam	saíram	seguiram	sentiram
Pretérito mais-que-perfeito	Eu soubera	saíra	seguira	sentira
	Tu souberas	saíras	seguiras	sentiras
	Ele soubera	saíra	seguira	sentira
	Nós soubéramos	saíramos	seguíramos	sentíramos
	Vós soubéreis	saíreis	seguíreis	sentíreis
	Eles souberam	saíram	seguiram	sentiram
Futuro do presente	Eu saberei	sairei	seguirei	sentirei
	Tu saberás	sairás	seguirás	sentirás
	Ele saberá	sairá	seguirá	sentirá
	Nós saberemos	sairemos	seguiremos	sentiremos
	Vós sabereis	saireis	seguireis	sentireis
	Eles saberão	sairão	seguirão	sentirão
Furuto do pretérito	Eu saberia	sairia	seguiria	sentiria
	Tu saberias	sairias	seguirias	sentirias
	Ele saberia	sairia	seguiria	sentiria
	Nós saberíamos	sairíamos	seguiríamos	sentiríamos
	Vós saberíeis	sairíeis	seguiríeis	sentiríeis
	Eles saberiam	sairiam	seguiriam	sentiriam

Modo subjuntivo

	Saber	Sair	Seguir	Sentir
Presente	que eu saiba	saia	siga	sinta
	que tu saibas	saias	sigas	sintas
	que elle saiba	saia	siga	sinta
	que nós saibamos	saiamos	sigamos	sintamos
	que vós saibais	saiais	sigais	sintais
	que eles saibam	saiam	sigam	sintam
Pretérito imperfeito	que eu soubesse	saísse	seguisse	sentisse
	que tu soubesses	saísses	seguisses	sentisses
	que ele soubesse	saísse	seguisse	sentisse
	que nós soubéssemos	saíssemos	seguíssemos	sentíssemos
	que vós soubésseis	saísseis	seguísseis	sentísseis
	que eles soubessem	saíssem	seguissem	sentissem
Futuro do presente	quando eu souber	sair	seguir	sentir
	quando tu souberes	saíres	seguires	sentires
	quando ele souber	sair	seguir	sentir
	quando nós soubermos	sairmos	seguirmos	sentirmos
	quando vós souberdes	sairdes	seguirdes	sentirdes
	quando eles souberem	saírem	seguirem	sentirem

Modo Imperativo

Afirmativo

sabe (tu)	sai	segue	sente
saiba (você)	saia	siga	sinta
saibamos (nós)	saiamos	sigamos	sintamos
sabei (vós)	saí	segui	senti
saibam (vocês)	saiam	sigam	sintam

Negativo

não saibas (tu)	não saias	não sigas	não sintas
não saiba (você)	não saia	não siga	não sinta
não saibamos (nós)	não saiamos	não sigamos	não sintamos
não saibais (vós)	não saiais	não sigais	não sintais
não saibam (vocês)	não saiam	não sigam	não sintam

Formas Nominais

Infinitivo impessoal

saber	sair	seguir	sentir

Infinitivo pessoal

saber eu	sair	seguir	sentir
saberes tu	saíres	seguires	sentires
saber ele	sair	seguir	sentir
sabermos nós	sairmos	seguirmos	sentirmos
saberdes vós	sairdes	seguirdes	sentirdes
saberem eles	saírem	seguirem	sentirem

Gerúndio

sabendo
saindo
seguindo
sentindo

Particípio

sabido
saído
seguido
sentido

Conjugação dos verbos irregulares servir, trazer, ver e vir

Modo indicativo

	Servir	Trazer	Ver	Vir
Presente	Eu sirvo	trago	vejo	venho
	Tu serves	trazes	vês	vens
	Ele serve	traz	vê	vem
	Nós servimos	trazemos	vemos	vimos
	Vós servis	trazeis	vêdes	vindes
	Eles servem	trazem	vêem	vêm
Pretérito imperfeito	Eu servia	trazia	via	vinha
	Tu servias	trazias	vias	vinhas
	Ele servia	trazia	via	vinha
	Nós servíamos	trazíamos	víamos	vínhamos
	Vós servíeis	trazíeis	víeis	vínheis
	Eles serviam	traziam	viam	vinham
Pretérito perfeito	Eu servi	trouxe	vi	vim
	Tu serviste	trouxeste	viste	vieste
	Ele serviu	trouxe	viu	veio
	Nós servimos	trouxemos	vimos	viemos
	Vós servistes	trouxestes	vistes	viestes
	Eles serviram	trouxeram	viram	vieram
Pretérito mais-que-perfeito	Eu servira	trouxera	vira	viera
	Tu serviras	trouxeras	viras	vieras
	Ele servira	trouxera	vira	viera
	Nós servíramos	trouxéramos	víramos	viéramos
	Vós servíreis	trouxéreis	víreis	viéreis
	Eles serviram	trouxeram	viram	vieram
Futuro do presente	Eu servirei	trarei	verei	virei
	Tu servirás	trarás	verás	virás
	Ele servirá	trará	verá	virá
	Nós serviremos	traremos	veremos	viremos
	Vós servireis	trareis	vereis	vireis
	Eles servirão	trarão	verão	virão
Furuto do pretérito	Eu serviria	traria	veria	viria
	Tu servirias	trarias	verias	virias
	Ele serviria	traria	veria	viria
	Nós serviríamos	traríamos	veríamos	viríamos
	Vós serviríeis	traríeis	veríeis	viríeis
	Eles serviriam	trariam	veriam	viriam

Modo subjuntivo

	Servir	Trazer	Ver	Vir
Presente	que eu sirva	traga	veja	venha
	que tu sirvas	tragas	vejas	venhas
	que ele sirva	traga	veja	venha
	que nós sirvamos	tragamos	vejamos	venhamos
	que vós sirvais	tragais	vejais	venhais
	que eles sirvam	tragam	vejam	venham
Pretérito imperfeito	que eu servisse	trouxesse	visse	viesse
	que tu servisses	trouxesses	visses	viesses
	que ele servisse	trouxesse	visse	viesse
	que nós servíssemos	trouxéssemos	víssemos	viéssemos
	que vós servísseis	trouxésseis	vísseis	viésseis
	que eles servissem	trouxessem	vissem	viessem
Futuro do presente	quando eu servir	trouxer	vir	vier
	quando tu servires	trouxeres	vires	vieres
	quando ele servir	trouxer	vir	vier
	quando nós servirmos	trouxermos	virmos	viermos
	quando vós servirdes	trouxerdes	virdes	vierdes
	quando eles servirem	trouxerem	virem	vierem

Modo Imperativo

Afirmativo

serve (tu)	traze	vê	vem
sirva (você)	traga	veja	venha
sirvamos (nós)	tragamos	vejamos	venhamos
servi (vós)	trazei	vede	vinde
sirvam (vocês)	tragam	vejam	venham

Negativo

não sirvas (tu)	não tragas	não vejas	não venhas
não sirva (você)	não traga	não veja	não venha
não sirvamos (nós)	não tragamos	não vejamos	não venhamos
não sirvais (vós)	não tragais	não vejais	não venhais
não sirvam (vocês)	não tragam	não vejam	não venham

Formas Nominais

Infinitivo impessoal

servir	trazer	ver	vir

Infinitivo pessoal

servir eu	trazer	ver	vir
servires tu	trazeres	veres	vires
servir ele	trazer	ver	vir
servirmos nós	trazermos	vermos	virmos
servirdes vós	trazerdes	verdes	virdes
servirem eles	trazerem	verem	virem

Gerúndio

servindo
trazendo
vendo
vindo

Particípio

servido
trazido
visto
vindo

LISTA DE PALAVRAS

Indice de palavras

As principais palavras que aparecem no livro estão listadas abaixo. Os números indicam a unidade e a página em que a palavra aparece pela primeira vez.

o bronze U13, P174
a brutalidade U13, P172
bruto, -a U11, P143
o bumbo U15, P209
o buraco U11, P138
a busca U9, P121
buscar U9, P120
a buzina U16, P219
buzinar U16, P219

C

a cabeça U2, P16
o cabeleireiro, -a U17, P247
o cabelo U3, P27
cabeludo U3, P27
a caça U18, P272
o caçador, -a U18, P272
caçar U14, P192
o cachorro U2, P18
cada U1, P8
o cadáver U12, P152
a cadeia U11, P139
a cadeira U4, P38
o caderno U16, P223
o café U3, P23
cafeeiro, -a U17, P249
a cafeteira U7, P81
o cafezinho U3, P21
o caipira U3, P245
a caipirinha U3, P30
cair U10, P123
a caixa U4, P41
o caju U16, P226
calado, -a U15, P205
a calça U5, P58
a calçada U2, P9
o calçadão, -ões U6, P80
o calcanhar U6, P66
a calcinha U5, P59
calcular U18, P261
o cálculo U17, P244
a caldeira U16, P229
a calma U10, P128
calmo, -a U2, P19
o calor U3, P27
a cama U4, P38
o caminhão, -ões U4, P38
o caminho U5, P50
a camisa U5, P59
a camiseta U5, P58
a camisola U5, P59
a campainha U3, P30
a campina U7, P92
a cana U11, P139
o canal U3, P29
o canavial U16, P230
a canção -ões U17, P249
o candidato, -a, U1, P124
o candomblé U8, P105
a caneca U14, P182
a canga U5, P59
o cangaceiro, -a U8, P105
a canja U3, P31
a canoa U13, P174
o cansaço U15, P204
cansado, -a U3, P21
cantar U3, P24
cantarolar U16, P219
o canto U3, P21
o cantor U5, P62
o cão -ães, U3, P29
a capa U5, P59
a capacidade U13, P175
a capela U16, P229
o capital U17, P234
a capital U6, P79
o capitão -ã, -ães, U18, P255
a capota U15, P209
a característica U15, P209
característico, -a U8, P105
a carambola U16, P227
o cardápio U3, P30
a carga U13, P174
o cargo U3, P25
o carinho U10, P128
carioca U1, P5
o carnaval U15, P207
carnavalesco, -a U15, P209
a carne U3, P21
o carneiro U8, P106
caro, -a U3, P21
carregado, -a U14, P182
carregar U13, P174
o carro U1, P3
a carroceria U14, P182
a carta U2, P17
o cartão, -ões U2, P15
a carteira U1, P3
o carteiro U7, P88
o carvão, -ões U18, P273
a casa U2, P10
a casa-grande U16, P229
o casaco U5, P58
casado, -a U12, P152
o casamento U9, P120
casar U8, P102
o cascalho U9, P118
caso U13, P164
castanho, -a U6, P65
castelhano, -a U16, P229
castigar U9, P122
casual U13, P172
a catarata U10, P125
a catedral U6, P79
catequisar U7, P90
católico, -a U3, P25
caudaloso, -a U17, P236
a causa U4, P37
causar U10, P136
o cavalo U18, P272
o CD U3, P22
cearense U8, P106
ceder U17, P250
cedo U3, P22
cem U5, P51
o cenário U15, P210
centésimo, -a U10, P133
o centímetro U11, P137
a central U6, P69
o centro U1, P1
a cerca U18, P263
cerca U11, P139
cercado, -a U18, P263
o cérebro U14, P182
a cerimônia U16, P229
a certeza U6, P65
certo, -a U3, P21
a cerveja U2, P13
o cetim U5, P59
o céu U9, P107
o chá U3, P23
a chácara U18, P252
chamar U1, P1
o champanhe U4, P35
a chance U5, P47
o chão U10, P133
o chapéu U5, P58
chato, -a U6, P67
a chave U1, P3
o chefe U3, P22
a chegada U10, P135
chegar U3, P22
cheio, -a U9, P121
o cheiro U10, P129
o cheque U2, P15
chi! U6, P68
o chimarrão, -ões U8, P106
chinês, -a U3, P28
chique U5, P60
o chocolate U6, P77
o chofer U13, P169
o chope U14, P182
o choque U14, P191
chorar U12, P152
chover U3, P22
o chumbo U18, P273
o churrasco U7, P84
o ciclista U9, P118
a cidade U1, P1
a ciência U14, P192
cima U17, P231
cinco U3, P28
o cinema U2, P9
cinqüenta U5, P51
o cinto U5, P59
a cintura U6, P66
o cinturão, -ões U18, P275
cinza U5, P58
o circo U6, P69
o circuito U18, P263
civil U14, P182
civilizado, -a U14, P192
às claras U16, P225
claro, -a U3, P21
a classe U12, P162
clássico, -a U9, P115
o cliente U1, P4
o clima U5, P61
o clube U3, P26
coberto, -a U7, P92
a cobra U9, P121
cobrar U17, P246
cobrir U10, P127
o coco U8, P100
o cofre U1, P4
a coisa U3, P21
o colchão, -ões U13, P169
o colega U3, P22
o colégio U4, P38
o colete U5, P58
coletivo, -a U14, P192
o coletor U13, P176
a colheita U11, P139
colher U14, P192
a colher U3, P29
colocar U2, P19
a colônia U7, P90
a colonização, -ões U10, P136
colonizar U12, P162
o colono, -a U17, P249
colorido, -a U15, P210
com U16, P221
combinado, -a U6, P79
combinar U5, P57
o combustível U17, P236
começar U1, P1
comentar U14, P192
comer U2, P17
o comercial U3, P29
o comerciante U3, P26
o comerciário, -a U15, P210
cometer U16, P230
cômico, -a U18, P270
a comida U3, P32
comigo U2, P9
como U1, P1
a cômoda U4, P40
cômodo U16, P218
o companheiro, -a U12, P156
a companhia U2, P16
comparar U6, P79
competente U5, P62
completar U1, P8
completo, -a U10, P130
complicado, -a U8, P102
o compositor U15, P210
a compra U7, P81
comprar U2, P17
compreender U10, P135
a compreensão, -ões U12, P152
compreensivo, -a U12, P159
comprido, -a U6, P65
o compromisso U12, P149
comum U5, P61
comunicativo, -a U6, P67
a comunidade U14, P192
concentrar U18, P275
o concerto U9, P115
concluir U17, P246
concordar U13, P166
o concurso U17, P237
condenar U14, P182
a condição, -ões U14, P177
condicional U15, P194
o condomínio U18, P263
a condução, -ões U11, P139
o confete U15, P209
o confinamento U14, P191
a confluência U13, P175
confortável U3, P29
o conforto U4, P45
o confronto U11, P143
confundir U15, P204
a confusão, -ões U9, P107
confuso, -a U15, P201
o congresso U6, P79
conhecer U3, P28
conhecido, -a U8, P106
a conjunção, -ões U13, P164
o conjunto U5, P58
conosco U8, P103
conquistar U15, P208
conseguir U9, P120
o conselho U14, P189
consentir U18, P268
a conseqüência U12, P162
consertar U7, P89
o conserto U7, P81
conservado, -a U9, P113
conservador U5, P62
conservar U10, P123
considerado, -a U13, P176
considerar U2, P19
considerável U12, P162
constante U18, P264
constituir U16, P229
a construção, -ões U5, P64
construir U5, P64
consultar U7, P85
o consultório U1, P4
consumir U10, P127
o consumo U14, P182
a conta U3, P21
contagioso, -a U14, P191
contanto queU13, P164
contar U9, P120
o contato U10, P135
contente U3, P25
conter U15, P200
contínuo, -a U2, P18
contra U16, P221
a contração, -ões U16, P224
a contramão U9, P117
contrariar U10, P135
contrário, -a U5, P63
o contraste U7, P92
contratado, -a U11, P139
contratar U9, P115
o contrato U4, P36
controlar U6, P76
o controle U18, P263
convencer U17, P235
convencido, -a U11, P143
a conversa U7, P81
a conversão, -ões U9, P117
conversar U2, P18
o convidado, -a U3, P30
convir U13, P164
o convite U9, P120
copiar U15, P197
o copo U3, P25
a cor U3, P29
cor-de-rosa U5, P62
o coração, -ões U6, P79
a coragem U6, P76
corajoso, -a U8, P105
o cordão, -ões U15, P209
o corpo U9, P120
corporal U14, P192
a correção -ões U14, P189
a corredeira U13, P176
o corredor U10, P134
o correio U2, P9
a corrente U14, P182
correr U2, P18
a correria U15, P193
a correspondência U12, P159
corresponder U1, P8
o corretor U13, P167
a corrida U13, P170
o corso U15, P209
cortar U3, P27
a corte U10, P135
o cortume U13, P176
a coruja U9, P121
as costa sU6, P66
costumar U15, P209
o costume U8, P105
costurar U17, P247
a costureira U15, P210
o cotovelo U6, P66
o couro U14, P182
o couve U3, P31
a cozinha U4, P33
o cozinheiro, -a U3, P25
o crachá U18, P263
o crachá U5, P61
crachado, -a U18, P263
a crase U6, P77
cravado, -a U13, P174
o crédito U2, P15
creme U5, P59
crer U16, P219
crescer U7, P90
crespo, -a U6, P65
a criação, -ões U6, P80
o criado-mudo U4, P40
a criança U3, P22
criar U10, P135
a criminalidade U11, P139
o cristal U3, P25
criticar U18, P262
crítico, -a U14, P191
a crônica U13, P170
cronológico, -a U3, P25
cruzado -a U5, P60
cruzar U6, P79
o cruzeiro U17, P242
a cueca U5, P59
o cuidado U6, P65
cuidar U14, P192
cujo, -a U8, P105
o cultivo U16, P229
o culto U8, P105
a cultura U14, P191
cumprimentar U8, P104
cumprir U15, P200
a curiosidade U9, P121
o curso U1, P6
curto, -a U3, P29
a curva U9, P118
o cuscus U8, P105
custar U3, P24

D

a dama U15, P210
dançar U15, P194
o dançarino, -a U15, P210
daqui U4, P41
dar U5, P47
o datilógrafo, -a U18, P260
de U16, P221
de acordo com U16, P223
de fato U9, P107
de manhã U5, P53
de manhã U3, P32
de noite / à noite U5, P53
de tarde / à tarde U5, P53
debater U15, P200
debruçar U15, P205
a decadência U17, P249
decadente U17, P249
decidir U5, P48
décimo -a U10, P133
a decisão, -ões U6, P79
o declive U9, P118
a decoração, -ões U5, P53
decorar U18, P262
dedicado, -a U16, P211
dedicar U18, P275
o dedo U6, P66
defender U8, P106
definido, -a U10, P128
definir U13, P175
o degrau U16, P228
deitar U12, P152
deixar U6, P65
dele, -a U4, P42
a delegacia U6, P65
a delícia U7, P90
demais U6, P73
demolir U11, P137
a demora U16, P221
demorado, -a U18, P263
o dendê U8, P105
o dente U6, P73
o dentista U2, P12
dentro U4, P39
o departamento U1, P1
a dependência U4, P46
depender U11, P139
depois U3, P21
depois-de-amanhã U5, P52
depressa U5, P57
a depressão, -ões U9, P118
desagradável U17, P236
desaguar U13, P174
desanimado, -a U8, P93
desanimar U11, P138
desaparecer U9, P120
desapropriar U18, P261
desarrumado, -a U16, P219
desarrumar U16, P221
o desastre U17, P231
o descendente U18, P275
descer U10, P125
a descida U16, P228
a descoberta U10, P135
o descobridor U14, P191
descobrir U17, P236
desconfiado, -a U14, P190
descongelado, -a U14, P182
desconsolo U12, P152
o desconto U7, P83
descrever U2, P19
desculpar U2, P16
desde U10, P123
desejar U16, P219
o desejo U10, P135
desembaraçado, -a U6, P67
desembrulhar U16, P219
desempregado, -a U14, P182
o desencanto U15, P206
desenhar U4, P40
o desenho U4, P39
desenvolver U7, P90
o desenvolvimento U4, P45
o deserto U3, P25
deserto, -a U12, P158
desesperado, -a U12, P146
o desespero U15, P201
desfilar U15, P210
o desfile U15, P209
desfrutar U11, P139
a desilusão, -ões U15, P206
desistir U5, P49
desligar U18, P261
o desmoramento U9, P118
desobedecer U9, P122
a desobediência U9, P122